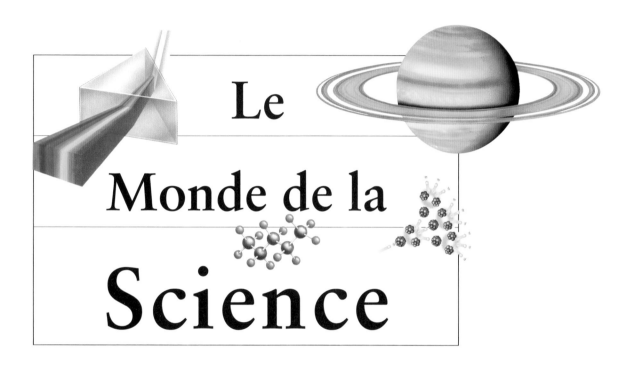

Le
Monde de la
Science

Le
Monde de la
Science

p

Réalisation : InTexte Édition
Traduction : Marie-Line Hillairet avec le concours
de Nicolas Blot (p. 8-139), Thomas Guidicelli
(p. 141-247)

ISBN : 1-40543-441-4

Imprimé aux Émirats Arabes Unis

Sommaire

Chapitre 7
Expériences scientifiques 205

Plantes et animaux

Chimie

L'air

L'eau

Le son

La lumière

Énergie et forces

Électricité et magnétisme

Introduction

DE QUAND DATE LA SCIENCE ? Peut-être de l'époque
où les premiers hommes, il y a plus d'un million d'années,
ont ramassé des pierres et les ont taillées pour fabriquer
des outils. Puis l'un d'eux a essayé plusieurs variétés
de pierres et s'est aperçu que certaines donnaient une arête
mieux polie et plus tranchante. Cette découverte marqua
le début d'une série d'expériences par tâtonnements.
Peu à peu, on testa d'autres types de roches qui se révélèrent
encore meilleures. Aujourd'hui, les spécialistes de la science
des matériaux procèdent de la même manière et formulent
des alliages métalliques et des composites pour des usages
très spécifiques.

La méthode scientifique

La science est censée progresser de façon rationnelle, point par point, en
suivant une méthode... scientifique. Un chercheur avance une idée, une
théorie, une hypothèse sous forme de suppositions. Il conçoit des expériences
et des tests pour vérifier ces suppositions. Lors de ces expériences, il étudie,
observe, mesure et évalue, puis il analyse les résultats. Si ces résultats
correspondent aux suppositions, ils confirment la théorie d'origine. Après une
double ou triple vérification des expériences et des résultats, le chercheur
passe à l'étape suivante.

Ces outils de l'âge de pierre vieux
de plus de 10 000 ans témoignent
d'une grande compétence manuelle
et d'une connaissance précoce
de la science des matériaux.

Cette carte datant de 1540 environ
présente la théorie révolutionnaire
de Nicolas Copernic selon laquelle
la Terre et les autres planètes tournent
autour du Soleil.

Ainsi s'est élaboré un vaste corpus de connaissances qui s'étend de la plus infime particule de matière à l'Univers tout entier.

La vraie science

La réalité, cependant, est quelque peu différente. La science, qui procède à tâtons, n'est pas toujours logique et sensée. Un savant, mû par une nouvelle perspective ou une inspiration soudaine est susceptible de provoquer une révolution scientifique. On prétend, par exemple, qu'Isaac Newton aurait eu ses idées sur la gravitation quand une pomme est tombée à côté de lui, peut-être même sur sa tête. Cet événement, apparemment anodin, fut à l'origine de la théorie de la gravitation universelle, d'une importance telle qu'elle a établi les nouveaux fondements des sciences physiques pour plus de trois siècles et demi. Puis, au début du xxe siècle, Albert Einstein bouleversa à nouveau la science avec sa théorie de la relativité restreinte d'abord, de la relativité générale ensuite.

La Grande Pyramide de Gizeh, en Égypte, fut construite il y a environ 4 600 ans.

Les domaines scientifiques

La science couvre de nombreux domaines qui se répartissent en trois grands groupes : la physique, la chimie et la biologie.

La physique s'intéresse à la matière, à l'énergie, au mouvement et à la structure de l'Univers, mais aussi aux machines et à la technologie.

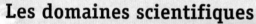

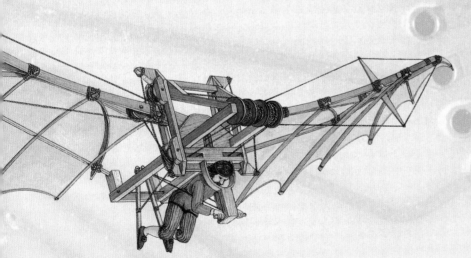

La machine volante, conçue par Léonard de Vinci vers 1500, ne fut jamais construite et, de toute manière, elle aurait été bien trop lourde pour voler. Elle témoignait toutefois d'une grande ambition scientifique.

Au xviiie siècle, la révolution industrielle exploita la puissance des machines pour l'extraction et le traitement du minerai, la fabrication de produits manufacturés et le transport. On vit les premières locomotives à vapeur sillonner les campagnes, en lâchant de gros nuages de fumée.

La chimie étudie les substances ou les produits chimiques (les éléments chimiques), leur composition, leurs différences et leurs propriétés. Elle s'intéresse également à la manière dont ces substances ou produits chimiques se transforment quand ils se mélangent ou réagissent entre eux.

La biologie explore la vie et le vivant sous toutes ses formes, des plus petits microbes aux gigantesques séquoias et baleines bleues. Elle étudie leur mode de vie, de déplacement, d'alimentation, de reproduction et d'interaction avec leur environnement.

Le génie d'Albert Einstein (1879-1955) provoqua d'immenses mutations de la science. Ses idées sur la gravitation, le temps, l'espace, les particules et les forces constituèrent les fondements de sa théorie de la relativité.

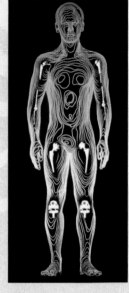

Biologie, technologie, science de la matière, ingénierie et design participent à la production de prothèses corporelles en titane et en plastique comme les articulations artificielles.

L'interdépendance des sciences

Traditionnellement, les trois principaux domaines scientifiques étaient bien séparés. Aujourd'hui, ils sont souvent confondus. Pour fabriquer une prothèse corporelle, une articulation par exemple, il sera nécessaire de solliciter la physique, la chimie et la biologie : en effet, l'articulation doit pouvoir résister aux tensions physiques, à l'exposition chimique aux sels et fluides corporels ainsi qu'au contact biologique avec les cellules microscopiques de l'organisme.

Les différents chapitres de ce livre abordent ces trois domaines scientifiques et mettent aussi en lumière les liens qui les unissent. L'ouvrage s'intéresse tout d'abord aux éléments constitutifs de la matière, les atomes, ainsi qu'aux forces qui les associent, puis il passe à une échelle de plus en plus grande pour terminer par l'Univers et la nature de l'espace et du temps.

Pourquoi la science ?

Quel est l'objet de la science ? Accroître nos connaissances, affiner notre compréhension des choses, même si les effets n'en sont pas toujours perceptibles au quotidien. Pourtant, la science a apporté de nombreux bouleversements au monde moderne.

Les navettes spatiales réutilisables ont lancé des centaines de satellites et mené des milliers d'expériences dans la « pesanteur zéro » de l'espace.

Le monde se rétrécit de jour en jour grâce à la science des télécommunications qui améliore et accélère le transfert de l'information.

Nous disposons de gadgets high-tech comme les platines laser, les téléphones mobiles, les voitures, les avions, les ordinateurs et Internet. La majorité des habitants de la Terre vivent plus longtemps, dans des conditions plus décentes et en meilleure santé.

Néanmoins, notre planète court beaucoup plus de dangers qu'autrefois. La pollution obscurcit le ciel, pénètre dans le sol et dans l'eau. Nos ressources naturelles, comme le pétrole brut, sont en voie d'épuisement. La famine et les maladies sont endémiques dans certaines régions. Les manipulations génétiques risquent de produire une nouvelle variété de super microbes résistants aux médicaments. Cet état de fait ne résulte pas de la science proprement dite, mais de son utilisation et de ses applications.

En 1986, le réacteur nucléaire de Tchernobyl, en Ukraine, a explosé, libérant sur des millions de kilomètres carrés une énorme quantité de radioactivité extrêmement nocive.

Les richesses des pays industrialisés dépendent de l'exploitation des ressources des pays en voie de développement où la nature subit des dommages irréparables.

Le réchauffement de la planète, les pluies acides et le trou dans la couche d'ozone ne sont que trois des fléaux majeurs qui menacent notre environnement.

1

Matière et produits chimiques

Toutes les substances, matière et produits chimiques – de la tête d'épingle à l'étoile – sont composés d'atomes. Les atomes s'assemblent pour former des molécules, puis les atomes et les molécules se séparent et s'unissent selon de nouvelles combinaisons. C'est une transformation chimique. La matière se présente sous trois états : liquide, solide et gazeux.

Les atomes

LES GROSSES CHOSES sont constituées de choses plus petites.
Une cabane, par exemple, est construite avec des dizaines de
rondins. Un rondin se compose de millions de fibres de bois.
Une fibre est faite de fibres encore plus minuscules d'une
substance appelée lignine. Et, bien sûr, la lignine se
compose de groupes de très petites choses, les atomes.
N'importe quel objet, un gratte-ciel ou une bille, est
constitué de ces particules microscopiques dénommées
atomes, beaucoup trop petites pour être vues à l'œil nu.
Toutes les formes de matière sont composées d'atomes.

*Un type
d'atome*

*Un autre type
d'atome*

*Liaison entre
les atomes*

Différents types d'atomes

Les atomes ne sont pas tous identiques. Il existe quelque
118 types d'atomes, appelés éléments chimiques, dont il sera question
dans les pages suivantes. Les noms de certains éléments chimiques nous
sont familiers, comme l'aluminium, le fer et le calcium. D'autres, comme le
xénon, l'yttrium et le zirconium, sont beaucoup moins connus. Les atomes de
ces éléments chimiques sont tous
différents les uns des autres – les
atomes d'aluminium sont différents
des atomes de fer et tous deux sont
différents des atomes de calcium, et
ainsi de suite – mais les atomes d'un même élément
chimique sont strictement semblables. Un morceau
de fer pur est composé de milliards d'atomes de fer,
tous identiques, et également identiques à chaque
atome de fer de n'importe quelle partie de l'Univers.

Découverte scientifique
Dès l'Antiquité, des savants
ont supposé que tout était
constitué de particules
microscopiques. Le
philosophe grec Démocrite
(vers 470-400 av. J.-C.)
suggéra que le monde et
tout ce qu'il y avait à
l'intérieur étaient composés
de particules
si petites qu'elles étaient
invisibles à l'œil nu.
Il croyait que ces particules
étaient extrêmement dures,
éternelles et toujours
en mouvement. Une partie
de la théorie moderne des
atomes s'inspire des idées
de Démocrite.

Les atomes
s'unissent
Parfois, les atomes
sont seuls et parfois ils
s'unissent à d'autres atomes
pour former des groupes
d'atomes appelés molécules,
souvent représentées par un
ensemble de boules reliées
par des barres ou liaisons.

Tout est atome
Le moindre fragment de matière
est composé d'atomes : le sol
sous nos pieds, les arbres, les
voitures, les maisons, les
ordinateurs, l'eau et l'air invisible
qui nous entoure. Tout ce qui est
vivant se constitue aussi
d'atomes : les oiseaux, les fleurs,
les minuscules microbes, les
arbres gigantesques, les tigres,
les éléphants, notre corps même.

Voir également : Au cœur des atomes page 16, Les éléments page 18, Les molécules page 22

Découverte scientifique

John Dalton (1766-1844), professeur de sciences, effectuait des relevés météorologiques détaillés. Il suggéra que chaque élément chimique était constitué de minuscules particules, les atomes, identiques les uns aux autres mais différents des atomes d'un autre élément. Il attribua aussi des noms et des symboles à une trentaine d'éléments chimiques. Il pensait toutefois que les atomes étaient des sphères solides, comme des boules de métal, impossibles à détruire. En outre, certaines substances que Dalton prenait pour des éléments étaient en fait des combinaisons d'éléments, ou composés.

Représentation symbolique des éléments par Dalton

	Manganèse	Zinc
Hydrogène	Chaux	Cuivre
Azote	Soude	Plomb
Carbone	Potasse	Argent
Oxygène	Strontiane	Or
Phosphore	Barytine	Platine
Soufre	Fer	Mercure

Les atomes dans l'Univers

Tout ce qui est à l'intérieur de notre monde, y compris la planète Terre, se compose d'atomes, et tout ce qui est à l'extérieur du monde également. L'espace n'est pas parfaitement vide. Il se compose de bribes de gaz et de poussière en suspension constituées d'atomes – comme le sont nos satellites, fusées et vaisseaux spatiaux. L'essentiel de la matière de l'Univers se trouve dans les étoiles (dont notre Soleil). L'élément chimique principal des étoiles est l'hydrogène, qui est donc la substance la plus répandue dans l'Univers : 93 atomes sur 100 sont des atomes d'hydrogène (7 atomes sur 100 seulement sont donc des atomes d'autres éléments).

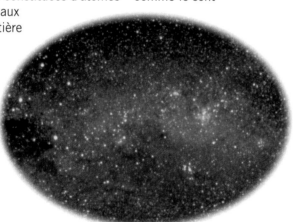

DE QUELLE GROSSEUR SONT LES ATOMES ?

▸ Les atomes sont infiniment petits ! Un atome mesure en moyenne un millionième de millimètre de diamètre.

▸ Prenons un ballon de baudruche. On a l'impression qu'il ne contient ni ne pèse rien. Pourtant, il renferme 100 milliards de milliards (100 000 000 000 000 000 000) d'atomes de gaz qui constituent l'air.

▸ Un minuscule grain de sable contient tant d'atomes que si chacun était de la taille d'une tête d'épingle, le grain mesurerait près de 2 kilomètres de diamètre.

Des blocs encastrables

Un gratte-ciel est fait de petits blocs de construction encastrés ou fixés les uns aux autres, tels que poutrelles et panneaux d'acier, et une maison, de briques par exemple. Les atomes sont eux aussi des « blocs de construction », mais beaucoup plus petits. Ce sont les éléments constitutifs, ou composants, de la matière.

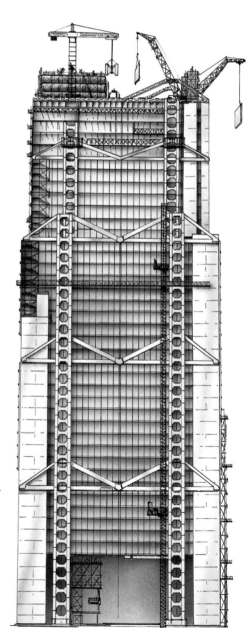

Au cœur des atomes

LES ATOMES SONT LES PRINCIPAUX COMPOSANTS de la matière. La plus petite particule d'un élément qui possède toujours les caractéristiques et les propriétés de cet élément est un atome. Mais les atomes ne sont pas les plus petites particules existantes car ils sont eux-mêmes constitués de fragments encore plus petits (appelés particules subatomiques), répartis en trois familles : les protons, les neutrons et les électrons. Dans tous les atomes de tous les éléments chimiques, les particules de chaque variété sont identiques. Ainsi, les électrons d'un atome de fer sont strictement identiques aux électrons d'un atome de soufre. Les protons d'un atome de carbone sont identiques aux protons des atomes d'aluminium. Les neutrons d'un atome de titane sont identiques aux neutrons d'un atome d'oxygène. Ces éléments chimiques se différencient par le nombre de particules subatomiques qu'ils possèdent dans chaque atome.

L'énergie des atomes
On peut séparer les unes des autres les particules subatomiques. Cette opération libère une énorme quantité d'énergie en une fraction de seconde – c'est la bombe atomique.

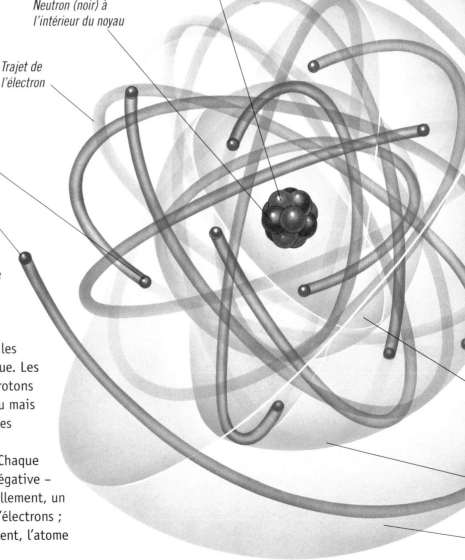

Proton (rouge) à l'intérieur du noyau

Neutron (noir) à l'intérieur du noyau

Trajet de l'électron

Électron de la couche médiane

Électron de la couche externe

L'atome

Un atome se compose d'une partie centrale appelée noyau, qui renferme les particules subatomiques dénommées protons et neutrons. Chaque proton a une charge électrique, ressemblant presque à une minuscule batterie, mais seulement positive – et non positive et négative. Les neutrons ont la même dimension que les protons mais n'ont pas de charge électrique. Les électrons, beaucoup plus petits que les protons et les neutrons, ne sont pas dans le noyau mais circulent en couches autour de celui-ci. Les électrons de la couche externe ont plus d'énergie que ceux de la couche interne. Chaque électron possède une charge électrique négative – opposée à la charge d'un proton. Habituellement, un atome a le même nombre de protons et d'électrons ; les charges positives et négatives s'annulent, l'atome a une charge électrique neutre.

Voir également : Les atomes page 14, Les éléments page 18, L'énergie électrique page 78

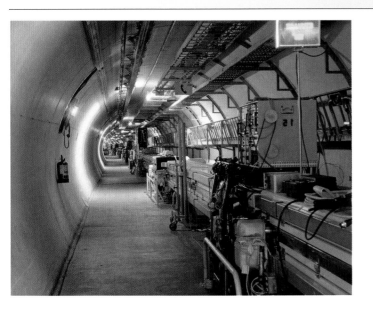

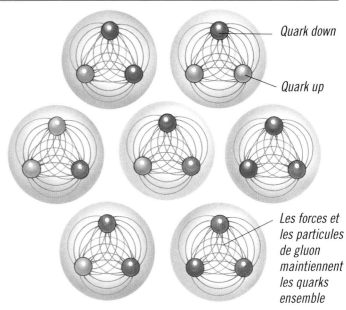

Quark down

Quark up

Les forces et les particules de gluon maintiennent les quarks ensemble

Comment explorer l'atome ?

L'étude des plus petites particules constitutives des atomes nécessite un équipement scientifique des plus imposants. Ces « broyeurs d'atomes », ou accélérateurs de particules, sont logés dans d'immenses bâtiments ou tunnels souterrains, longs de plusieurs kilomètres. L'accélérateur confère d'énormes quantités d'énergie aux atomes et à leurs particules en les faisant circuler à une vitesse extrêmement élevée, puis il les fait entrer en collision ; on étudie alors les fragments qui en résultent.

Les plus petites particules ?

Outre les protons, les neutrons et les électrons, il existe beaucoup d'autres particules subatomiques, dont les muons, les gluons, les gravitons et des dizaines d'autres encore. De plus, les particules comme les protons et les neutrons sont constituées de fragments encore plus petits, les quarks. On dénombre six types de quarks portant des noms anglais : up, down, strange (étrange), charmed (charmé, ensorcelé), bottom (bas) et top. Un proton, par exemple, est constitué de trois quarks – deux up et un down. Les quarks, ainsi qu'un autre groupe de particules appelées leptons incluant les électrons, sont probablement les plus petits fragments de matière. Ce sont des particules élémentaires ou fondamentales.

Découverte scientifique

Au XVIIIe siècle, les scientifiques ont développé la théorie selon laquelle les atomes étaient les plus petites particules existantes, éternelles et insécables. Mais au XIXe siècle, des recherches ont permis de dire que les atomes n'étaient pas les plus petites particules. Dès 1911, les expériences menées par Ernest Rutherford à Manchester (Angleterre) ont montré que les atomes renfermaient des particules encore plus petites. Rutherford suggéra que l'atome se composait d'un noyau central petit et lourd et de particules beaucoup plus petites et légères, appelées électrons, en orbite autour du noyau (ci-contre, à droite) et circulant librement. En 1913, Neils Bohr approfondit cette idée en suggérant que les électrons devaient rester dans des couches à une certaine distance du noyau et (à gauche). Cette idée est toujours d'actualité.

Noyau

Électron

La version « système solaire » de l'atome présentée par Rutherford

Ernest Rutherford (1871-1937)

Couche d'électrons interne

Couche d'électrons intermédiaire

Couche d'électrons externe

Les éléments

UN ÉLÉMENT EST UNE SUBSTANCE dont les atomes sont exactement identiques, avec le même nombre de protons et de neutrons. Il existe environ 118 éléments différents, comme le montrent les schémas des pages suivantes. Chaque élément possède certaines propriétés physiques, comme la couleur, la brillance et la dureté, la température à laquelle il fond (passe de l'état solide à l'état liquide) ou bout (passe de l'état liquide à l'état gazeux), la densité (masse dans un certain volume) et la capacité à transporter ou conduire l'électricité. Un élément a aussi des propriétés chimiques, en particulier la manière dont il s'assemble ou s'unit aux atomes d'autres éléments au cours de réactions chimiques et la facilité avec laquelle il supporte de telles réactions.

Les différentes formes d'un élément – ❶
Certains éléments existent sous différentes formes physiques, le carbone par exemple. Selon que ses atomes sont presque agglomérés ou non, il donne l'une des substances les plus dures au monde, le diamant, ou d'autres substances (*voir* page ci-contre).

Élément utile
Le silicium est un élément. Le silicium pur est une substance sombre, légèrement brillante, de couleur gris-brun. Comme il possède la curieuse propriété de transporter ou conduire l'électricité – mais pas parfaitement bien –, il est qualifié de semi-conducteur. Le silicium existe sous forme de cristaux que l'on découpe en fines lamelles plus petites que l'ongle. On dépose ensuite des systèmes électriques microscopiques sur ces copeaux (selon divers procédés, au moyen de produits chimiques acides ou de rayons de haute puissance). On obtient ainsi les puces (circuits intégrés), que l'on retrouve dans toutes sortes d'appareils ou de machines, des ordinateurs aux chaînes stéréo, des avions aux satellites.

Des éléments à préserver
L'aluminium est un métal brillant et argenté, servant notamment à fabriquer des canettes de boisson, qui existe à l'état naturel dans les roches terrestres. Son extraction et sa purification demandent énormément de temps, d'énergie et d'argent. Utiliser l'aluminium plusieurs fois, en recyclant les canettes par exemple, permet d'économiser plus de neuf dixièmes de ces coûts.

Des éléments précieux
L'argent est un bel élément satiné (semi-brillant), facile à travailler et à polir, qui résiste à la corrosion. Ces propriétés en ont fait dès l'Antiquité un métal précieux, utilisé pour la fabrication de bijoux, d'objets décoratifs et de pièces de monnaie. L'argent est aussi un excellent conducteur d'électricité utilisé dans les appareils électriques.

Voir également : Les cristaux page 30, Les métaux page 40, Les ordinateurs page 106

Découverte scientifique

Antoine Lavoisier (1743-1794), cartographe, inventa un système d'éclairage public au gaz. Sa charge de fermier général (chargé du recouvrement des impôts) lui procura les fonds nécessaires à ses travaux dans son domaine de prédilection, la chimie. Lavoisier réalisa des centaines

d'expériences délicates et sérieuses sur les différents éléments et d'autres substances. Il conçut l'idée de conservation de la matière, signifiant que les substances chimiques ne sont généralement ni créées ni détruites, mais transformées de diverses manières. En 1787, il élabora un tableau de tous les éléments chimiques en attribuant à chacun un symbole (*voir* pages suivantes).

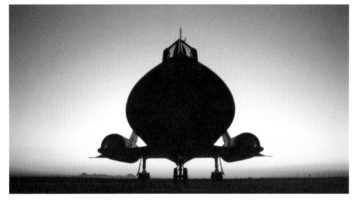

Des éléments hyper-résistants

Les avions à réaction très rapides (tel ce Lockheed SR-71 Blackbird) deviennent extrêmement chauds lorsqu'ils fendent l'air. Leur enveloppe externe renferme des éléments aptes à supporter une chaleur intense, dont le titane qui, mélangé au fer et à d'autres éléments, donne un acier résistant à la chaleur.

Les différentes formes d'un élément – ❷ et ❸

Si les atomes de carbone sont plus espacés que dans un diamant (*voir* page ci-contre) et unis de façon plus lâche, ils donnent une substance très différente et forment de petits morceaux noirs et tendres appelés charbon. La poudre noire et glissante dénommée graphite est une troisième forme de l'élément carbone.

Un élément jaune

Le soufre pur forme des morceaux jaunes cassants, des cristaux de soufre, ou une poudre jaune connue sous le nom de soufre amorphe (sans forme). Ces formes pures se rencontrent autour des volcans et des sources d'eau chaude. Le soufre joue un rôle important dans l'industrie chimique : il sert à fabriquer les allumettes, les feux d'artifice, le papier, les pesticides et les médicaments.

Des éléments rougeoyants

Les lumières vives et éclatantes des enseignes publicitaires sont parfois appelées « néons » – certaines enseignes utilisent effectivement l'élément néon. Lorsque de l'électricité transite par un tube renfermant du gaz néon, celui-ci rougeoie. D'autres gaz brillent d'autres couleurs. Dans un tube, l'argon émet un bleu-vert profond et le krypton un vert vif. Ces éléments appartiennent tous au groupe des gaz inertes ou rares, des gaz que l'on trouve en quantité infime dans l'air environnant. À l'état naturel, ils n'ont ni couleur, ni odeur, ni goût. Ils sont appelés inertes (inactifs) car leurs atomes s'unissent rarement aux atomes d'autres éléments.

Tableau périodique des éléments

La liste des substances chimiques, ou éléments, est un des principaux outils d'information dont dispose la science. Elle se présente sous la forme d'un tableau, le tableau périodique des éléments. À ce jour, 118 éléments ont été découverts. Parmi eux, 90 sont naturels et se trouvent à la surface ou à l'intérieur de la Terre, ou sur les planètes ou les étoiles de l'espace. Les autres éléments ont été fabriqués, ou synthétisés, en laboratoire. Le tableau périodique regroupe les éléments selon leurs similitudes et leurs différences, physiques (composition de leurs atomes de particules plus petites, caractéristiques physiques comme poids ou densité) et chimiques (manière dont un élément réagit ou se combine chimiquement à d'autres).

Les noms des éléments

Chaque élément porte un nom, comme le bore, le lithium ou le zinc. Certains noms viennent du latin, du grec ancien ou d'autres langues, d'autres sont inspirés par le nom de leur inventeur ou d'un savant célèbre. L'arsenic, élément très toxique, tient son nom du mot *arsenikon*, le nom en grec ancien de l'orpiment, un minerai jaune riche en arsenic. Le symbole chimique de chaque élément se compose d'une ou deux lettres, provenant généralement d'une version raccourcie du nom. C'est un symbole international, reconnu par les scientifiques du monde entier. Le nombre atomique d'un élément (*voir* page ci-contre) est le nombre de protons contenus dans le noyau de chaque atome de cet élément. Ce nombre de protons est égal au nombre d'électrons qui circulent autour du noyau de l'atome.

Découverte scientifique

Le tableau périodique des éléments chimiques fut proposé en 1869 par Dimitri Ivanovitch Mendeleïev (1834-1907), qui répertoria les propriétés de chaque élément sur une carte puis essaya de classer les cartes selon différents modes. La meilleure classification montrait que les éléments de chaque colonne (de haut en bas) avaient des propriétés voisines.

L'élément le plus léger

L'hydrogène est l'élément le plus léger car la structure de ses atomes est extrêmement simple, avec seulement quelques particules subatomiques – deux par atome. Le noyau d'un atome d'hydrogène est composé d'un seul proton, le reste d'un seul électron qui tourne autour du proton.

H hydrogène 1

Li lithium 3	Be béryllium 4

Na sodium 11	Mg magnésium 12

K potassium 19	Ca calcium 20	Sc scandium 21	Ti titane 22	V vanadium 23	Cr chrome 24	Mn manganèse 25
Rb rubidium 37	Sr strontium 38	Y yttrium 39	Zr zirconium 40	Nb niobium 41	Mo molybdène 42	Tc technétium 43
Cs césium 55	Ba baryum 56	Lu lanthane 71	Hf hafnium 72	Ta tantale 73	W tungstèn 74	Re rhénium 75
Fr francium 87	Ra radium 88	Lr lawrencium 103	Rf rutherfordium 104	Db dubnium 105	Sg seaborgium 106	Bh bohrium 107

La lanthane 57	Ce cérium 58	Pr praséodyme 59	Nd néodyme 60	Pm prométhéum 61
Ac actinium 89	Th thorium 90	Pa protactinium 91	U uranium 92	Np neptunium 93

Voir également : Les éléments page 18, Mutations chimiques page 36, Les métaux page 40

GROUPES D'ÉLÉMENTS

Hydrogène, métaux alcalins et alcalino-terreux, métaux principaux

Métaux de transition et autres métaux

Non-métaux et semi-métaux

Gaz nobles non-métaux

Séries lanthanide et actinide

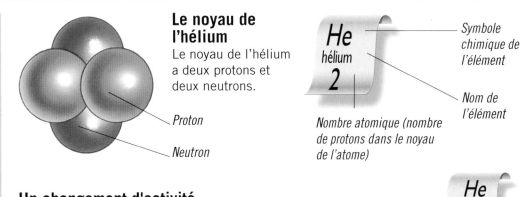

Le noyau de l'hélium
Le noyau de l'hélium a deux protons et deux neutrons.

Proton

Neutron

He
hélium
2

Symbole chimique de l'élément

Nom de l'élément

Nombre atomique (nombre de protons dans le noyau de l'atome)

Un changement d'activité
Les éléments à gauche du tableau sont les plus réactifs. Ils se combinent ou s'unissent aisément à d'autres éléments. Plus on se rapproche de la droite du tableau, plus la réactivité des éléments diminue. À l'extrême droite, les gaz nobles sont très inertes ; ils s'unissent rarement à d'autres éléments.

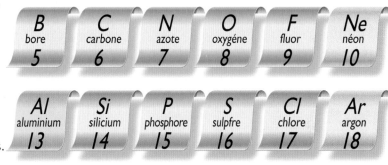

He hélium **2**

B bore **5**	*C* carbone **6**	*N* azote **7**	*O* oxygéne **8**	*F* fluor **9**	*Ne* néon **10**
Al aluminium **13**	*Si* silicium **14**	*P* phosphore **15**	*S* sulpfre **16**	*Cl* chlore **17**	*Ar* argon **18**

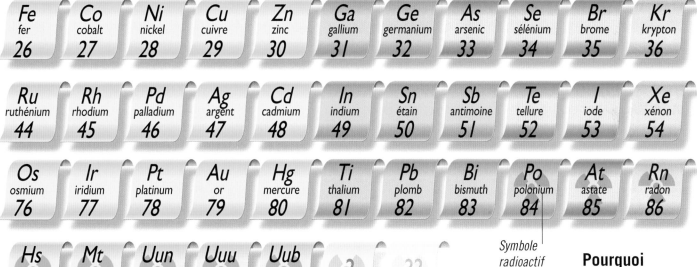

Fe fer **26**	*Co* cobalt **27**	*Ni* nickel **28**	*Cu* cuivre **29**	*Zn* zinc **30**	*Ga* gallium **31**	*Ge* germanium **32**	*As* arsenic **33**	*Se* sélénium **34**	*Br* brome **35**	*Kr* krypton **36**
Ru ruthénium **44**	*Rh* rhodium **45**	*Pd* palladium **46**	*Ag* argent **47**	*Cd* cadmium **48**	*In* indium **49**	*Sn* étain **50**	*Sb* antimoine **51**	*Te* tellure **52**	*I* iode **53**	*Xe* xénon **54**
Os osmium **76**	*Ir* iridium **77**	*Pt* platinum **78**	*Au* or **79**	*Hg* mercure **80**	*Ti* thalium **81**	*Pb* plomb **82**	*Bi* bismuth **83**	*Po* polonium **84**	*At* astate **85**	*Rn* radon **86**
Hs hassium **108**	*Mt* meitnérium **109**	*Uun* ununnilium **110**	*Uuu* unununium **111**	*Uub* ununbium **112**						

Symbole radioactif

De nouveaux éléments peuvent être découverts

Sm samarium **62**	*Eu* europium **63**	*Gd* gadolinium **64**	*Tb* terbium **65**	*Dy* dysprosium **66**	*Ho* holmium **67**	*Er* erbium **68**	*Tm* thulium **69**	*Yb* ytterbium **70**
Pu plutonium **94**	*Am* américium **95**	*Cm* curium **96**	*Bk* berkélium **97**	*Cf* californium **98**	*Es* einsteinium **99**	*Fm* fermium **100**	*Md* mendélévium **101**	*No* nobélium **102**

Pourquoi périodique ?
Ce tableau est appelé périodique car les propriétés chimiques des éléments de chaque colonne, l'un au-dessus de l'autre, sont comparables et surviennent selon une périodicité, c'est-à-dire selon un cycle régulier.

Les molécules

LES ATOMES SONT LES PRINCIPAUX CONSTITUANTS de la matière. En général, ils n'existent pas seuls mais sont unis à d'autres atomes. Lorsqu'un atome s'unit à un ou plusieurs atomes, il en résulte une molécule. Certaines molécules sont composées d'atomes du même élément unis entre eux. Par exemple, l'oxygène de l'air environnant ne se présente pas sous la forme d'atomes d'oxygène mais de molécules d'oxygène. Chaque molécule d'oxygène est constituée de deux atomes d'oxygène réunis et s'écrit sous la forme O_2. Les molécules constituées d'atomes de différents éléments unis sont appelées composés

Noyau d'un
atome d'oxygè

Électron dans
sa couche interne

Échange partagé d'électron
d'un atome à l'autre

L'ozone

Lorsque trois atomes de l'élément oxygène s'unissent de façon covalente (*voir* ci-dessous), ils forment une molécule d'oxygène triatomique qui s'écrit O_3, connue sous le nom d'ozone.

Électron dans sa
couche externe

Liaisons entre atomes

Les atomes s'assemblent de diverses manières. L'une est la liaison ionique (ci-contre), une autre est la liaison covalente (ci-dessus), lorsque les atomes se partagent un électron ou plus. Cela se produit parce que les diverses couches d'électrons d'un atome ne peuvent héberger qu'une quantité donnée d'électrons. La couche attenante au noyau en héberge deux au plus, et la suivante huit au maximum. Si la couche externe n'est pas tout à fait remplie d'électrons, elle peut parfois « emprunter » un électron à un autre atome et s'accrocher à lui un moment. De même, si la couche externe d'un atome a seulement un électron, elle peut faire don de cet électron de réserve à un autre atome tout en continuant à s'accrocher à lui une bonne partie du temps. Deux atomes qui partagent un ou plusieurs électrons sont unis par une liaison covalente.

LIAISONS IONIQUES

Il arrive parfois qu'un atome perde ou gagne un électron. C'est le cas lorsqu'il se dissout dans un liquide. Quand un atome perd un électron – qui est négatif –, l'atome devient positif. De même, un atome qui gagne un électron négatif supplémentaire devient négatif. Les atomes positifs ou négatifs, et non neutres, sont nommés ions. Le positif et le négatif s'attirant, un ion positif attire un ion négatif et les deux s'unissent.

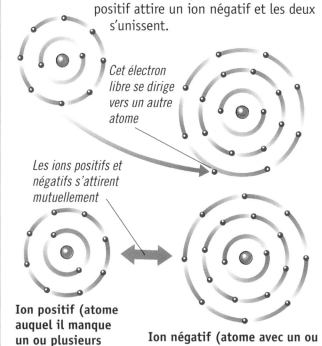

Cet électron
libre se dirige
vers un autre
atome

Les ions positifs et
négatifs s'attirent
mutuellement

Ion positif (atome auquel il manque un ou plusieurs électrons)

Ion négatif (atome avec un ou plusieurs électrons supplémentaires)

Voir également : Au cœur des atomes page 16, La dissolution page 34, Les cristaux page 30

Altération des molécules

L'embrasement est une mutation chimique survenant lorsque les molécules se brisent pour libérer leurs atomes. Ensuite, les atomes s'unissent en de nouvelles combinaisons. En conséquence, les substances chimiques s'altèrent pour donner d'autres substances chimiques. Lorsqu'un objet brûle, ses molécules se mélangent aux molécules d'oxygène en dégageant lumière et chaleur.

Molécules communes

Voici de minuscules grains de sel de table vus au microscope (les couleurs ont été rajoutées à l'ordinateur). Chaque grain renferme des milliards de molécules. Chaque molécule se compose de deux atomes, dont l'un est le sodium, Na, et l'autre le chlore, Cl. Ces deux atomes, unis par une liaison covalente, donnent le chlorure de sodium, NaCl. Les millions de molécules de sel s'assemblent en une structure régulière et donnent une forme particulière appelée cristal (*voir* les pages suivantes).

Cristaux partiellement formés

Facette d'un cristal

Provision de molécules

Les molécules d'oxygène et d'autres gaz flottent dans l'air, si petites et éloignées les unes des autres qu'elles sont invisibles à l'œil nu – mais nous savons qu'elles sont présentes car nous inspirons de l'air pour approvisionner notre organisme en oxygène. L'oxygène joue un rôle essentiel dans les mutations chimiques qui surviennent à l'intérieur du corps ; il décompose les aliments pour en retirer l'énergie nécessaire à la vie de l'organisme. Dans l'eau, il nous est impossible de respirer de l'oxygène. Les plongeurs doivent donc emporter des provisions d'oxygène stocké dans des bouteilles.

Pérégrinations

Lors d'une grande manifestation, les individus se déplacent pour voir qui est là et ce qui se passe. S'ils rencontrent des personnes qu'ils connaissent, ils discutent un moment avec elles, puis repartent. Les atomes se déplacent un peu de la même manière. À certains moments, ils s'unissent et, par un processus de mutation chimique, deviennent des molécules, puis se séparent et poursuivent leur errance. Tôt ou tard, à la suite d'une autre mutation chimique, ils s'uniront à d'autres atomes, et ainsi de suite.

Petites ou grandes molécules

CERTAINES MOLÉCULES SONT PETITES et ne contiennent que quelques atomes. Le sel de table, par exemple, renferme un atome de sodium et un de chlore. D'autres molécules sont gigantesques et contiennent des milliers d'atomes. Bien sûr, les atomes sont si petits que même une molécule qui en possède un million est encore trop petite pour être vue à l'œil nu. Mais lorsque des molécules géantes se regroupent en paquets de plusieurs millions d'atomes, elles deviennent assez grosses pour être visibles. Les hydrates de carbone sont un groupe de molécules très important. Leurs molécules contiennent toujours des atomes de carbone (C), d'hydrogène (H) et d'oxygène (O). Les sucres que nous mangeons sous forme de bonbons, de gâteaux et de chocolat sont des hydrates de carbone. L'enveloppe externe dure (exosquelette) d'un insecte comme le scarabée est composée de chitine, une forme d'hydrate de carbone.

La molécule de vie

Une des molécules les plus importantes est l'ADN, ou acide désoxyribonucléique. L'ADN est fait de deux chaînes d'atomes liées en double hélice. Les barreaux de l'échelle d'ADN sont des sous-unités de la principale molécule d'ADN, les nucléotides. Il en existe quatre sortes. Les nucléotides renferment des messages génétiques qui donnent des informations génétiques sur le vivant : comment notre corps se développe, grandit, se déplace et digère les aliments.

Polymères

Un polymère est une très grosse molécule faite d'unités identiques plus petites (appelées monomères) qui peuvent être attachées comme les anneaux d'une chaîne, ou empilées comme les briques d'un mur. Un grand nombre de molécules de sucre ainsi reliées forme le polymère amidon présent dans le pain.

Nucléotides ou sous-unités de la molécule d'ADN (« barreaux »)

Découverte scientifique

Les gènes portent des renseignements sur la façon dont les choses vivantes grandissent et mènent à bien leur processus vital. Dans les années 1940, les scientifiques ont trouvé qu'ils avaient la forme de molécules chimiques. Celles-ci étaient de l'ADN, ou acide désoxyribonucléique. Mais quelle était la véritable forme de l'ADN ? En 1953, deux savants de Cambridge (en Angleterre), Francis Crick et James Watson, découvrirent que la molécule d'ADN était une double hélice.

James Watson (1928-)

Francis Crick (1916-)

Voir également : Les atomes page 14, Les molécules page 22, Les cristaux page 30

La double hélice de l'ADN

Les molécules des poils

La fourrure animale et les poils humains se composent surtout de kératine, qui se présente sous la forme de très longues molécules semblables à des fibres. La kératine est un polymère fait de nombreuses sous-unités plus petites et plus simples assemblées selon un modèle répétitif. Elle constitue également nos ongles, ainsi que les griffes, les cornes, les sabots et les plumes des animaux.

Une diversité de formes

Pour avoir une idée des différents types de molécules, regardez les constructions et les pièces qui les composent. Une maison est petite avec seulement quelques pièces. On peut la comparer à une petite molécule comme l'acide sulfurique, H_2SO_4. Un gratte-ciel peut se comparer à une molécule polymère géante comptant des centaines de pièces ou sous-unités, identiques par la forme et la taille.

L'épine dorsale de l'ADN (« échelle ») formée de molécules de sucre

Les molécules artificielles

De nombreuses molécules ne se trouvent pas dans la nature. Celles fabriquées ou synthétisées dans des laboratoires et des usines chimiques comprennent les molécules en fibres artificielles comme le nylon, qui sert à la fabrication de fils très solides, la rayonne, la viscose et l'acrylique. Les principales variétés de plastique sont aussi des molécules polymères artificielles.

Solides, liquides et gaz

LA MATIÈRE EST N'IMPORTE QUEL OBJET OU SUBSTANCE PHYSIQUE existant dans les trois dimensions de l'espace, qui peut être immense comme une planète ou une étoile, ou infiniment petit comme un atome, ou encore aussi minuscule que les particules subatomiques à l'intérieur de l'atome. Quelle que soit sa taille, la matière existe dans l'un des trois principaux états, solide, liquide et gazeux. Une brique, une planche de bois ou une plaque d'acier sont des solides. L'essence pour le moteur d'une voiture ou l'huile de cuisine sont des liquides. Une bouteille d'oxygène dans un hôpital ou une pièce « vide » contiennent des gaz. Chaque forme de matière a des caractéristiques qui lui sont propres, mais les atomes et les molécules de la matière ne changent pas à chaque état ; seule change la façon dont les molécules ou les atomes se déplacent ou non.

La matière change d'état

Une même matière ou substance peut changer d'état, passer de l'état solide à l'état liquide ou de l'état liquide à l'état gazeux, par le biais des processus de fusion et d'ébullition décrits page ci-contre. Un autre changement d'état survient lorsque les substances brûlent ou se consument. Dans un moteur automobile, l'essence liquide se vaporise dans les cylindres à l'intérieur du moteur ainsi que l'air contenant de l'oxygène. L'essence s'enflamme et brûle rapidement ; en se mélangeant à l'oxygène, elle provoque une mini-explosion. On obtient alors divers gaz qui sont expulsés du moteur sous forme de gaz d'échappement.

Les gaz posent problème
Les gaz s'échappent, se dilatent et se répandent dans toutes les directions pour remplir leur contenant. Ainsi, les gaz d'échappement des véhicules se dispersent de façon homogène dans leur contenant, l'atmosphère terrestre. Voilà pourquoi la pollution automobile est devenu un problème mondial.

Un solide transparent
Le vernis sur un vase brillant est un solide. La plupart des solides sont opaques et ne laissent pas passer la lumière, mais le verre et les vernis clairs sont transparents. Le vernis protège les couleurs et les motifs, qu'il couvre tout en les laissant visibles.

Voir également : Les atomes page 14, Fusion et ébullition page 28, L'eau page 32

Nager au sec

Les enfants adorent s'amuser dans une « piscine de balles ». Ils s'allongent, roulent, barbotent et nagent. L'impression est la même que dans une vraie piscine pleine d'eau mais l'on ne s'y mouille pas. Les balles creuses, petites et légères de cette piscine de balles sont une version géante des minuscules atomes ou molécules d'un véritable liquide. Elles se déplacent librement, coulent quand on les pousse ou quand on les fait tomber d'un seau, et comme dans un véritable liquide, il est impossible de les rapprocher de force ou de les comprimer.

L'eau solide

L'eau solide est appelée glace ! Dans un solide, les molécules bougent très peu. Elles sont maintenues dans un cadre rigide par des liaisons. Ainsi, un solide garde la même forme sauf s'il est soumis à des forces puissantes comme une torsion ou une pression.

L'eau liquide

L'eau liquide est appelée… eau ! Dans un liquide, les molécules se déplacent assez facilement, c'est pourquoi les liquides se répandent et épousent la forme de leur contenant. Mais il est impossible de rapprocher ou d'éloigner les molécules d'un liquide et donc de comprimer ou dilater de force un liquide.

L'eau gazeuse

Elle est appelée vapeur d'eau et flotte dans l'air. Dans un gaz, les molécules se déplacent très facilement, c'est pourquoi les gaz se répandent et prennent la forme de leur contenant. Mais il est possible de rapprocher les molécules d'un gaz ou de les éloigner les unes des autres. On peut donc comprimer ou dilater un gaz afin qu'il occupe un volume plus petit ou plus grand.

Fusion et ébullition

LA MATIÈRE PEUT CHANGER D'ÉTAT, passer de l'état solide à l'état liquide ou de l'état liquide à l'état gazeux, et vice-versa. En général, ce phénomène découle d'un ajout d'énergie calorifique. La chaleur fournit aux atomes et aux molécules une énergie supplémentaire qui les incite à bouger davantage. Lorsqu'un solide est chauffé, ses atomes ou ses molécules finissent par avoir assez d'énergie pour se dégager de leur cadre rigide et se déplacer plus librement. Les solides se transforment en liquides : c'est la fusion. Chaque substance a sa propre température de fusion ou point de fusion. De même, un liquide qui est chauffé se transforme en gaz à une certaine température appelée point d'ébullition. Pour de l'eau douce à température et pression normales, le point de fusion est de 0 °C et le point d'ébullition de 100 °C.

C'est bouillant !
Chaque liquide a son propre point d'ébullition. L'eau bout à 100 °C alors que certaines huiles de cuisson se mettent à bouillir et à brûler à plus de 200°C.

Sous pression
Quand un gaz devient liquide, on parle de condensation. Cela résulte d'un processus de refroidissement ou de compression – on comprime le gaz pour qu'il occupe moins de place. Les atomes et les molécules du gaz se serrent et passent à l'état liquide. Elles reçoivent également de la chaleur et deviennent donc plus chaudes. Les tankers géants transportent du gaz naturel comprimé sous forme liquide appelé GPL (gaz de pétrole liquéfié). Ce changement d'état permet de gagner beaucoup d'espace.

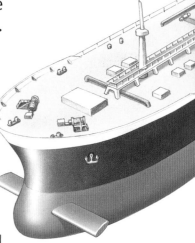

Découverte scientifique
Robert Boyle (1627-1691), un chimiste, réalisa de nombreuses expériences pratiques. Il démontra que la pression d'un gaz conservé à température constante est proportionnelle à son volume. Si l'on comprime un gaz à la moitié de son volume, sa pression doublera. C'est la loi de Boyle.

Roche en fusion
« Solide comme un roc » ne signifie pas toujours très solide. Un roc fondra lui aussi s'il devient suffisamment chaud. En profondeur, loin sous la surface terrestre, les températures et les pressions sont tellement élevées que la roche fond et devient magma. Quand ce magma s'échappe ou jaillit d'un volcan et s'écoule sur ses pentes, il se transforme en lave.

Voir également : Les molécules page 22, L'eau page 32, Chaleur et froid page 58

Patiner sur l'eau

Patiner sur la glace revient en réalité à patiner sur une très mince pellicule d'eau. La lame d'un patin à glace a la forme d'un U inversé. Ses deux bords fins reposent sur la glace en exerçant une forte pression. Augmenter la pression d'une substance augmente sa température. Ainsi, la glace devient eau l'espace d'une fraction de seconde, quand le patin glisse dessus. Lorsqu'il est passé, la glace gèle à nouveau.

Creux en forme de U

Bord tranchant de la lame

La pression fait fondre la glace en eau

Un seul côté de la lame touche la glace

Vue frontale d'une lame de patin à glace

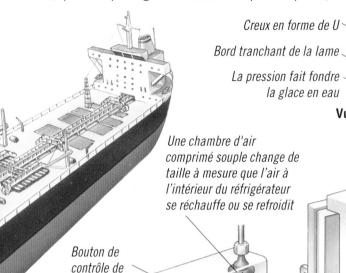

Une chambre d'air comprimé souple change de taille à mesure que l'air à l'intérieur du réfrigérateur se réchauffe ou se refroidit

Bouton de contrôle de température

Fils électriques conduisant à la pompe et au compresseur

Thermostat de réfrigérateur (contrôle de température)

L'air se réchauffant, la chambre se dilate et actionne le système de refroidissement

La réfrigération

Un réfrigérateur utilise les principes scientifiques de l'ébullition et de la condensation sous des pressions différentes. Une pompe fait circuler une substance appelée agent de refroidissement (ou frigorigène) dans les tuyaux. Le compresseur, à l'extérieur du réfrigérateur, comprime cette substance qui s'échauffe et, sous l'effet de la condensation, passe de l'état gazeux à l'état liquide. On retire ensuite de la pression au liquide à mesure qu'il s'écoule dans les tuyaux d'évaporation à l'intérieur du réfrigérateur. Le liquide bout (se transforme en gaz), en prélevant de la chaleur à l'intérieur du réfrigérateur. Le gaz transporte cette chaleur hors du réfrigérateur par les tuyaux du condenseur. Il répand la chaleur dans l'air ambiant puis est à nouveau comprimé, liquéfié et évaporé, et ainsi de suite.

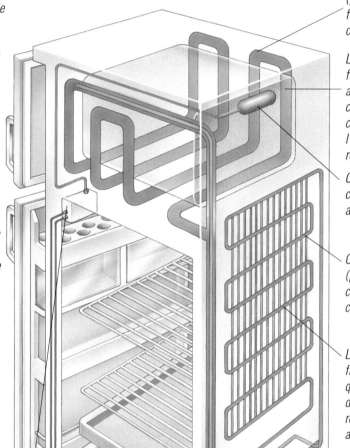

Évaporateur (partie la plus froide du circuit)

L'agent frigorigène absorbe la chaleur contenue dans l'air du réfrigérateur

Chambre d'air comprimé reliée au thermostat

Condenseur (partie la plus chaude du circuit)

L'agent frigorigène qui circule dans le tuyau réchauffe l'air ambiant

Le compresseur pressurise l'agent frigorigène

Thermostat du réfrigérateur

Fils électriques reliés au thermostat

Pompe électrique

Les cristaux

LES CRISTAUX, UNE FORME DE MATIÈRE SOLIDE, figurent parmi les articles les plus précieux de la planète. Ils comprennent les diamants, les rubis, les saphirs, les émeraudes et bien d'autres «pierres précieuses». Les atomes ou les molécules à l'intérieur de ces cristaux s'assemblent d'une certaine manière selon leur forme, à l'image des briques d'un mur ou des pièces encastrables d'un jeu de construction. Ils s'unissent pour créer des structures de plus en plus grandes mais en conservant toujours la forme de base. Un cristal présente des côtés plats (facettes) qui sont des triangles, des carrés, des rectangles ou d'autres formes géométriques. Les arêtes entre ces facettes sont droites et tranchantes. Les substances naturelles (ou minérales) présentes dans la roche terrestre s'identifient souvent à la forme de leurs cristaux. Les cristaux bruts ou naturels sont taillés et polis pour donner des bijoux ou des gemmes.

Cristaux polis

Un bijou ou une gemme en rubis est la version taillée et polie d'un cristal brut. Les gemmes sont précieuses à cause de leurs superbes couleurs, de leur dureté, de leur transparence, de leur surface lisse et brillante.

Cristaux bruts

Les cristaux naturels varient en taille ; certains sont trop petits pour être vus sinon au microscope, d'autres aussi gros qu'une maison. Lorsqu'ils viennent d'être extraits, ils sont ternes et paraissent informes.

FORMES OU MOTIFS DE CRISTAUX

Il existe sept formes ou motifs élémentaires de cristaux déterminées par la façon dont s'assemblent leurs différents atomes. La forme la plus simple est celle d'une boîte dont toutes les facettes sont des carrés d'égale dimension – c'est le motif cubique. Parmi les cristaux de ce motif figurent le sel commun (chlorure de sodium), le diamant et le grenat. Un cristal de sel ayant un volume d'un millimètre cube – soit la grosseur d'une tête d'épingle – contient quelque 70 millions d'atomes. Le motif trigone comprend les cristaux de quartz, également connus sous le nom de sable. Les grains de sable sur la plage sont de petits cristaux de quartz qui ont été usés et arrondis à force d'être frottés et roulés les uns contre les autres. De tels cristaux servent aussi à fabriquer les montres dites « à quartz » (*voir* ci-contre).

Cubique (sel, diamant, grenat)

Trigone (quartz, calcite)

Triclinique (feldspath)

Hexagonal (beryl)

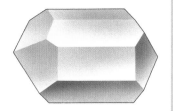

Tétragone (zircon)

Orthorhombique (barytine)

Monoclinique (gypse)

Voir également : Les atomes page 14, Les métaux page 40, Le cycle des roches page 148

Découverte scientifique

Pierre Curie (1859-1906) aida sa femme Marie dans ses recherches sur les substances radioactives. Il étudia également les cristaux et découvrit que lorsque certains cristaux sont écrasés ou déformés, la quantité d'électricité qui les traverse n'est plus la même. L'inverse se produit également – un cristal traversé par une quantité variable d'électricité change de forme ; on parle d'effet piézoélectrique. Dans une montre à quartz, une petite batterie transmet l'électricité à un minuscule cristal de quartz qui vibre de façon très rapide, en marquant ainsi le temps.

Cristaux de sucre

Le sucre, comme le sel de table, se présente généralement sous la forme de cristaux. Au microscope, on distingue des lignes et des dessins là où ils se sont formés. Dans de bonnes conditions, les cristaux « grossissent » mais conservent leur forme spécifique de cristal aux arêtes tranchantes.

Les cristaux grossissent pour remplir les vides qui subsistent entre eux

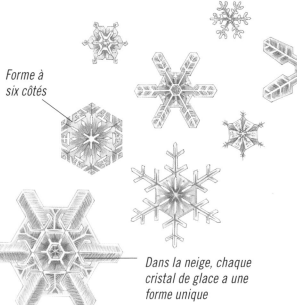

Forme à six côtés

Dans la neige, chaque cristal de glace a une forme unique

Cristaux de neige

Par temps très froid, l'eau gèle dans les nuages et forme de minuscules cristaux de glace qui tombent en neige. Étant donné la manière dont ils grossissent, ces cristaux ont toujours six côtés ou branches, mais ils sont pourtant tous différents.

Échafaudage de cristaux

Les atomes ou molécules d'un cristal s'assemblent comme les pièces d'un échafaudage. De nombreuses petites unités régulières et semblables s'emboîtent les unes dans les autres pour former une plus grosse structure à arêtes vives. Cependant, la taille et le polissage peuvent modifier la forme d'un cristal, à l'image de ce dôme arrondi réalisé par empilage de pièces d'échafaudage à degrés.

DOMINUM

L'eau

L'EAU EST ESSENTIELLE à la vie sur Terre. Les animaux comme les végétaux ont besoin d'eau pour vivre. Dans des régions « sèches », ils la trouvent dans le sol ou les ruisseaux, les fleuves, les lacs et les mares, la rosée ou les gouttes de pluie. Nous recueillons et stockons l'eau pour boire et laver, pour abreuver nos bêtes et irriguer nos cultures. Chaque être humain a besoin d'au moins deux litres d'eau par jour pour survivre et rester en bonne santé. Comme beaucoup d'autres substances, l'eau existe sous trois états différents : eau à l'état liquide, glace à l'état solide et vapeur d'eau à l'état gazeux. Tous ces états surviennent naturellement : glace dans les contrées froides et vapeur d'eau invisible dans l'air ambiant. La vapeur qui s'échappe des sources d'eau chaude ou des geysers est en réalité de la vapeur d'eau mélangée à de minuscules gouttes d'eau chaude en suspension.

Glace flottante

La plupart des substances grossissent – se dilatent – sous l'effet de la chaleur, et rétrécissent – se contractent – sous l'effet du froid. L'eau, en revanche, se contracte en refroidissant jusqu'à 4 °C, puis, en devenant encore plus froide, elle se transforme en glace et se dilate à nouveau, de sorte qu'un morceau de glace à 0 °C pèse moins lourd que le même volume d'eau à 10 °C. Ainsi, la glace – un glaçon dans un verre d'eau ou un iceberg dans la mer – flotte sur l'eau.

L'eau dans une canalisation

Les liquides comme l'eau coulent en un flux régulier dans des rigoles ou des canaux, dans des tuyaux et des canalisations. Les zones d'eau proches de la surface interne de la rigole ou de la canalisation se déplacent plus lentement car elles frottent contre cette surface. La zone d'eau centrale circule plus rapidement. Cette variation dans la vitesse du mouvement est appelée flux laminaire. Le même phénomène se produit dans une rivière. L'eau proche des berges s'écoule plus lentement que l'eau du milieu. La science des liquides en mouvement, ou hydraulique, étudie l'écoulement des liquides et la transmission des pressions dans les canalisations.

Découverte scientifique

Daniel Bernoulli (1700-1782), expert en médecine, en animaux, en végétaux, en physique et en mathématiques, démontra que l'eau ou tout autre liquide, en passant d'un gros tuyau à un plus petit, augmentait la vitesse de son flux et que sa pression diminuait. Le même phénomène se produit pour les gaz en mouvement tels que l'air. Ce principe de Bernoulli est utilisé dans de nombreuses technologies dont la conception des ailes d'avion (afin que celles-ci produisent une force ascensionnelle ou portance en se déplaçant dans les airs).

Flux contrarié par le coude du tuyau

Tourbillons au niveau du coude

Flux rapide au centre

Flux lent près du bord

Coude dans le tuyau qui modifie la direction de l'eau

Retour au flux laminaire

Voir également : Solides, liquides et gaz page 26, Fusion et ébullition page 28

Cirrus (cristaux de glace)

Cumulonimbus (orage)

L'eau, source de vie

Une oasis est un endroit dans un désert où la présence d'un point d'eau permet à la végétation de pousser. L'eau se trouve en surface, sous forme d'un lac, ou sous terre ; elle est recueillie grâce à des puits ou aspirée par les racines des plantes. La vie impossible dans le désert, est possible dans l'oasis.

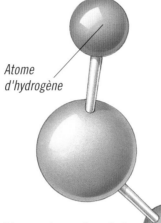

Atome d'hydrogène

L'eau dans le ciel

Les nuages sont composés de milliards de minuscules gouttes d'eau ou cristaux de glace, si légers qu'ils flottent dans les airs.

Molécules d'eau

La plus petite molécule ou particule d'eau est composée de deux atomes d'hydrogène (H) et d'un atome d'oxygène (O) qui, assemblés, donnent H_2O. Cette molécule est un dipôle. Les deux liaisons entre les atomes forment un angle de 105°.

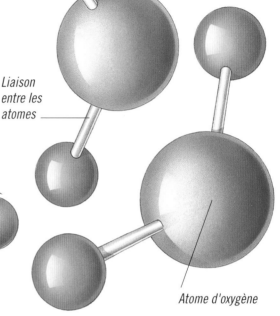

Liaison entre les atomes

Atome d'oxygène

FLOTTER ET COULER

Un objet flotte parce qu'il pèse moins lourd que l'eau qu'il repousse sur les côtés, ou qu'il déplace. Un gros paquebot, en métal lourd, renferme beaucoup d'air ; aussi, il est plus léger qu'une quantité d'eau de même volume, c'est pourquoi il flotte. Un sous-marin peut charger de l'eau pour devenir plus lourd et plonger. Pour remonter, il évacue l'eau avec de l'air provenant de réservoirs d'air comprimé. Devenu plus léger, il se remet à flotter.

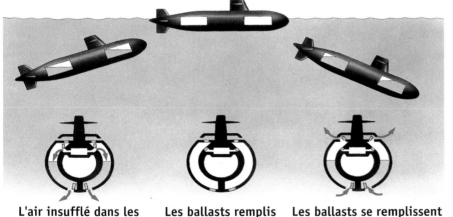

L'air insufflé dans les ballasts expulse l'eau

Les ballasts remplis d'air allègent le sous-marin qui flotte

Les ballasts se remplissent d'eau, le sous-marin s'alourdit et coule

Énergie hydraulique

Les objets et substances en mouvement possèdent de l'énergie cinétique. C'est le cas de l'eau qui descend de la montagne, attirée par la gravitation. Il est possible de maîtriser cette énergie et de la transformer en électricité dans une centrale hydroélectrique. L'énergie d'un torrent d'eau qui suit une pente très raide, une cascade par exemple, use la roche solide.

La dissolution

VERSEZ DU SUCRE EN POUDRE dans de l'eau douce dans un verre et remuez. Les grains tourbillonnent un moment puis finissent par disparaître. Mais si on goûte l'eau, on la trouve toujours sucrée. En réalité, le sucre n'a pas disparu, il s'est dissous. Ses cristaux sont devenus plus petits et se sont peu à peu désagrégés en molécules ou en atomes. Ils sont trop minuscules pour être visibles mais ils sont présents et flottent parmi les molécules d'eau. La substance dissoute – le sucre dans ce cas précis – est appelée soluté. La substance dans laquelle elle se dissout – l'eau – reçoit le nom de solvant. Les deux réunis, le soluté et le solvant, donnent une solution. Dans la vie quotidienne, l'eau est le solvant le plus commun.

Le chaud se dissout mieux

Plus un liquide est chaud, plus la quantité de soluté qu'il dissout est importante. On dissout plus de sucre dans une boisson chaude que dans une boisson froide. Dans la boisson froide, le sucre non dissous se dépose au fond de la tasse.

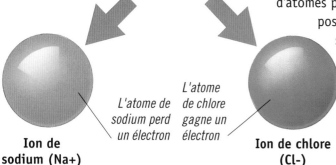

Sodium (Na)   **Chlore (Cl)**

Molécule de deux atomes unis comme la molécule du sel (chlorure de sodium – NaCl

Si l'on dissout cette molécule dans l'eau, elle se désagrège en particules séparées

L'atome de sodium perd un électron   *L'atome de chlore gagne un électron*

Ion de sodium (Na+)   **Ion de chlore (Cl-)**

Des atomes aux ions

En se dissolvant, certaines substances s'altèrent légèrement. Leurs atomes ne sont plus neutres, c'est-à-dire ni positifs, ni négatifs. Quand un groupe d'atomes perd ses électrons, qui sont négatifs, les atomes deviennent positifs. Si un autre groupe d'atomes gagne des électrons supplémentaires, les atomes deviennent négatifs. Ces particules ne sont plus des atomes mais des ions. Les ions positifs sont dénommés cations et les ions négatifs, anions. La formation d'ions est très importante pour toutes sortes de transformations et réactions chimiques et également pour produire ou utiliser de l'électricité, comme on le verra plus loin dans le livre.

Attention, danger !

Il existe des centaines de solvants. Certains, comme l'eau, sont inoffensifs, mais les puissants solvants chimiques utilisés dans l'industrie sont excessivement dangereux. Ils dissolvent de nombreuses substances, dont notre peau et notre chair !

Qu'est-ce qui est dissous dans la mer ?

L'eau qui coule de nos robinets contient très peu de substances dissoutes hormis celles qui lui sont ajoutées pour éliminer divers microbes – afin de la rendre potable – mais une gorgée d'eau de mer contient du sel dissous, identique au sel de table (le chlorure de sodium), ainsi que bien d'autres substances, dont du calcium, du sulfate et du carbonate.

Voir également : Les molécules page 23, L'eau page 32, Électricité et produits chimiques page 84

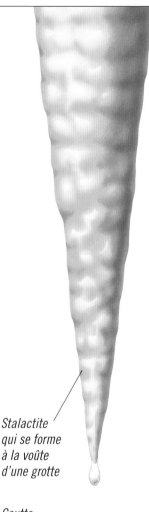

*Molécules
de pétrole
agglutinées
en amas*

*Molécules
de pétrole*

*Le détergent rend
les amas plus petits*

Dissolution du pétrole

En général, le pétrole ne se dissout pas dans l'eau, ou ne se mélange pas avec l'eau. Les molécules de pétrole s'agglutinent et flottent sur l'eau. Mais un détergent altère les propriétés de l'eau pour en faire un solvant plus puissant. Ce dernier décompose le pétrole en amas de plus en plus petits, on parle alors de dispersion. Nous utilisons différents types de détergents pour laver nos vêtements ou notre vaisselle, et aussi (sous forme de savons, gels et mousses) notre corps. De puissants détergents dispersent les nappes de pétrole polluantes.

*Stalactite
qui se forme
à la voûte
d'une grotte*

*Goutte
d'eau pleine
de minéraux
dissous*

*Stalagmite qui
s'élève en
colonne du sol
d'une grotte*

Dissolution bloquée

Seule une quantité donnée de soluté peut se dissoudre dans un solvant. Une solution pleine de soluté est une solution saturée. La saturation varie avec la température. Un liquide chaud contiendra plus de soluté qu'un liquide froid. Quand une solution saturée chaude refroidit, une partie du soluté sort de la solution et réapparaît sous forme solide.

Solution longue durée

Quand la pluie s'infiltre dans le sol et pénètre la roche par ses minuscules fissures, elle dissout une partie des minéraux naturels du sol et de la roche et produit une solution minérale. Parfois, cette solution s'écoule goutte à goutte de la voûte d'une grotte et tombe par terre. Chaque goutte d'eau, en s'évaporant, laisse des minéraux qui, accumulés pendant des milliers d'années, donnent des concrétions calcaires, les stalactites et les stalagmites.

Soluté coloré

Certaines peintures sont des solutions. Le soluté est la substance colorée, le pigment. Quand la peinture sèche, le solvant se transforme en gaz ou en vapeur et s'évapore. Les particules de pigment restent sous la forme d'une couche de peinture colorée.

Mutations chimiques

LES ATOMES NE SONT PAS FIXÉS à jamais dans leurs molécules. Les molécules peuvent se détacher et leurs atomes s'assembler à nouveau pour former des combinaisons différentes. On parle alors de mutation chimique. Les atomes des molécules d'une ou plusieurs substances brisent leurs liaisons. Ils «mélangent» leurs partenaires et s'assemblent avec d'autres atomes. Il en résulte une ou plusieurs nouvelles substances aux propriétés chimiques différentes de celles des substances originales. Pour se produire, les mutations chimiques nécessitent de l'énergie sous forme de chaleur, de lumière ou d'électricité.

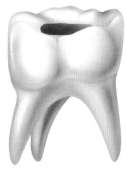

Amalgame dentaire
Normalement, le mercure de couleur argent est un liquide. Mais s'il est mélangé à d'autres métaux, il forme un amalgame qui devient très dur et sert à combler le trou d'une dent.

Changement de couleur

En chimie, un indicateur est une substance qui change de couleur selon les conditions chimiques. Un exemple connu est le tournesol qui sert à déterminer si une substance est acide ou alcaline (*voir* pages suivantes). Les molécules de tournesol subissent une mutation chimique quand elles sont exposées à un acide ou un alcalin. La mutation est facilement visible car les nouvelles molécules ont une couleur différente.

Bandelette de papier imprégnée de teinture bleue de tournesol

Neutre (ni acide, ni alcalin) – la teinture n'est pas affectée

L'acide colore le papier en rouge

Acide – la teinture devient rouge

Le papier devient bleu

Alcalin – la teinture devient bleue

Mutation ardente
La combustion est une mutation chimique courante. Quand une substance prend feu, les atomes de sa molécule se séparent. Certains s'unissent à l'oxygène de l'air. Par exemple, quand le bois ou le charbon brûle, les atomes de carbone du bois ou du charbon se séparent de leurs molécules et s'unissent à l'oxygène pour former une nouvelle substance, le dioxyde de carbone ou CO_2. Une façon de stopper la combustion consiste à empêcher l'oxygène – de l'air, en général – d'atteindre le feu avec de la neige carbonique. La mutation chimique, dans ce cas l'union avec l'oxygène, prend fin et le feu s'éteint.

Voir également : Les molécules page 22, Acides et bases page 38, Les couleurs page 124

UN JEU DE CONSTRUCTION CHIMIQUE

Dans un jeu de construction, chaque élément est une unité indépendante. Les atomes sont aussi des unités indépendantes. Les éléments du jeu s'encastrent ou s'assemblent. De la même façon, les atomes s'unissent les uns aux autres. Beaucoup d'éléments différents, une fois assemblés, donnent un objet, un avion par exemple. Les différents atomes, une fois assemblés, forment les molécules d'une substance. On peut dissocier les éléments du jeu et les assembler de manière différente pour créer un autre objet, une maison par exemple. Les atomes des molécules d'une substance peuvent se séparer puis s'assembler différemment pour former les molécules d'une nouvelle substance qui aura d'autres propriétés chimiques. C'est une mutation chimique.

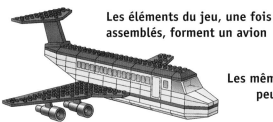

Les éléments du jeu, une fois assemblés, forment un avion

Les mêmes éléments peuvent donner une maison

Découverte scientifique

Henry Cavendish (1731-1810) était un homme très timide et travaillant seul. Il fit d'importantes découvertes. Il obtint de l'eau en faisant exploser un mélange d'oxygène et d'hydrogène. Cette expérience consistait à provoquer une mutation chimique en unissant un atome d'oxygène à deux atomes d'hydrogène. Ainsi, il démontra que l'eau était un composé chimique, H_2O, et non un élément comme on le prétendait alors.

Collage

Pour coller des objets, on utilise un agent adhésif, ou colle. Lorsqu'elle sort du tube, cette colle est généralement sous forme liquide. Dans certains types d'adhésifs, le liquide, en «séchant», ne passe pas seulement de l'état liquide à l'état solide ; ses molécules subissent une mutation chimique. Leurs atomes se séparent, s'enferment dans les atomes et molécules de l'objet en train d'être collé puis passent à l'état solide. Dans d'autres types d'adhésifs, la résine de l'un des tubes se mélange à un durcisseur de l'autre tube. Les deux pénètrent les surfaces à coller et se mélangent chimiquement, ou réagissent mutuellement, pour unir les deux surfaces.

L'adhésif liquide devient solide

Tout résulte de mutations

Un objet high-tech, tel qu'une voiture de course, est le résultat de milliers de mutation chimiques. Les métaux des différentes parties du moteur ont, jadis, été mélangés à d'autres minéraux dans la roche. Puis ils ont été extraits, purifiés et mélangés à d'autres métaux pour former des alliages aux propriétés spécifiques, très légers et résistants par exemple. Le caoutchouc des pneus a été extrait des hévéas, puis chauffé et mélangé chimiquement à d'autres substances, selon un processus de vulcanisation qui le rend plus dur, plus souple et plus résistant. Les parties en plastique ont été fabriquées en transformant chimiquement les ingrédients du pétrole brut.

Acides et bases

LES ACIDES ET LES BASES sont deux types de substances chimiques. Un acide est une substance qui se dissout (en général dans l'eau) et forme des ions d'hydrogène. Pendant la dissolution d'un acide, chaque atome d'hydrogène se détache du reste de sa molécule acide et flotte librement dans la solution. Il perd également son unique électron et devient une particule positive appelée ion, qui s'écrit H^+. Ces ions sont prêts à participer à une mutation, ou réaction, chimique. Les acides forts sont corrosifs ; ils dissolvent ou détruisent chimiquement maintes autres substances. Une base est le « contraire » d'un acide ; elle peut absorber les ions d'hydrogène. Les bases fortes et les alcalis sont gluants au toucher et, comme les acides, ils sont chimiquement corrosifs. Une base qui se dissout dans l'eau est un alcali.

Les substances chimiques de la digestion

Les acides et les alcalis ne se cantonnent pas aux laboratoires et aux usines chimiques. Ils sont présents dans la vie courante et même dans notre organisme. La paroi de l'estomac fabrique un suc digestif contenant un acide fort, l'acide chlorhydrique (HCL). Celui-ci attaque chimiquement les aliments ingérés, les décompose et les dissout pour en extraire les nutriments. Un autre organe digestif, le pancréas, produit de puissants alcalis. Quand les aliments acides quittent l'estomac pour aller dans l'intestin, les sucs pancréatiques alcalins se déversent sur eux. Les acides et les alcalins se mélangent et s'annulent ; ainsi ces puissantes substances chimiques naturelles deviennent inoffensives.

Découverte scientifique
Élevé dans une ferme, Humphrey Davy (1778-1829) étudia les médicaments avant de se consacrer à plein temps à la physique et à la chimie. Il travailla sur de nombreux acides et bases, en les mélangeant pour étudier les résultats appelés sels. Il développa également la science appelée électrochimie consistant à faire passer de l'électricité dans des substances pour les désagréger. En 1815, Davy inventa la lampe de sécurité des mineurs, qui les éclairait dans les mines de charbon sans enflammer le gaz naturel appelé grisou, ou méthane, qui aurait alors explosé.

Estomac
Foie
Œsophage

Œsophage
Strates musculaires
Intestin

Estomac

Paroi stomacale

Cellule pariétale

Acide stomacal
L'acide chlorhydrique de l'estomac est fabriqué dans des cellules microscopiques, les cellules pariétales, nichées dans la paroi stomacale. L'estomac est protégé des attaques de son propre acide par une épaisse couche de mucus gluant qui recouvre sa paroi.

Conduit pancréatique
Acini

Cellule acineuse

Pancréas

Conduit de la vésicule biliaire

Groupe d'acini

Alcali pancréatique
Le pancréas fabrique ses puissants bicarbonates et d'autres sucs digestifs alcalins dans des milliers de grappes de cellules microscopiques. Chaque grappe (de la forme d'une grappe de raisin) est appelée acinus.

Pancréas
Intestin
Vésicule biliaire

Voir également : Les atomes pages 14, La dissolution page 34, Électricité et produits chimiques page 84

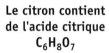

Le citron contient de l'acide citrique $C_6H_8O_7$

Le bicarbonate de soude contient du bicarbonate de sodium $NaHCO_3$

Des substances chimiques dans la cuisine

Certains formes de cuisson et de saveurs dépendent de réactions chimiques entre les acides ou les bases. Le jus de citron contient de l'acide citrique qui lui donne un goût prononcé, un peu aigre. Les citrons jaunes et verts, les pamplemousses et les oranges sont des fruits de genre *Citrus* (agrumes) parce qu'ils renferment une grande quantité de cet acide. Le bicarbonate de soude, utilisé en pâtisserie, est une base, du bicarbonate de sodium. Il est mélangé à un acide comme le vinaigre (acide acétique) ou à la crème de tartre (acide tartrique) pour donner un sel – et aussi un gaz, le dioxyde de carbone. Le gaz se présente sous la forme de minuscules bulles qui font « lever » les gâteaux à la cuisson et leur donnent une texture spongieuse.

L'énergie pour démarrer

La plupart des véhicules utilisent l'énergie électrique pour démarrer leur moteur. L'électricité est fournie par un type de batterie électrique appelé accumulateur plomb-acide (*voir* ci-dessous). L'acide de cette batterie est de l'acide sulfurique dont la formule s'écrit H_2SO_4. C'est un acide très puissant ; une seule gouttelette peut brûler la peau, provoquer des douleurs, puis des cicatrices.

ACIDES ET BASES NATURELS

Nombre d'acides et de bases existent dans la nature. Le liquide piquant que projette une fourmi contient de l'acide formique. La fourmi mord son ennemi puis injecte le liquide dans la blessure, créant gêne et douleur. Les alcaloïdes sont des bases naturelles présentes dans certaines plantes, notamment dans la sève, les feuilles ou les graines. Beaucoup ont un effet puissant sur le corps humain. Certains alcaloïdes sont terriblement toxiques, même en petite quantité. D'autres sont bénéfiques. Les alcaloïdes opiacés extraits de certaines variétés de pavots ont des effets analgésiques (anti-douleur). Leur étude a permis aux scientifiques de mettre au point des médicaments antalgiques. La formule chimique de l'acide acétique, appelé acide éthanoïque, est CH_3COOH. Un volume de cet acide mélangé à vingt d'eau donne du vinaigre. Il est produit naturellement durant le processus de fermentation, quand les fruits pourrissent.

Le liquide piquant lancé par la fourmi contient de l'acide formique

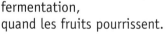

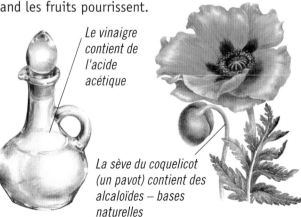

Le vinaigre contient de l'acide acétique

La sève du coquelicot (un pavot) contient des alcaloïdes – bases naturelles

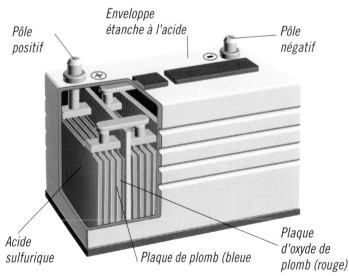

Enveloppe étanche à l'acide

Pôle positif

Pôle négatif

Acide sulfurique

Plaque de plomb (bleue

Plaque d'oxyde de plomb (rouge)

Accumulateur plomb-acide

Cette batterie automobile renferme des plaques de plomb et d'oxyde de plomb plongées dans de l'acide sulfurique concentré. Chaque paire de plaques est appelée cellule secondaire. Les réactions chimiques entre les plaques et l'acide créent un flux électrique quand la batterie est connectée au circuit.

Les métaux

IL EXISTE environ 118 éléments chimiques connus. Plus des trois quarts sont des métaux. Un métal typique est dur, brillant et résistant ; en outre, il conduit ou transporte bien l'électricité et la chaleur. Les métaux servent à de multiples usages. Souvent mélangés à d'autres métaux ou substances, ils donnent des alliages. Presque chaque machine ou appareil comporte au moins un métal. Le métal le plus utilisé est le fer, non sous sa forme pure, mais mélangé à de petites quantités du non-métal carbone pour former un groupe d'alliages, celui des aciers. La fabrication des alliages est essentielle à l'industrie. Souvent, les alliages d'un métal sont plus durs et plus résistants que le métal pur. La science des métaux est la métallurgie.

Dur comme l'acier

Les industries mondiales utilisent des millions de tonnes d'acier chaque année. Les plaques d'acier forment les panneaux des machines à laver, des voitures, des trains et des bateaux. L'acier inoxydable, qui sert à la fabrication des couteaux et des ustensiles de cuisine, est un alliage contenant au moins un dixième de chrome, un métal brillant très dur. Les aciers au titane servent à fabriquer les plaques légères mais indéformables des avions supersoniques. On utilise des poutrelles en acier pour construire les structures robustes des gratte-ciel, des ponts et autres constructions de grande échelle. Parmi les autres éléments mélangés au fer pour obtenir des aciers, on trouve le manganèse, le phosphore, le silicium et le soufre.

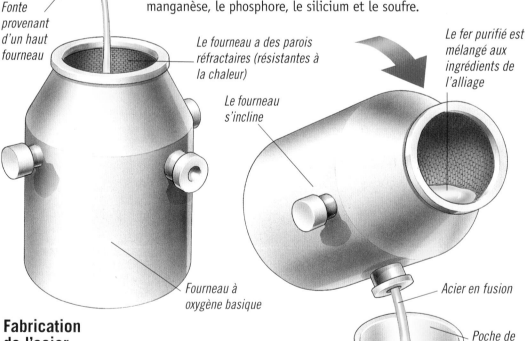

Fonte provenant d'un haut fourneau

Le fourneau a des parois réfractaires (résistantes à la chaleur)

Le fourneau s'incline

Le fer purifié est mélangé aux ingrédients de l'alliage

Fourneau à oxygène basique

Acier en fusion

Métaux précieux

L'or est un symbole universel de richesse, mais les métaux plus rares, comme le platine et le palladium, se vendent plus cher pour des usages dans l'ingénierie spécialisée et l'électronique.

Fabrication de l'acier

Le fer est extrait des roches ferrugineuses (riches en fer), ou du minerai de fer, dans un haut-fourneau. On obtient une fonte qui renferme diverses impuretés. Pour les retirer, on utilise le procédé à oxygène consistant à injecter de l'oxygène dans la fonte.

Poche de coulée

L'acier en fusion est versé sous forme de lingots pour refroidir

Voir également : Les éléments page 18, Tableau périodique des éléments page 20, Les solides page 26

Aluminium

L'aluminium, métal le plus commun sur notre planète (et troisième des éléments chimiques les plus abondants), constitue environ un douzième du poids de la croûte terrestre. L'aluminium pur est très léger mais pas particulièrement résistant ; cependant, mélangé à d'autres éléments tels le cuivre, le magnésium ou le silicium, il forme des alliages d'une extrême robustesse. À la différence de l'acier, il ne rouille pas. L'aluminium sert à fabriquer des avions, des bateaux, des ustensiles de cuisine comme les casseroles, des canettes, du papier d'aluminium et des emballages de plats cuisinés.

L'aluminium, blanc argenté, ne rouille pas

Les canettes sont décorées et remplies

Les canettes sont découpées dans la feuille d'aluminium

Recyclage des métaux

La plupart des métaux existent mélangés à des minéraux et d'autres substances, dispersés dans des roches appelées minerais. Il faut beaucoup de temps et d'énergie pour extraire ces minerais, puis pour dégager et purifier les métaux qu'ils renferment. Le recyclage permet de résoudre une partie du problème. Par exemple, l'aluminium recyclé utilise seulement un vingtième de l'énergie nécessaire pour produire l'aluminium à partir de son minerai. Bien d'autres métaux sont recyclables : le fer et l'acier par exemple, et même l'or et l'argent des circuits électriques – ou des fausses dents !

D'une canette à l'autre

Le processus complet du recyclage d'une canette en aluminium peut durer moins d'un mois.

Canettes vides mais non jetées

Canettes ramassées et partiellement écrasées pour gagner de la place

L'aluminium en fusion est refroidi et pressé en feuille mince

Des milliers de canettes sont compressées en un gros bloc

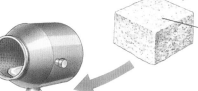

Les blocs sont fondus pour donner de l'aluminium en fusion

Paysages abîmés

Les mines à ciel ouvert où l'on extrait les métaux des roches de surface offrent un spectacle très laid et abîment le paysage pour des centaines d'années.

- Un des premiers alliages était le bronze, un mélange de cuivre et d'étain. Le bronze existe depuis des millénaires et, après la pierre, il a été la substance la plus utilisée pour fabriquer les outils.
- Le laiton est un autre alliage de cuivre et de zinc.
- Le métal le plus célèbre est peut-être l'or. Il est prisé depuis l'Antiquité car il conserve son éclat et se travaille aisément
- L'argent est également un métal prisé depuis très longtemps. De tous les métaux, il est le meilleur conducteur d'électricité. Il est également utilisé en bijouterie, en photographie et pour la monnaie.

Les composites

LA SCIENCE DES MATÉRIAUX est un domaine qui évolue très rapidement, surtout dans l'ingénierie. Elle consiste à prendre diverses substances brutes et à les mélanger pour produire un nouveau matériau aux propriétés spécifiques. Chaque substance brute possède des caractéristiques utiles et celles-ci s'ajoutent pour donner la matière finale. Le plastique armé de fibre de verre s'obtient en incorporant de minuscules fibres de verre dans une variété de plastique. Ce plastique donne la masse générale et la souplesse tandis que les fibres de verre apportent la résistance. Le plastique armé de fibre de verre sert à fabriquer les coques de bateau et des pièces légères mais robustes pour les automobiles, les avions, l'équipement industriel et de bureau.

Cadre composite

Cordage à base de nylon

Poignée composite

Les raquettes

Le cadre composite d'une raquette high-tech est extrêmement léger, mais il ploie pour absorber l'énergie de la balle qui vient frapper la raquette puis rebondit comme un élastique pour renvoyer cette énergie à la balle afin de la propulser à une vitesse maximale. Le matériau du cordage est également synthétique : il s'agit d'une forme particulière de Nylon.

D'innombrables essais

La création d'un nouveau matériau composite nécessite une longue série d'essais. Le composite à base de fibre de carbone d'une turbine de réacteur d'avion est soumis à de très fortes pressions. Il doit être testé des centaines d'heures voire plus, jusqu'à sa destruction. Ces essais permettent de savoir s'il est assez résistant afin d'éviter une défaillance aux conséquences potentiellement catastrophiques.

Coques et voiles

En général, la coque d'un voilier de course est faite en plastique renforcé de fibre de verre. En variant l'orientation des fibres, on donne une résistance et une flexibilité supplémentaires au matériau. Les voiles sont également fabriquées en un matériau composite capable de se ployer et de prendre le vent sans se déchirer.

Tuiles de l'espace

Les tuiles recouvrant le ventre des navettes spatiales sont en composites de céramique résistants à la chaleur. Quand la navette revient dans l'atmosphère terrestre, le frottement sur l'air plus épais dégage une énorme chaleur que les tuiles empêchent de pénétrer à l'intérieur de la navette. Elles sont vérifiées et changées si nécessaire après chaque mission.

Voir également : Les éléments page 18, Les cristaux page 30, Les métaux page 40

Ingrédient numéro un : les fibres

Les fibres courtes augmentent la flexibilité ; elles ploient sans se casser. On utilise souvent le carbone et le silicium pour ce type de fibres. L'énorme « ventilateur » situé à l'avant d'un turboréacteur d'avion moderne est en fibres de carbone.

Ingrédient numéro deux : la céramique

Un matériau en céramique se compose généralement de substances naturelles comme l'argile, le sable ou d'autres minéraux extraits de roches broyées. On le chauffe dans un fourneau pour qu'il durcisse et supporte de hautes températures (mais il reste susceptible de se fissurer).

Ingrédient numéro trois : le métal

Les métaux sont généralement durs et résistants, inusables et indéchirables. En outre, ils conduisent bien la chaleur ; ainsi, ils dispersent la chaleur issue d'un point chaud. Ils ont tendance à se déformer légèrement sous une forte pression, au lieu de se fissurer. Vu au microscope, un métal est formé de minuscules grains ou cristaux.

Fabrication d'un composite

La plupart des composites sont basés sur une matrice, la substance dans laquelle les différents grains, fibres, cristaux et autres ingrédients sont assemblés. Pour des températures normales, une certaine variété de plastique est une matrice courante. Une matrice en métal ou en céramique peut résister à des températures plus élevées. La fabrication d'un composite passe par des stades variés : mélange, chauffage, refroidissement, compression à haute pression, passage de l'électricité à travers la substance, exposition à des sons ou à des rayons puissants et traitement avec divers produits chimiques tels qu'acides, alcalis et solvants.

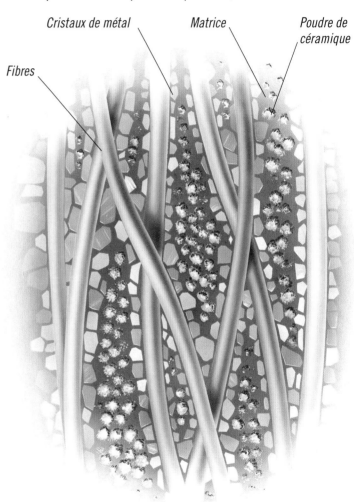

Cristaux de métal   Matrice   Poudre de céramique

Fibres

Le résultat : un nouveau composite

Les fibres, les grains de poudre de céramique et les cristaux de métal ont été mélangés pour créer un nouveau composite. Si les ingrédients sont utilisés dans des proportions et un ordre appropriés, le composite présentera les caractéristiques souhaitées. Il doit être dur et résistant mais aussi souple et capable de supporter des pressions et tensions élevées ainsi qu'une chaleur intense.

2

Énergie, mouvement et machines

L'énergie est la capacité d'un système
physique à fournir un travail et à provoquer
des changements. Elle existe sous de
nombreuses formes : son, lumière, électricité
et substances chimiques. Le déplacement des
objets fournit aussi un certain type d'énergie,
l'énergie cinétique. En utilisant l'énergie et
certains principes mécaniques, nous associons
des machines, comme les leviers et les roues,
pour en créer d'autres, plus complexes.

L'énergie

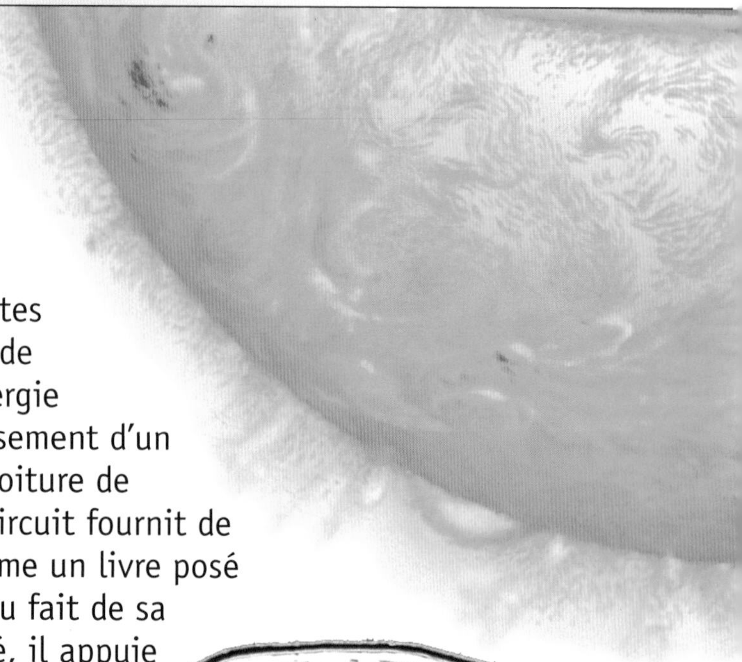

L'ÉNERGIE EST INVISIBLE. Il est impossible de la toucher ou de la tenir dans la main, mais elle est partout. L'énergie est la capacité d'un système physique à fournir un travail et à provoquer des changements. Il existe différentes formes d'énergie. Une boisson chaude génère de l'énergie calorifique, un éclair d'orage de l'énergie électrique et lumineuse, et le rugissement d'un lion de l'énergie sonore. Une voiture de course qui tourne sur un circuit fournit de l'énergie cinétique. Même un livre posé sur une étagère a de l'énergie. Du fait de sa position et de la force de gravité, il appuie sur l'étagère ; ce type d'énergie est appelé énergie potentielle.

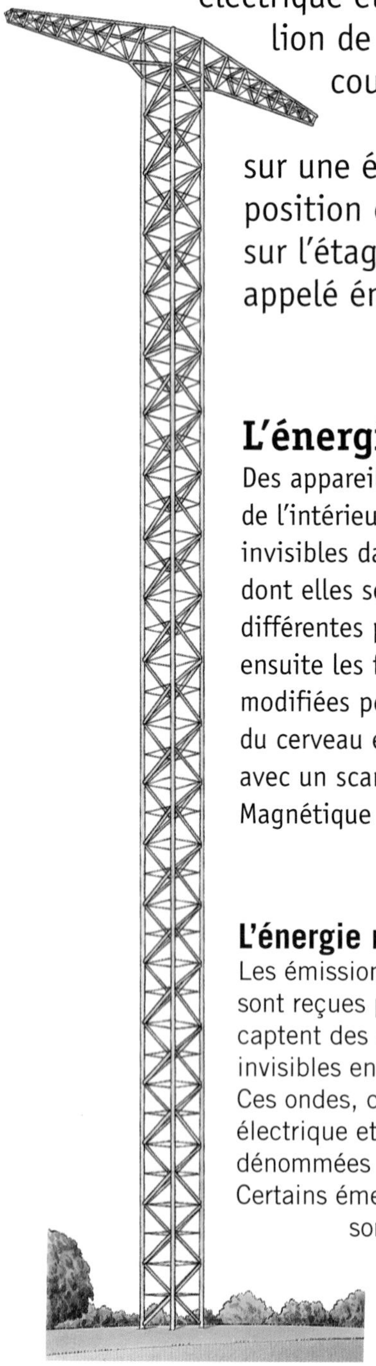

L'énergie créatrice d'images

Des appareils appelés scanners font des images de l'intérieur du corps. Ils envoient des ondes invisibles dans le corps et mesurent la manière dont elles se modifient en traversant les différentes parties du corps. Un ordinateur analyse ensuite les forces et les directions des ondes modifiées pour composer une image. Cette image du cerveau et de la tête (ci-contre) a été obtenue avec un scanner à Imagerie par Résonance Magnétique (IRM).

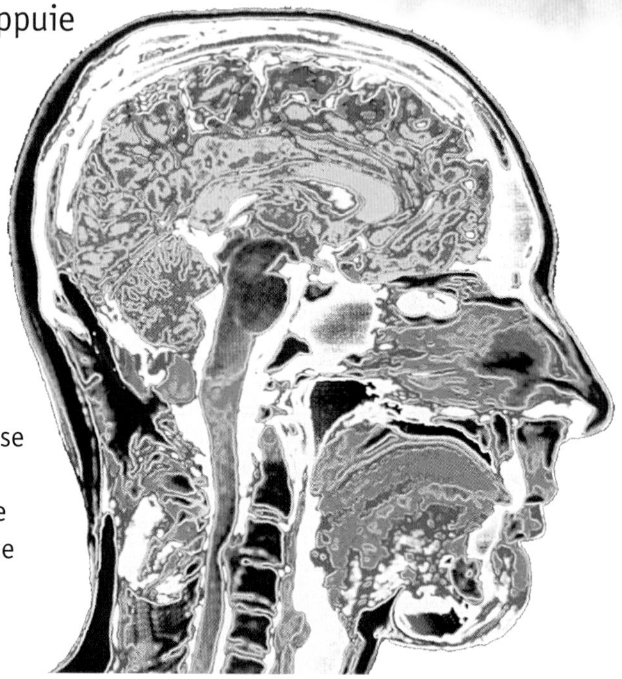

L'énergie radio

Les émissions de radio et de télévision sont reçues par des antennes qui captent des ondes énergétiques invisibles envoyées par des émetteurs. Ces ondes, constituées d'énergie électrique et magnétique, sont dénommées ondes électromagnétiques. Certains émetteurs sont installés au sommet de grandes tours afin que les ondes d'énergie radio qu'ils envoient parcourent de très longues distances.

FORMES D'ÉNERGIE

▸ Chimique, des atomes et des molécules.
▸ Cinétique, dans les objets en mouvement.
▸ Potentielle, due à la position d'un objet.
▸ Sonore, quand les atomes ou les objets vibrent.
▸ Nucléaire, quand les atomes s'unissent ou se séparent.
▸ Électrique, issue des électrons en mouvement.
▸ Magnétique, due à l'attraction magnétique.
▸ Électromagnétique, sous la forme de diverses variétés de rayons ou d'ondes, dont les ondes radio, les micro-ondes, la chaleur, la lumière, les rayons X et les rayons gamma.

Voir également : Les aimants page 92, Les ondes radio page 136, Le soleil page 188.

L'énergie solaire

L'énergie qui nous vient du Soleil est appelée énergie solaire. Il s'agit principalement de lumière et de chaleur qui voyagent à travers l'espace. Ce type d'énergie résulte du choc des atomes entre eux au centre du Soleil et de leur assemblage ou fusion. Ce processus est appelé fusion nucléaire. L'énergie qui vient du centre, ou noyau, des atomes est de l'énergie nucléaire. La forme d'énergie nucléaire utilisée dans les centrales nucléaires est issue de la fission nucléaire (séparation des atomes).

Une énergie fulgurante

Un sauteur à skis s'élance dans le ciel, en se penchant en avant pour fendre l'air et voler aussi loin que possible. Il obtient l'énergie nécessaire à un tel saut en descendant une pente raide, de plus en plus vite, transformant l'énergie potentielle en énergie cinétique, avant de sauter de la rampe de lancement dont la pente est ascendante.

De l'énergie pour les robots

Les robots utilisés par l'industrie automobile ont besoin d'énergie pour mouvoir leurs bras mécaniques. En général, elle leur est fournie par l'électricité qui actionne des moteurs électriques ; ceux-ci inclinent et font pivoter les bras des robots. Les mouvements sont contrôlés au centième de millimètre près par un ordinateur.

L'énergie du mouvement

Tout objet qui se déplace possède de l'énergie cinétique. Plus son mouvement est rapide et plus sa masse est importante, plus son énergie cinétique est grande. Un train lancé à pleine vitesse en rase campagne possède une énorme quantité d'énergie cinétique.

Découverte scientifique

Hermann Helmholtz (1821-1894) formula la loi de la conservation de l'énergie : l'énergie ne se crée pas, ne se perd pas, elle se transforme. Helmholtz étudia les diverses formes d'énergie, dont les ondes radio qui venaient d'être découvertes. Helmholtz était également mathématicien et chercheur en médecine.

Transformer l'énergie

L'ÉNERGIE NE SE CRÉE PAS, NE SE DÉTRUIT PAS, elle se transforme constamment. Quand un objet bouge ou s'altère, l'énergie change de forme. Une balle au sommet d'un monticule a une énergie potentielle du fait de sa position. Si elle roule le long de la pente, une partie de son énergie potentielle se transforme en énergie cinétique. Quand un morceau de bois brûle, l'énergie chimique stockée dans les molécules se transforme en énergie calorifique et lumineuse, et même en énergie sonore quand le feu émet des craquements. Un événement simple peut entraîner des transformations d'énergie en chaîne.

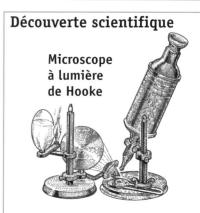

Découverte scientifique

Microscope à lumière de Hooke

Robert Hooke (1635-1703) suggéra que la lumière pouvait être composée d'ondes énergétiques. Plus de deux cents ans plus tard, cette idée fut finalement acceptée. Il étudia également comment un ressort, étiré, pouvait stocker une forme d'énergie, appelée énergie potentielle. Hooke était un savant talentueux, qui inventa et conçut de nombreux instruments et appareils dont ses microscopes et le joint universel utilisé dans l'industrie automobile.

L'énergie de la vapeur

Un train à vapeur fonctionne en fait à l'énergie solaire. Il y a des millions d'années, les plantes ont capté l'énergie solaire, l'ont convertie en énergie chimique puis, mortes, se sont transformées en charbon. La combustion du charbon convertit cette énergie chimique en chaleur qui fait bouillir l'eau pour fabriquer la vapeur à haute pression qui fait tourner les roues du train.

Production d'électricité

Une centrale électrique produit de l'électricité en transformant l'énergie de son combustible en énergie électrique. Une centrale électrique à gaz brûle du gaz et convertit son énergie chimique en chaleur. En brûlant, le gaz se dilate et essaie de se disperser dans toutes les directions – il recèle de l'énergie cinétique. Celle-ci fait tourner la roue à pales d'une turbine qui entraîne un générateur fournissant de l'électricité. Le gaz brûlant transforme aussi l'eau en vapeur, qui fait tourner une autre turbine et un autre générateur. Les condenseurs changent la vapeur en eau qui sera ainsi réutilisée.

Les gaz cha• utilisés peu• servir à cha• les bâtimen• situés à pro.

L'eau froide pénètre dans la chaudière

Air aspiré par le brûleur

L'air fournit de l'oxygène qui permet la combustion du gaz

Le gaz brûle dans le fourneau

L'air en mouvement fait tourner les pales de la turbine

Le générateur produit de l'électricité

La rotation des pales de la turbine fait tourner le générateur

Les gaz chauds se déplacent rapidement et font tourner la roue à pales de la turbine

Les gaz chauds font bouillir l'eau et la transforment en vapeur

Voir également : Les molécules page 22, Les générateurs page 98, La lumière page 124

Panneaux solaires

Un satellite a besoin d'électricité pour faire fonctionner instruments et équipement photo et radio. La plupart des satellites sont alimentés en électricité par des panneaux solaires (dits photovoltaïques) recouverts de milliers de cellules solaires qui transforment la lumière du soleil en électricité. Une partie est stockée sous forme chimique dans des batteries rechargeables.

Batteries rechargeables dans le corps du satellite

Cellules solaires sur le panneau solaire

Énergie vitale

Manger une glace, une pomme ou tout autre aliment initie une série de transformations chimiques qui fournissent de l'énergie à l'organisme. Celle-ci permet de nombreux processus, comme la croissance, le travail des muscles et les battements du cœur, et produit la chaleur qui maintient le corps à une certaine température.

ÉNERGIE MUSCULAIRE POUR POMPES À VÉLO

Pour gonfler un pneu de bicyclette, nous commençons par utiliser de l'énergie chimique stockée dans nos muscles et issue des aliments que nous avons consommés. Une partie de cette énergie chimique est convertie en énergie cinétique lorsque les muscles actionnent le bras qui pousse sur le piston de la pompe et envoie l'air dans la chambre à l'intérieur du pneu.

Piston

Valve à sens unique dans la chambre à air

Fût

Joint d'étanchéité du piston

Piston tiré vers le haut : la pompe se remplit d'air

Piston poussé vers le bas : la pompe évacue l'air

L'eau froide revient dans la chaudière

La vapeur fait tourner les pales de la turbine

L'eau refroidie est filtrée, purifiée et complétée si nécessaire

Vapeur provenant de la chaudière

La vapeur surchauffée fait tourner la roue à pales de la turbine

En tournant, la roue à pales de la turbine entraîne le générateur

Le générateur produit de l'électricité

Vapeur surchauffée provenant de la chaudière

Le condenseur refroidit la vapeur surchauffée et la convertit en eau

L'eau refroidie coule vers l'unité de filtrage

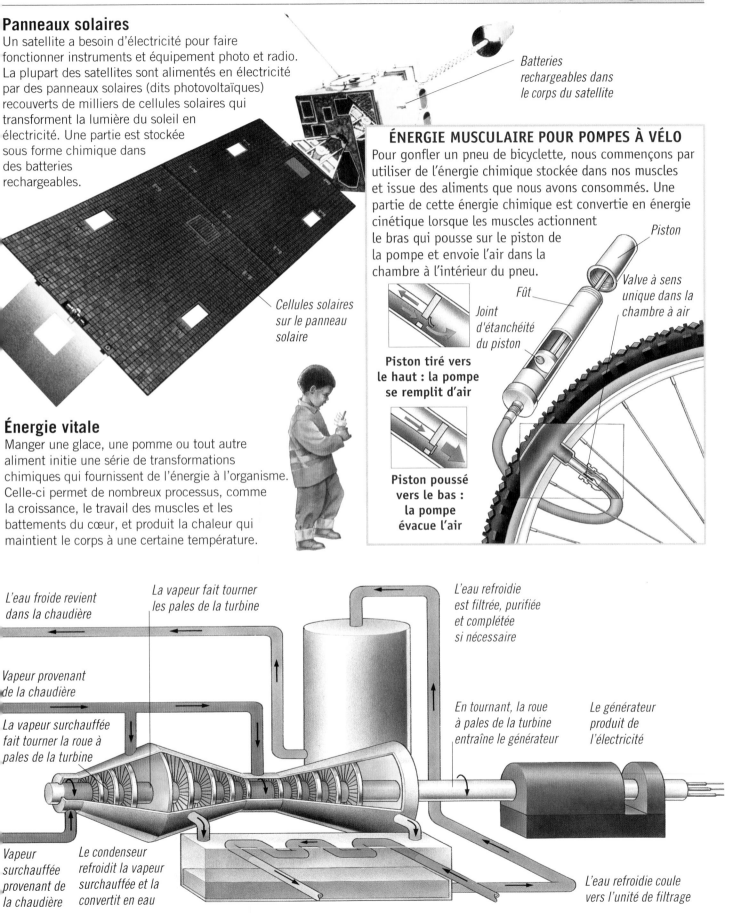

L'énergie du mouvement

TOUT OBJET QUI SE DÉPLACE a de l'énergie cinétique. Mais avant de bouger, un objet stationnaire doit recevoir suffisamment d'énergie pour démarrer. Plus il est gros et lourd, plus il nécessite de l'énergie. Cette résistance au déplacement est appelée inertie. Puis, une fois qu'il a commencé à bouger, il s'efforce de continuer. Cette réticence à s'arrêter, cette vitesse acquise est appelée moment. L'inertie et le moment démontrent le même principe : qu'un objet soit statique ou en mouvement, il essaie de continuer à faire la même chose. Les disques ou les roues qui tournent ont un moment qui leur confère une certaine caractéristique. En tournant plus vite, elles deviennent plus difficiles à incliner. On parle d'effet gyroscopique, et les roues qui se comportent ainsi sont appelées gyroscopes.

Cadre

Disque en rotation

Rotules

Jouer avec des gyroscopes
Posons un objet à la verticale, il tombe. Mais commençons à faire tourner une toupie, puis posons-la à la verticale : elle tient toute seule en défiant les lois de la gravité. Tant qu'elle continue à tourner, la toupie reste droite car elle résiste à l'attraction de la gravité. C'est là une sorte de gyroscope. Un vrai gyroscope recèle un disque de rotation très lourd à l'intérieur d'un cadre et peut osciller sur une tête d'épingle.

Gyroscopes de course
Les motards qui font de la compétition se penchent en même temps que leur moto pour prendre un virage. Ils se servent du poids de leur corps pour incliner leur engin par rapport à la verticale parce que ses lourdes roues qui tournent très vite fonctionnent comme des gyroscopes et résistent ainsi au mouvement et à l'inclinaison, comme la toupie.

Découverte scientifique
Jusqu'à la fin du XIXe siècle, les scientifiques pensaient que les ondes énergétiques étaient régulières et continues, comme les ondes à la surface de l'eau. Puis, en 1900, Max Planck (1858-1947) suggéra que les ondes énergétiques telles que les rayons lumineux ou les rayons X étaient faites de minuscules paquets d'énergie appelés quanta. L'onde énergétique ressemblerait donc plus à une chaîne ondulante faite de petits maillons indépendants qui monte et qui descend, qu'à une corde ondulante continue. La théorie quantique de Planck ouvrit la voie à de nombreuses nouvelles découvertes.

QUAND LE MOMENT TUE
Dans les crash-tests, on utilise des mannequins mécaniques pour étudier les transformations d'énergie lors des accidents de voiture. On est blessé lorsque l'énergie cinétique du corps est convertie trop rapidement en d'autres formes d'énergie, lors d'un arrêt brutal du véhicule par exemple. Le moment du corps maintient celui-ci en mouvement jusqu'à ce qu'il heurte l'intérieur de la voiture. Les équipements de sécurité, ceintures et airbags, servent à ralentir ces transformations d'énergie. Des détecteurs placés sur les mannequins – et à l'intérieur – mesurent les forces et les pressions impliquées lors d'un choc violent.

Crash-test avec impact frontal

Voir également : Les formes d'énergie page 46, Les moteurs page 66, Les moteurs électriques page 96

Transport de combustible nucléaire

Le combustible destiné aux centrales nucléaires est dangereux et ne doit en aucun cas être secoué ou renversé. Il est donc transporté dans des citernes conçues pour résister à presque tous les accidents. Elles sont en acier et pèsent plus de cent tonnes chacune. Des objets aussi gros et lourds peuvent absorber d'énormes quantités d'énergie dégagées lors d'un accident ou d'un incendie sans plier ni se fissurer. En général, ces citernes se déplacent la nuit, lorsque le réseau ferré est moins occupé, ce afin de réduire le risque d'accident.

Garder l'équilibre

Les objets situés en hauteur ont plus d'énergie potentielle que ceux qui sont au sol. Ainsi, un équilibriste qui marche sur une corde raide a plus d'énergie potentielle qu'une personne qui le regarde d'en bas ! Si l'équilibriste glisse de la corde, une partie de son énergie potentielle se changera en énergie cinétique lors de la chute.

Locomotion,
une des premières locomotives à vapeur (1825)

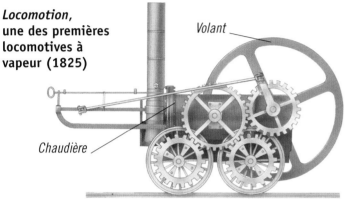

Volant

Chaudière

Moteurs à vapeur

La vapeur occupe beaucoup plus d'espace que l'eau. Quand l'eau bout et devient vapeur, celle-ci part dans toutes les directions. Un moteur à vapeur envoie la vapeur dans un cylindre où elle appuie sur un piston et le pousse jusqu'au bout du cylindre. Le piston fait tourner un arbre ou une des roues. Le mouvement de va-et-vient du piston est saccadé, on assure donc sa régulation au moyen d'un volant (*voir* ci-dessous).

Volants

Un volant est une roue grande et lourde. Une fois qu'elle tourne, elle a beaucoup de moment et tourne longtemps sans à-coups. Les volants servent à réguler les petits mouvements saccadés de certains moteurs, comme les moteurs à vapeur et à essence à pistons. Un volant à rotation rapide est aussi une réserve d'énergie cinétique. Le volant électrique fonctionne comme un moteur électrique, quand l'énergie électrique le fait tourner à plus de mille tours par seconde. Il est capable de tourner ainsi pendant des heures en stockant de l'énergie cinétique, puis de travailler comme un générateur électrique pour la reconvertir en électricité.

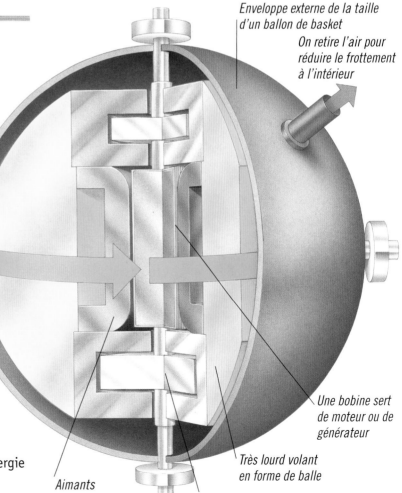

Enveloppe externe de la taille d'un ballon de basket

On retire l'air pour réduire le frottement à l'intérieur

Une bobine sert de moteur ou de générateur

Très lourd volant en forme de balle

Aimants puissants

Palier magnétique à faible frottement

Forces et mouvement

LES FORCES POUSSENT, TIRENT, COMPRIMENT et déplacent les choses. Elles ont une intensité et une orientation. Une force agit toujours sur un objet dans une direction spécifique. Si l'objet est libre de se déplacer, la force le fait bouger et accélérer dans sa direction. Si l'objet ne peut pas se déplacer, comme une noix dans un casse-noix, la force peut altérer sa forme ou même le broyer. Quand une force pousse sur une surface, il en résulte une pression. Plus la force est grande et la surface petite, plus la pression est forte.

Jouer avec les forces
Un enfant glisse lentement vers le sol. La force de son poids l'entraîne directement vers le bas. Mais l'angle de la pente glissante divise cette force en deux forces, une qui le pousse vers le bas et une qui le pousse vers l'avant. Plus la pente est raide, plus la poussée descendante est forte et plus l'enfant va vite.

Les lois du mouvement

En donnant un coup de pied dans un ballon de foot, on le forcera à se déplacer. Une fois lancée, la balle essaie de garder la même direction et la même vitesse. Mais deux forces agissent sur elle pour modifier sa vitesse et sa direction : la résistance de l'air et la gravitation. Shooter dans une balle met en évidence trois idées essentielles du domaine des sciences – les lois du mouvement.

Gravitation

Trajet de la balle sans résistance de l'air et sans gravitation

Résistance de l'air

Gravitation

Résistance de l'air

Trajet de la balle avec résistance de l'air et gravitation

La force du coup de pied commence à faire bouger la balle

1ᵉ loi : l'action commencée se poursuit
La première loi du mouvement dit qu'un objet continue à se déplacer dans la même direction et à la même vitesse sauf si des forces agissent sur lui. Donnez un coup de pied dans un ballon : les forces de la gravitation et de la résistance de l'air la font ralentir puis tomber.

Découverte scientifique

Isaac Newton (1642-1727) fut l'un des savants les plus brillants de l'histoire. L'une de ses plus grandes réussites fut d'énoncer les lois du mouvement et de la gravité. Elles affectent tout ce qui est dans l'Univers, des atomes et des minuscules grains de sable jusqu'à la Terre, aux étoiles et aux galaxies. Newton fut aussi pionnier dans le domaine mathématique du calcul infinitésimal.

2ᵉ loi : plus fort, plus vite
La deuxième loi du mouvement dit que plus la force s'exerçant sur un objet est grande, plus cet objet va vite. Ainsi, l'accélération d'un objet est proportionnelle à la force qui agit sur celui-ci. Plus le coup de pied est violent, plus le ballon va vite.

Coup de pied léger : le ballon roule lentement

Coup de pied puissant : le ballon roule plus vite

Faites rouler l'un vers l'autre deux ballons provenant de deux directions opposées

Des forces égales mais contraires renvoient les ballons à leur point de départ

3ᵉ loi : retour de ballon
La troisième loi du mouvement dit que lorsque deux objets se heurtent, le second objet produit une force égale mais opposée. En d'autres termes, à chaque action correspond une réaction égale et opposée. Si deux ballons de foot provenant de directions opposées se heurtent alors qu'ils roulent à vitesse égale, ils rebondissent l'un contre l'autre et reviennent en roulant vers l'endroit d'où ils sont partis.

Voir également : Mesurer les forces page 54, La gravitation page 56, Le frottement page 70

Les câbles hissent le mouton

Tir à la corde

Quand deux équipes s'affrontent dans un tir à la corde, les membres de chaque équipe tirent sur la corde avec leurs bras mais se penchent aussi le plus en arrière possible. Cela augmente la force de traction en ajoutant leur poids à la puissance des muscles de leurs jambes qui poussent le sol.

Enfoncer des pieux

Certains immeubles sont fixés dans le sol avec des pieux en acier. Pour enfoncer ces pieux on utilise un engin appelé sonnette qui sert à la manœuvre du mouton, une lourde masse de fer. Le mouton agit comme un marteau géant, heurte le pieu à maintes reprises avec une force extrême pour l'enfoncer de plus en plus profond. Si l'on fait tomber le mouton d'une plus grande hauteur, on augmente la force de la poussée, c'est pourquoi les sonnettes comportent une tour élevée. Plus le pieu s'enfonce, plus la hauteur à franchir par le mouton augmente.

Forces de compression

Un concasseur de voitures produit des forces si énormes qu'il compresse un véhicule en un petit cube. Cette formule permet de gagner de la place dans les décharges.

La partie la plus profonde de l'empreinte paraît plus sombre

Empreintes d'animaux

Les empreintes laissées dans un sol meuble montrent le chemin emprunté par l'animal. La pression de son poids exercée par l'intermédiaire de ses pattes a vaincu la capacité de résistance du sol qui s'est légèrement enfoncé. Le même animal avec de plus petites pattes aurait laissé des traces plus profondes car un poids identique se serait porté sur une plus petite surface, produisant une pression plus importante.

Mouton

Tour

Pieu

Grosses traces, pression moindre

Les véhicules lourds qui roulent sur un terrain meuble sont souvent équipés de larges chenilles. Elles répartissent le poids du véhicule sur une surface plus grande que les roues munies de pneus et empêchent celui-ci de trop s'enfoncer. C'est aussi pour cela que les bêtes de somme ont de larges sabots.

Conducteur de l'engin

Le pieu s'enfonce progressivement dans le sol

Les chenilles empêchent l'engin de s'enliser

Mesurer force et mouvement

UNE MANIÈRE DE MESURER UNE FORCE consiste à observer comment celle-ci affecte un objet. On comprend ce qu'est une force quand on ramasse un objet par terre, en mesurant l'effort consenti selon son poids. Un pèse-personne montre comment le poids de la personne agit sur un ressort. Pour mesurer le mouvement, on utilise la vitesse, c'est-à-dire la distance parcourue par un objet en un temps donné. La vélocité fait référence à la vitesse dans une certaine direction. Un changement de vélocité est appelé accélération si l'objet va plus vite, et décélération s'il va plus lentement.

Se repérer sous l'eau

Comment l'équipage d'un sous-marin parvient-il à se repérer sous l'eau ? Il n'y a pas de panneaux indicateurs ? Il fait sa route en utilisant des gyroscopes et des accéléromètres. Un accéléromètre est un poids lourd qui a beaucoup d'inertie quand il est à l'arrêt et beaucoup de moment quand il est en mouvement. Chaque fois que le sous-marin tourne ou s'incline, le poids tend à continuer en ligne droite. Des ressorts sensibles indiquent les forces mises en œuvre par la différence entre les mouvements du poids et ceux du sous-marin autour de lui. Un ordinateur utilise cette information pour définir la position, la direction et la route du submersible.

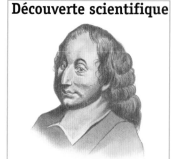
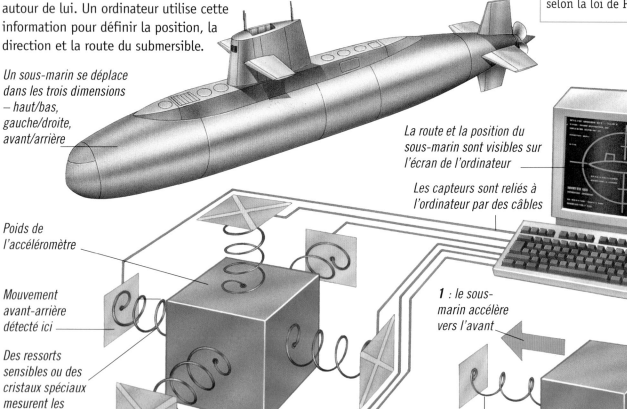

Un sous-marin se déplace dans les trois dimensions – haut/bas, gauche/droite, avant/arrière

La route et la position du sous-marin sont visibles sur l'écran de l'ordinateur

Les capteurs sont reliés à l'ordinateur par des câbles

Poids de l'accéléromètre

Mouvement avant-arrière détecté ici

Des ressorts sensibles ou des cristaux spéciaux mesurent les changements de force

Mouvement de côté détecté ici

Mouvement haut-bas détecté ici

1 : le sous-marin accélère vers l'avant

3 : le ressort avant se détend, le ressort arrière se comprime

Poids de l'accéléromètre

2 : l'inertie du poids résiste au mouvement

Voir également : Forces et mouvement page 52, La gravitation page 56, Les ondes sonores page 112

Forces latérales

Quand une voiture prend un virage à vive allure, le corps du conducteur essaie de rester droit selon la première loi du mouvement. La voiture exerce sur son corps une force appelée force centrifuge.

FORCES DE GRAVITATION

▸ La gravitation ou attraction terrestre attire tous les corps vers la surface terrestre (vers le bas) avec une force de 1g (g pour gravitation).

▸ Un pilote dans un avion qui tourne à grande vitesse ressent une force supplémentaire due au changement rapide de direction ; cette force peut être égale à 6g. C'est-à-dire que son corps ressent six fois son poids.

▸ Le corps est incapable de supporter de telles forces. Le cœur ne peut pas envoyer du sang au cerveau contre cette force. Ainsi, une personne soumise à des forces g élevées peut s'évanouir en quelques secondes.

Le club accélère

Le club ralentit avant de s'arrêter

Le club est à sa vitesse maximale au moment où il heurte la balle

Force maximale

Un golfeur balance son club de golf de façon à accélérer l'extrémité inférieure, ou tête, du club. L'objectif est de déplacer la tête du club à sa vitesse maximale dans la partie basse du « swing », au moment où la tête heurte la balle. Ainsi, la balle ira plus loin. La force se mesure en unités appelés newtons. Du fait de l'attraction terrestre, une pomme qu'on tient en main y exerce une pression d'une force égale environ à un newton. La tête d'un club de golf heurte une balle avec une force supérieure à 100 newtons.

La balle reçoit une force maximale

Plus rapide que le son

Le 15 octobre 1997, le Thrust SSC (voiture supersonique) devint le premier véhicule terrestre à se déplacer plus vite que le son. Ses deux moteurs, empruntés aux avions de combat, l'ont porté à sa vitesse maximale de 1 228 kilomètres heure sur le sable dur et plat du désert de Black Rock aux États-Unis. En fin de course, un grand parachute s'est ouvert à l'arrière du véhicule pour l'aider à décélérer.

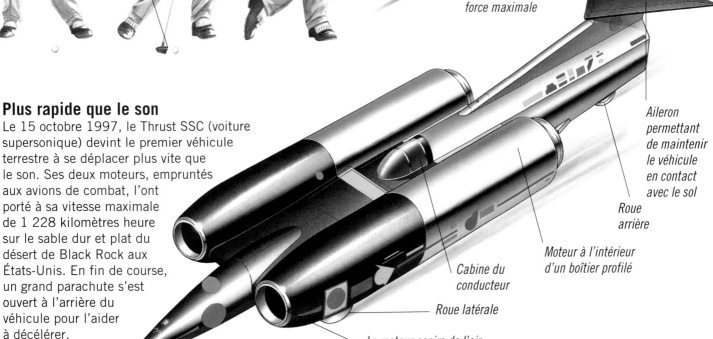

Aileron permettant de maintenir le véhicule en contact avec le sol

Roue arrière

Moteur à l'intérieur d'un boîtier profilé

Cabine du conducteur

Roue latérale

Le moteur aspire de l'air

La gravitation

QUAND NOUS SAUTONS EN L'AIR, nous retombons rapidement au sol, et quelle que soit la force avec laquelle nous lançons une balle, elle redescend toujours. Cette force invisible qui attire tout vers le sol s'appelle la gravitation ou pesanteur (ou gravité). En réalité, tout objet est soumis à la gravitation – force encore appelée attraction gravitationnelle – qui attire d'autres objets. Par exemple, une balle qui vole dans les airs attire la Terre vers elle et la Terre attire la balle. Mais comme la Terre a une masse beaucoup plus importante que la balle, son inertie (résistance au mouvement) est beaucoup plus grande, c'est donc la balle qui bouge. Les objets comme les étoiles sont tellement massifs qu'ils exercent une énorme attraction gravitationnelle. L'attraction du Soleil maintient toutes les planètes en orbite autour de lui, y compris la Terre.

La Terre et la Lune
La Terre et la Lune s'attirent mutuellement, mais la Terre est beaucoup plus massive. Comparée à la Lune, elle reste presque statique, pendant que la Lune lui tourne autour.

Un air penché
La tour penchée de Pise, en Italie, de renommée mondiale, penchait peu à peu d'un côté à cause de la gravitation. Un objet grand et fin se maintient à la verticale tant que son sommet est parfaitement au-dessus de sa base. La force de la gravitation s'exerce alors en ligne droite jusqu'au pied de l'objet. La tour de Pise fut achevée vers 1350 – mais elle avait été construite sur un terrain mouvant et, d'un côté, le sol était légèrement plus mou que de l'autre. Ainsi, la tour commença à pencher. Ces dernières années, les fondations ont été renforcées et, si tout va bien, la tour ne penchera pas davantage.

Mesurer la gravitation
La gravitation de la Terre attire les objets vers sa surface. Cette force se mesure à la façon dont elle étire le ressort d'une balance. En langage de tous les jours, nous l'appelons « poids » et nous la mesurons en grammes, kilogrammes ou tonnes. Mais en langage scientifique, le poids est une force qui se mesure en unités appelées newtons. Les plus gros objets, qui ont une masse plus importante (matière ou atomes), sont attirés plus fortement vers la Terre. En d'autres termes, ils pèsent plus lourd.

Chute libre
Les parachutistes chutent en accélération jusqu'à ce que la force de gravitation qui les attire vers le bas soit équilibrée par la force de la résistance de l'air qui les pousse vers le haut. Quand il en est ainsi, les parachutistes stoppent leur accélération. Leur vitesse maximale de 160 kilomètres/heure environ s'appelle la vélocité terminale.

Voir également : La gravitation page 56, Notre planète page 142, Explorer l'espace page 176

Vaisseau spatial fonctionnant à l'énergie gravitationnelle

Le vaisseau spatial Cassini-Huygens fut lancé en 1997 vers la très lointaine planète Saturne. Mais la plus grosse des fusées aurait été incapable de lancer un vaisseau spatial directement sur Saturne ; le vaisseau a donc utilisé la méthode de la fronde (ci-dessous).

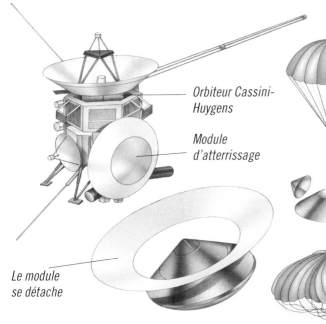

Orbiteur Cassini-Huygens

Module d'atterrissage

Le module se détache

Un petit parachute retire la capote du module d'atterrissage

La méthode de la fronde

Le vaisseau de Cassini-Huygens n'a pas été lancé vers Saturne mais vers Vénus. La gravitation de Vénus l'accélère jusqu'à ce qu'il oscille autour de cette planète et se dirige vers la Terre. La gravité de la Terre le propulse à nouveau et il oscille alors autour du Soleil, puis il va à nouveau vers Vénus, et finalement vers Jupiter avant d'atteindre Saturne.

Les anneaux de Saturne

La sonde spatiale Cassini-Huygens doit atteindre Saturne et ses anneaux spectaculaires courant 2004. La gravitation de la planète l'attirera de plus en plus vite vers elle. Mais c'est l'angle d'approche du vaisseau qui indiquera que celui-ci entre en orbite autour de Saturne. Il libérera alors son module d'atterrissage et celui-ci enverra des signaux radio à l'orbiteur du vaisseau qui les transmettra à la Terre.

Un grand parachute s'ouvre

Le module d'atterrissage descend en traversant les gaz denses de Saturne

Le bouclier thermique du module d'atterrissage est orienté vers le bas

BALANCEMENT TEMPOREL

Les horloges à balancier fonctionnent grâce à la gravitation. Un poids est suspendu à une corde qui est enroulée autour d'un tambour. La gravitation tire le poids vers le bas et le poids essaie de faire tourner le tambour. À chacune de ses oscillations, le balancier laisse un peu tourner le tambour. En retour, le balancier reçoit également un léger « contrecoup » du tambour. Ce petit contrecoup à chaque oscillation du balancier fournit assez d'énergie pour faire fonctionner l'horloge pendant des semaines, voire des mois.

Tambour

Cordon

Poids

Balancier

Chaleur et froid

LA CHALEUR EST UNE FORME D'ÉNERGIE CINÉTIQUE. C'est l'énergie cinétique des atomes d'un objet ou une substance. Lorsqu'un objet (ou une substance) est froid, ses atomes vibrent très peu. Plus il se réchauffe, plus ses atomes vibrent ou se déplacent rapidement. La température est différente de la chaleur. La chaleur est une forme d'énergie, la température est le degré de chaleur d'un objet ou bien l'état de l'air dans un lieu, considéré du point de vue de la sensation de chaleur ou de froid que l'on y éprouve et dont la mesure objective est fournie par un thermomètre. Dans la vie courante, on utilise l'échelle de température Celsius (°C) sur laquelle l'eau gèle et devient glace à 0 °C, ou bout et devient vapeur à 100 °C.

Chaleur intense
À grande vitesse, le frottement avec l'air crée une immense chaleur. Ainsi, les avions très rapides ont un revêtement externe en acier-titane par exemple, capable de supporter de très hautes températures.

Mesure des températures

Pour mesurer les températures avec précision, on utilise un appareil appelé thermocouple qui consiste en deux fils de différents métaux réunis à leurs extrémités, appelées jonctions. Si les deux jonctions sont à des températures différentes, l'électricité circule dans les fils. La quantité de courant électrique dépend de la différence de température – plus celle-ci est grande, plus il y a de courant. Si l'une des jonctions reste à une température donnée, 0°C par exemple, il est possible de calculer la température de l'autre jonction à partie de la quantité de courant électrique circulant entre les deux.

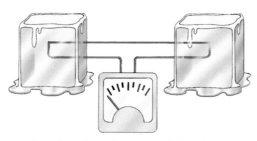

Les deux jonctions sont à la même température – pas d'électricité

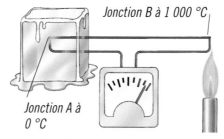

Jonction B à 1 000 °C

Jonction A à 0 °C

Les deux jonctions sont à des températures différentes – l'électricité circule

Découverte scientifique

James Joule (1818-1889) fut le premier à démontrer qu'une certaine quantité de travail mécanique, comme tourner une poignée, produisait une certaine quantité de chaleur. En d'autres termes, le travail mécanique et la chaleur sont deux formes différentes d'une même énergie. Les recherches de Joule sur la chaleur ont conduit à la création de la thermodynamique qui étudie les phénomènes dans lesquels interviennent les échanges thermiques.

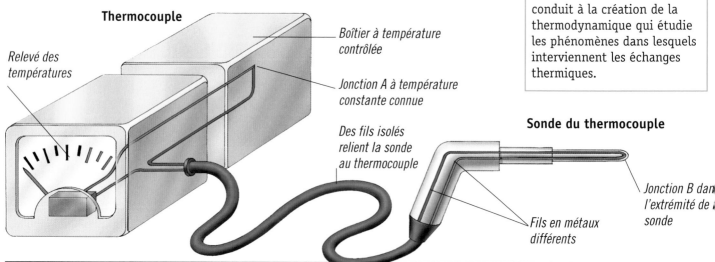

Thermocouple

Relevé des températures

Boîtier à température contrôlée

Jonction A à température constante connue

Des fils isolés relient la sonde au thermocouple

Sonde du thermocouple

Jonction B dan l'extrémité de l sonde

Fils en métaux différents

Voir également : Le frottement page 70, Le courant électrique page 82, Les rayons infrarouges page 136

Très chaud

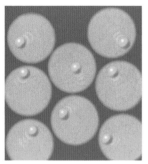

Dans une substance très chaud, les atomes ou les molécules bougent beaucoup. Les atomes ne font pas seulement un va-et-vient, comme de minuscules balanciers ; ils rebondissent dans tous les sens, comme une petite balle (en vert) à l'intérieur d'une balle beaucoup plus grosse (en orange).

Plus froid

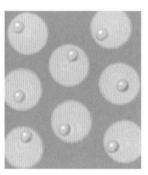

Quand la quantité de chaleur dans une substance diminue, cela signifie que ses atomes et ses molécules bougent moins. Nous savons que la quantité de chaleur diminue parce que la substance est plus froide au toucher et la température indiquée par le thermomètre plus basse.

Très froid

Une substance très froide a peu d'énergie calorifique. Cela signifie que les atomes et les molécules de cette substance bougent à peine. À la température la plus basse possible, le zéro absolu, ils cessent de bouger et restent complètement immobiles.

La chaleur se voit !

Lorsque nous regardons les choses, nos yeux détectent les rayons lumineux qui sont une forme de radiation électro-magnétique. La chaleur qui se déplace d'un point à un autre est aussi une forme de radiation électrique, des rayons infrarouges. Certains appareils photo satellites détectent les rayons infrarouges ; ils prennent des photos infrarouges comme celle de la ville ci-dessus. Le rouge indique les parties les plus chaudes, le bleu et le noir les plus froides.

Protection thermique

Les substances qui permettent à l'énergie calorifique de les traverser mais très lentement, sont appelées isolants thermiques. Les plaques en fibres de verre du toit d'une maison sont des isolants thermiques ; elles empêchent le froid de pénétrer. Les tenues de protection anti-incendie sont fabriquées dans un tissu ignifuge. Elles ont également une surface lisse qui renvoie une partie de l'énergie calorifique ainsi que les rayons lumineux, ce qui explique leur aspect brillant.

LA GAMME DES TEMPÉRATURES

Dans la vie quotidienne, nous connaissons une très petite gamme de températures. Par une journée très froide, la température avoisinera -10 °C et par une journée chaude 30 °C. L'échelle scientifique servant à mesurer les températures est appelée échelle de Kelvin. Le zéro absolu s'écrit 0 K (-273,15 °C). L'eau bout à 373,15 K (100 °C).

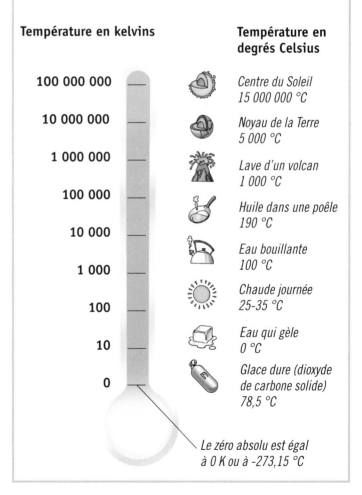

Température en kelvins — **Température en degrés Celsius**

Centre du Soleil 15 000 000 °C
Noyau de la Terre 5 000 °C
Lave d'un volcan 1 000 °C
Huile dans une poêle 190 °C
Eau bouillante 100 °C
Chaude journée 25-35 °C
Eau qui gèle 0 °C
Glace dure (dioxyde de carbone solide) 78,5 °C
Le zéro absolu est égal à 0 K ou à -273,15 °C

Machines utiles

LE MONDE SERAIT BEAUCOUP MOINS CONFORTABLE sans machines, et le travail serait plus pénible. Les machines nous rendent les tâches plus faciles ou les exécutent à notre place. Elles soulèvent et déplacent de lourdes charges, attachent les choses ensemble, les séparent, lavent nos vêtements, transportent personnes et marchandises et fabriquent des objets. Cependant, la fabrication et l'utilisation des machines ont un prix : à long terme, elles dépouillent la Terre de ses ressources naturelles, notamment des matières premières et des combustibles.

Le progrès par la machine

Une manière de mesurer le «progrès» consiste à observer les types de machines qui sont utilisées. Un pays dont les habitants possèdent les derniers avions, voitures, appareils hi-fi, ordinateurs, outils mécaniques et gadgets électroménagers est considéré comme moderne, développé et progressiste. Mais les machines démodées ou obsolètes ont aussi beaucoup de charme.

Outil simple Autrefois, la moisson se faisait à la main grâce à l'énergie musculaire, en utilisant des outils simples comme des faux et des serpes.

Une machine polyvalente

La moissonneuse-batteuse exécute tous les travaux que nécessite la récolte des céréales comme le blé. C'est une machine énorme et complexe. En réalité, ce sont plusieurs machines qui travaillent simultanément. Un gros moteur diesel fournit l'énergie pour déplacer l'engin sur la route ou dans les champs et pour actionner toutes les roues, lames, engrenages, courroies et autres parties mobiles. La tête coupante moissonne le blé ou autre céréale. Les secoueurs et trieurs séparent les bons grains de blé des autres parties comme la balle et les tiges (paille). Les grains sont stockés à mesure dans un bac.

Outil complexe

Les différentes étapes du travail exécuté par la moissonneuse-batteuse sont numérotées sur le dessin ci-contre. Avec cette machine agricole automotrice, le conducteur peut abattre la même quantité de travail qu'une centaine de personnes équipées d'outils manuels. Mais l'engin lui-même est le fruit d'un travail collectif : des concepteurs, des assembleurs, des soudeurs, des vendeurs et des ingénieurs de maintenance.

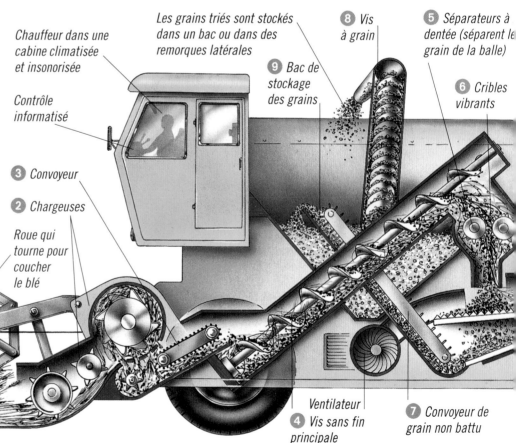

Chauffeur dans une cabine climatisée et insonorisée

Contrôle informatisé

Les grains triés sont stockés dans un bac ou dans des remorques latérales

❽ Vis à grain

❺ Séparateurs à dentée (séparent le grain de la balle)

❾ Bac de stockage des grains

❻ Cribles vibrants

❸ Convoyeur

❷ Chargeuses

Roue qui tourne pour coucher le blé

❶ Lame de coupe

Ventilateur

❹ Vis sans fin principale

❼ Convoyeur de grain non battu

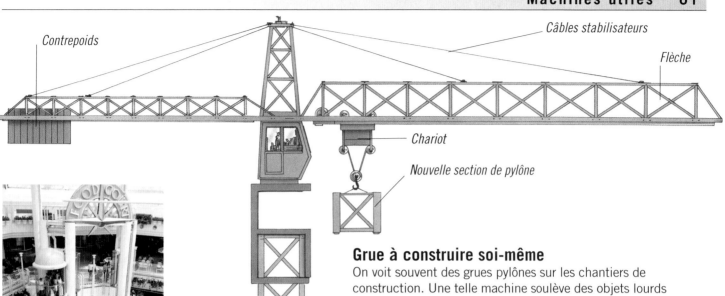

Contrepoids

Câbles stabilisateurs

Flèche

Chariot

Nouvelle section de pylône

Grue à construire soi-même

On voit souvent des grues pylônes sur les chantiers de construction. Une telle machine soulève des objets lourds et les repose en décrivant un large cercle atteignant parfois 100 mètres de diamètre. La flèche de la grue tourne autour du pylône principal et le chariot se déplace le long de la flèche pour atteindre les charges plus ou moins proches du pylône. Il est également possible de modifier la taille de cette grue télescopique. En effet, la grue peut hisser une section de pylône, la placer sur la précédente puis se fixer sur la nouvelle section.

Ascenseurs et escalators

Un ascenseur est une petite cabine suspendue par des câbles qui monte et qui descend. Les câbles sont enroulés sur un tambour entraîné par un moteur électrique. Un escalator est un escalier mécanique qui tourne en boucle.

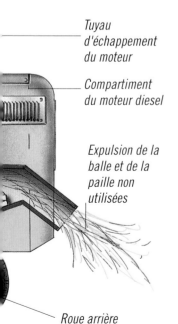

Tuyau d'échappement du moteur

Compartiment du moteur diesel

Expulsion de la balle et de la paille non utilisées

Roue arrière

Découverte scientifique

Certains développements scientifiques, et les inventions qui en découlent, sont tellement importants qu'ils changent la vie des gens dans le monde entier. En 1903, deux frères de Dayton, dans l'Ohio, aux États-Unis, réussirent à résoudre un problème dont beaucoup avaient cherché la solution en vain pendant des siècles. Il s'agissait de Wilbur et Orville Wright et le problème consistait à construire une machine volante. Les Wright menèrent à bien de nombreuses études scientifiques sur la forme des ailes, le mode de fonctionnement des hélices et la manière de contrôler un avion en vol. Ils effectuèrent leur premier vrai vol sur avion motorisé le 17 décembre 1903 sur la côte sablonneuse de la région de Kitty Hawk, en Caroline du Nord. Leur invention transforma le cours de notre existence.

Peu après les premiers vols des Wright, beaucoup d'autres avions décollèrent. Le premier à traverser la Manche pour relier la France et l'Angleterre fut Louis Blériot en 1909. On réalisa bientôt que l'avion était un moyen de transport de passagers intéressant – ainsi commença l'ère des longs voyages.

Le premier avion des Wright, le Flyer, fonctionnait grâce à un petit moteur à essence qu'ils avaient eux-mêmes conçu. Ils savaient que les moteurs à essence de l'époque, construits pour les premières automobiles à moteur étaient trop lourds pour un avion. Par la suite, ils construisirent des versions améliorées du Flyer et effectuèrent des vols plus longs

Machines simples

Tout APPAREIL MÉCANIQUE, même la pelle mécanique géante la plus complexe, est constitué de quatre types de machines simples : le levier, le plan incliné ou la rampe, la roue et l'essieu, ainsi que la poulie. Le levier est une barre rigide mobile autour d'un point fixe appelé point d'appui. Si le point d'appui est plus proche d'une extrémité que de l'autre, on peut utiliser un levier pour soulever un poids plus aisément. Le plan incliné (ou rampe) est également une machine simple. En général, il est plus facile de faire glisser un poids lourd le long d'une pente ascendante que de le soulever à la verticale. Placez deux plans inclinés dos à dos et ils formeront un coin, comme sur une lame de couteau, un axe ou un ciseau. Un coin enroulé en hélice autour d'une tige cylindrique est une vis. Les vis servent à soulever les choses et à les attacher ensemble (les roues et les poulies sont décrites aux pages suivantes).

Découverte scientifique

Le mathématicien et inventeur grec Archimède (287-212 av. J.-C.) découvrit le principe des leviers et des poulies. Ces machines simples fonctionnent de façon proportionnelle. Un levier permet de déplacer un poids lourd avec moins d'effort qu'en le soulevant directement – mais le poids ne bouge pas beaucoup. Finalement, déplacer le poids sur une distance identique directement ou avec un levier revient à utiliser la même quantité d'énergie.

Construire les pyramides

Les pyramides ont été construites dans l'ancienne Égypte il y a environ 4 500 ans avec des milliers de blocs de pierre – certains pesant plusieurs tonnes. Ils ont dû être mis en place avec un levier ou tirés sur une rampe bâtie près de la pyramide, ou bien roulés sur des rondins. Nul ne sait vraiment.

Leviers au travail

Les bras d'une pelle mécanique se composent d'une série de leviers reliés entre eux. Les bras sont actionnés par de l'huile pompée à très haute pression, qui s'écoule dans des tuyaux jusque dans un cylindre. La pression de l'huile pousse le piston dans le cylindre ; il en résulte une force, ou effort, qui actionne le bras. Les cylindres et les pistons utilisés ainsi sont des vérins hydrauliques.

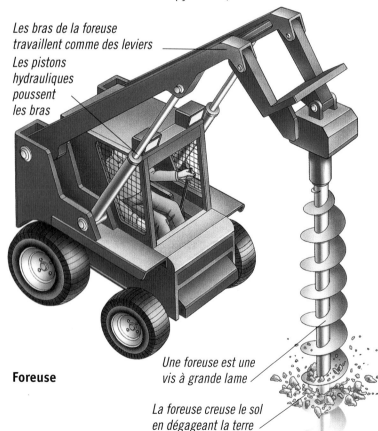

Les bras de la foreuse travaillent comme des leviers

Les pistons hydrauliques poussent les bras

Foreuse

Une foreuse est une vis à grande lame

La foreuse creuse le sol en dégageant la terre

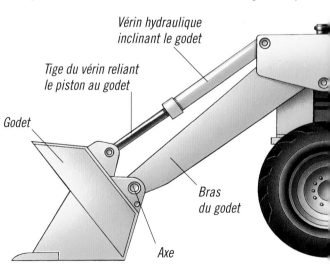

Vérin hydraulique inclinant le godet

Tige du vérin reliant le piston au godet

Godet

Bras du godet

Axe

Voir également : Les liquides page 26, Autres machines simples page 64, Les moteurs page 66

DIFFÉRENTS TYPES DE LEVIERS

Il existe trois types de leviers correspondant à trois différentes manières de répartir l'effort (ou force de déplacement) d'un levier, son point d'appui et sa charge (l'objet qui doit être déplacé ou pressé). Plus le point d'appui est proche de la charge, plus la charge est facile à déplacer. Mais l'avantage n'est pas réel car la charge franchit une distance moindre.

Premier type

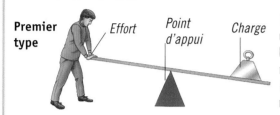

Effort — *Point d'appui* — *Charge*

Dans le premier type, l'effort s'exerce à une extrémité, la charge se situe à l'autre et le point d'appui est au milieu comme dans un pied-de-biche. Deux leviers de ce type partageant le même point d'appui forment une paire de ciseaux ou de tenailles.

Deuxième type

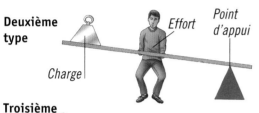

Charge — *Effort* — *Point d'appui*

Dans le deuxième type de levier, l'effort s'exerce au milieu, la charge et le point d'appui se situent à chaque extrémité. Un bras de pelle mécanique utilise ce type de levier.

Troisième type

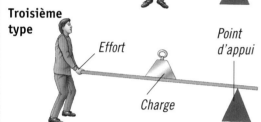

Effort — *Point d'appui* — *Charge*

Dans le troisième type de levier, la charge se situe au milieu, entre le point d'appui et l'endroit où s'exerce l'effort, comme dans une brouette ou un casse-noix.

La puissance du coin

Un sculpteur façonne un bloc de pierre avec un maillet et un ciseau. La force du maillet qui cogne sur le ciseau se transmet à la lame du ciseau, fine et tranchante, en forme de coin. La force importante du coup de maillet agit sur une minuscule surface à la pointe de la lame en produisant une énorme pression. La pierre cède et se fissure.

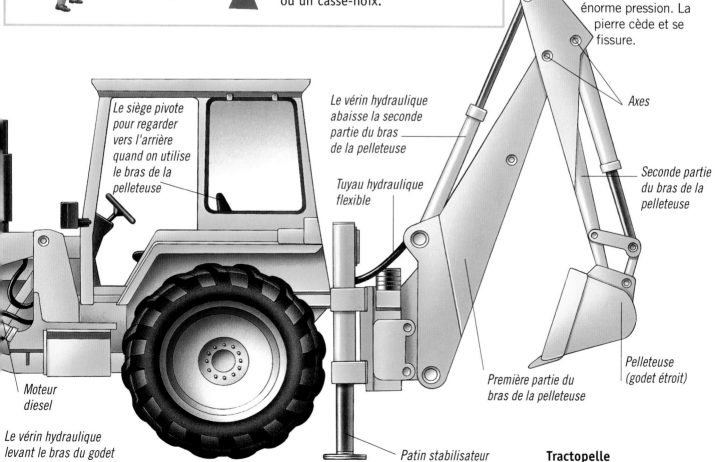

Le siège pivote pour regarder vers l'arrière quand on utilise le bras de la pelleteuse

Le vérin hydraulique abaisse la seconde partie du bras de la pelleteuse

Tuyau hydraulique flexible

Axes

Seconde partie du bras de la pelleteuse

Moteur diesel

Le vérin hydraulique levant le bras du godet

Patin stabilisateur

Première partie du bras de la pelleteuse

Pelleteuse (godet étroit)

Tractopelle

Autres machines simples

LA ROUE EST UNE MACHINE SIMPLE. Elle fonctionne comme un levier, mais au lieu d'osciller sur un point d'appui, elle tourne autour d'un axe. Les roues permettent de déplacer des poids lourds plus aisément qu'en les tirant ou en les faisant glisser. Une poulie est une roue dont la jante est creusée d'une gorge dans laquelle passe une corde, un câble ou une chaîne. En nouant une corde autour d'une lourde charge et en la passant sur une poulie, on peut soulever la charge en tirant la corde vers le bas. Il vaut mieux opter pour cette solution car notre propre poids est une force supplémentaire.

Premières roues
L'invention de la roue a facilité le déplacement des personnes et des marchandises. Les premières charrettes avaient des roues en bois. Les chariots à roues à rayons datent de 5 000 ans.

Machine à deux roues
La bicyclette est l'exemple même d'une combinaison de machines simples. Elle comprend des coins, des leviers, des vis, des poulies, des ressorts et des engrenages.

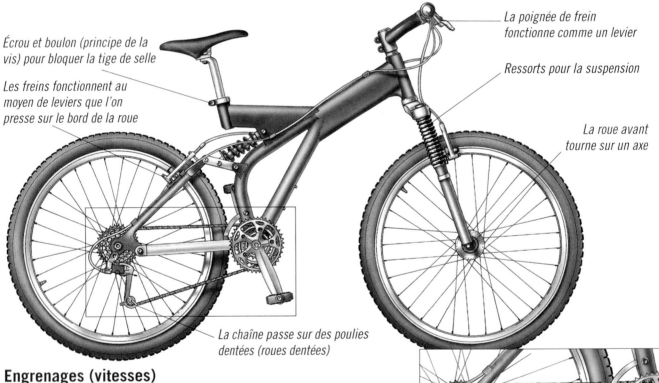

Écrou et boulon (principe de la vis) pour bloquer la tige de selle

Les freins fonctionnent au moyen de leviers que l'on presse sur le bord de la roue

La poignée de frein fonctionne comme un levier

Ressorts pour la suspension

La roue avant tourne sur un axe

La chaîne passe sur des poulies dentées (roues dentées)

Engrenages (vitesses)
La roue arrière d'une bicyclette comprend un jeu de pignons, ou roues dentées, de différentes tailles. Lorsqu'on change de vitesse, la chaîne glisse latéralement d'un pignon à un autre plus grand ou plus petit. Plus le pignon est petit, moins il a de dents. Donc, celui-ci, sur la roue arrière, fait plus de tours pour chaque tour du pignon avant qui est relié aux pédales. Avec les « petits braquets » qui utilisent les pignons arrière les plus grands, le pédalage nécessite moins d'effort. Mais la bicyclette n'avance pas beaucoup à chaque coup de pédale.

Voir également : Machines utiles page 60, Machines simples page 62, Moteurs page 66

Hélice d'avion

Une hélice d'avion est une machine simple – une vis. En tournant, elle repousse l'air vers l'arrière et tracte l'avion. Ccelui-ci, le *Raven*, a un moteur humain : l'hélice est actionnée par des pédales elles-mêmes actionnées par le pilote.

Véhicules tractés

Les roues d'un bulldozer fonctionnent comme des poulies. Seules deux roues sont entraînées par le moteur, les autres guident les chenilles qui tournent en boucle. Pour aller à droite ou à gauche, une des chenilles se déplace plus lentement que l'autre.

Monter ou descendre ?

La machinerie d'un ascenseur utilise deux machines simples. L'une est la poulie, ou plutôt les poulies. Le câble qui retient l'ascenseur passe autour de plusieurs poulies et s'enroule grâce à un moteur électrique. Les poulies servent également à changer la direction d'une force, du haut vers le côté et vers le bas. L'autre est le levier qui nécessite aussi des poulies. Le câble passe autour d'une poulie située au sommet de la cabine de l'ascenseur puis sur une autre poulie pour être ensuite fixé sur l'ascenseur. Il est alors deux fois plus facile pour le moteur de faire monter la cabine, que si le câble était directement fixé sur celle-ci. Mais pour chaque tour du moteur de la poulie, le câble ne franchit que la moitié de la distance qu'il franchirait s'il était fixé directement sur la cabine.

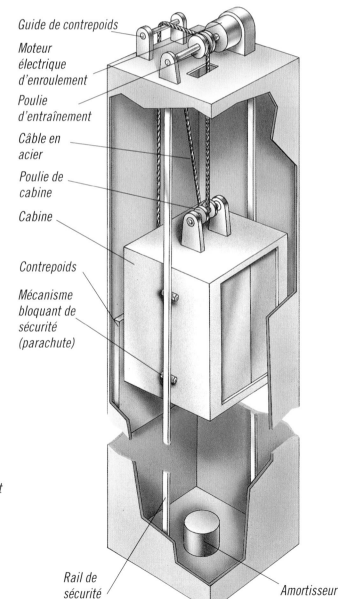

Guide de contrepoids

Moteur électrique d'enroulement

Poulie d'entraînement

Câble en acier

Poulie de cabine

Cabine

Contrepoids

Mécanisme bloquant de sécurité (parachute)

Rail de sécurité

Amortisseur

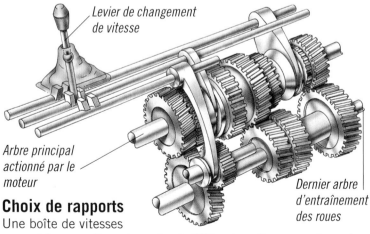

Levier de changement de vitesse

Arbre principal actionné par le moteur

Dernier arbre d'entraînement des roues

Choix de rapports

Une boîte de vitesses permet à une voiture de rouler à différentes vitesses, même si le régime du moteur reste inchangé. Elle renferme des jeux de pignons qui peuvent être connectés entre eux selon diverses combinaisons. L'arbre primaire est entraîné par le moteur et l'arbre de sortie de boîte fait tourner les roues de la voiture.

De l'énergie pour les machines

CERTAINES MACHINES FONCTIONNENT grâce à la force musculaire, et les autres grâce à des moteurs. Pour actionner une machine, un moteur a besoin d'énergie sous forme de combustible qu'il convertit ensuite en énergie cinétique. Les moteurs électriques convertissent l'énergie électrique en l'énergie cinétique d'un arbre rotatif. D'autres moteurs utilisent l'énergie chimique stockée dans les combustibles comme l'essence, le gazole, le kérosène, le gaz, le charbon et le bois. L'énergie se dégage d'un combustible par... combustion. Les moteurs à vapeur brûlent leur combustible dans un fourneau ou une chambre de combustion à l'extérieur du moteur. Les moteurs diesel ou à essence brûlent leur combustible à l'intérieur, d'où leur nom de moteurs à combustion interne.

Sous le capot
Dans la plupart des voitures, le moteur est situé à l'avant, sous le capot. Le réservoir de carburant est à l'arrière ; il est spécialement conçu pour résister aux chocs et éviter les déversements accidentels.

Moteur à essence
Dans un moteur à essence, un piston descend à l'intérieur d'un cylindre creux, aspirant et insufflant l'air et une petite giclée de carburant au cylindre par la soupape d'admission (1). La soupape se ferme et le piston monte, comprimant le mélange air-carburant à l'intérieur du cylindre (2). Une étincelle émise par une bougie d'allumage enflamme le mélange. Durant la combustion, le mélange se dilate et fait descendre le piston dans le cylindre (3). Cette force entraîne les roues de la voiture. Finalement, le piston remonte à nouveau et évacue les gaz brûlés par la soupape d'échappement (4). Plusieurs pistons, en général quatre ou six, travaillent en séquence pour faire tourner le moteur à un rythme régulier.

Volant moteur

Soupape d'admission

Soupape d'échappement

Bougie d'allumage

Arbre à cames

Came

Cylindre

Piston

Courroie distribut...

Vilebrequin

Maneton

Palier d'axe de piston

Coussinet de bielle

Bielle

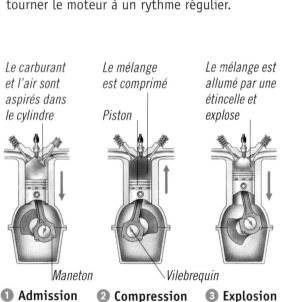

Le carburant et l'air sont aspirés dans le cylindre

Le mélange est comprimé

Piston

Le mélange est allumé par une étincelle et explose

Les gaz d'échappement sont évacués

Maneton

Vilebrequin

Bielle

1 Admission   **2** Compression   **3** Explosion   **4** Échappement

Cycle à quatre temps
Chaque montée ou descente du piston dans le cylindre équivaut à un temps. Dans un moteur à essence classique, le cycle d'un cylindre compte quatre temps ; il s'agit donc d'un moteur à quatre temps.

Voir également : Machines utiles page 60, Machines simples page 62, Moteurs page 66

Découverte scientifique

L'ingénieur Karl Benz (1844-1929) inventa une machine qui bouleversa le monde – l'automobile ou voiture à moteur. Il y avait déjà eu des véhicules à vapeur et à essence, mais ils étaient peu fiables, voire dangereux. En 1885, Benz conçut la première voiture à essence fiable. C'était un véhicule à trois roues dont la vitesse maximale atteignait seulement 30 km/h, mais il marqua le début d'une ère nouvelle dans les transports.

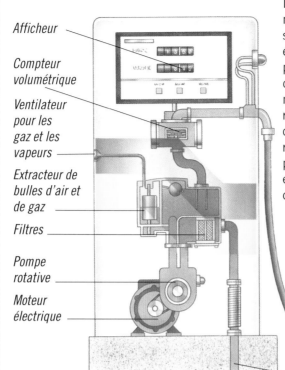

Afficheur

Compteur volumétrique

Ventilateur pour les gaz et les vapeurs

Extracteur de bulles d'air et de gaz

Filtres

Pompe rotative

Moteur électrique

D'où vient l'essence ?

L'essence et le gazole qui alimentent les moteurs des véhicules du monde entier sont issus du pétrole brut. Le pétrole épais et noir extrait du sous-sol par les puits de pétrole ne sert pas à grand-chose dans son état naturel. Il est transformé en matériaux plus exploitables dans des raffineries. Parmi les dérivés du pétrole, on trouve le bitume pour l'enrobage des routes, le gazole, l'essence, le kérosène pour les moteurs d'avion, les gaz naturels et une vaste gamme de plastiques, d'huiles et autres matériaux employés par l'industrie chimique.

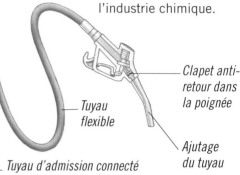

Clapet anti-retour dans la poignée

Tuyau flexible

Ajutage du tuyau

Tuyau d'admission connecté à la citerne de stockage

Moteur à vapeur

Pendant la révolution industrielle, à compter du XVIIe siècle environ, les moteurs à vapeur, comme le moteur à palonnier, actionnaient plusieurs types de machineries dans les usines et les fermes. Le bois ou le charbon qui brûle dans la chambre de combustion chauffe l'eau de la chaudière. La vapeur haute pression (1) s'introduit en force dans le cylindre et pousse le piston (2-3). Dès le début du XXe siècle, la plupart des moteurs à vapeur furent peu à peu remplacés par des moteurs à combustion interne et des moteurs électriques.

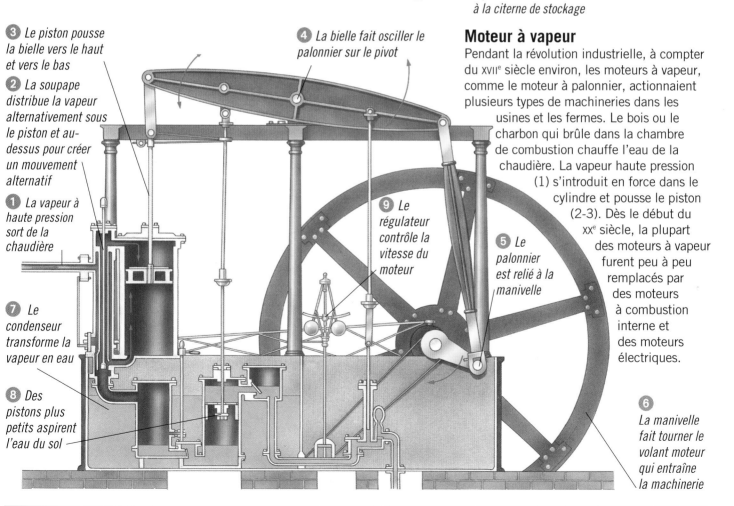

3 *Le piston pousse la bielle vers le haut et vers le bas*

2 *La soupape distribue la vapeur alternativement sous le piston et au-dessus pour créer un mouvement alternatif*

1 *La vapeur à haute pression sort de la chaudière*

7 *Le condenseur transforme la vapeur en eau*

8 *Des pistons plus petits aspirent l'eau du sol*

4 *La bielle fait osciller le palonnier sur le pivot*

9 *Le régulateur contrôle la vitesse du moteur*

5 *Le palonnier est relié à la manivelle*

6 *La manivelle fait tourner le volant moteur qui entraîne la machinerie*

Machines puissantes

L'INTÉRIEUR DES RÉACTEURS ET DES FUSÉES est le siège d'une combustion permanente. Un réacteur brûle du kérosène pour produire un jet de gaz chauds qui, expulsés à l'arrière du moteur, le propulsent (et avec lui l'avion, l'automobile ou tout autre engin). Un réacteur doit prendre de l'air dans l'atmosphère car celle-ci renferme l'oxygène dont il a besoin pour la combustion de son carburant. Il ne fonctionne donc que dans l'air de l'atmosphère terrestre. Au-dessus de l'atmosphère, dans l'espace, il n'y a pas d'air. Les moteurs des navettes spatiales doivent emporter leurs réserves d'oxygène, sous forme d'oxydant (substance chimique capable de provoquer l'oxydation) appelé comburant, pour brûler leur carburant. Elles décollent en utilisant le moteur le plus puissant de tous, la fusée.

Découverte scientifique

À la fin des années 1920, Frank Whittle (1907-1996) comprit qu'un réacteur pouvait propulser un avion beaucoup plus vite que les moteurs à pistons de l'époque. En Angleterre, Whittle fit fonctionner un prototype de réacteur, fixé au banc d'essai de son atelier, dès 1937. Mais en août 1939, c'est un avion allemand, le Heinkel He 178, qui effectua le premier vol avec ce mode de propulsion.

Les cellules solaires recouvrent presque l'intégralité de la voiture

Structure en plastique extrêmement léger

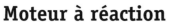

Honda Dream - voiture solaire

Énergie solaire

Les véhicules fonctionnant à l'énergie solaire nuisent beaucoup moins à l'environnement que les véhicules à essence ou à gazole. L'énergie solaire n'est source d'aucune pollution atmosphérique. Les cellules photovoltaïques installées sur la voiture convertissent la lumière du soleil en électricité pour entraîner le moteur électrique.

Moteur à réaction

Le type de moteur à réaction utilisé dans la plupart des gros-porteurs est le turboréacteur. Un énorme ventilateur à l'avant, la soufflante, happe l'air. Une partie de cet air entre dans le moteur pour y être comprimé par un compresseur rotatif à turbines. Le carburant est vaporisé dans l'air comprimé et brûle. Il se dilate et s'éjecte du moteur par une turbine qui en tournant, actionne le compresseur. Les gaz en combustion provoquent la propulsion par réaction

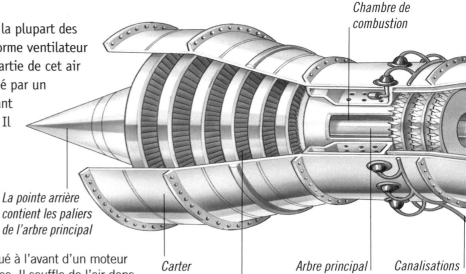

Chambre de combustion

La pointe arrière contient les paliers de l'arbre principal

Carter réacteur

Arbre principal

Canalisations de carburant

Tuyères d'échappement

Turbines du compresseur

À l'intérieur du réacteur

L'énorme ventilateur (appelé soufflante) situé à l'avant d'un moteur à turboréacteur fonctionne comme une hélice. Il souffle de l'air dans le moteur principal et de l'air autour du moteur. Cet air contournant ajoute une propulsion supplémentaire et sert aussi d'isolant phonique et thermique ; il refroidit le moteur principal et atténue son bruit.

Voir également : Le frottement page 70, L'usage de la lumière page 132, Explorer l'espace page 176

LES MACHINES À MOUVEMENT PERPÉTUEL

Avant d'avoir une bonne compréhension de la science énergétique, certains pensaient qu'il était possible de construire une machine qui, une fois démarrée, continuerait à fonctionner éternellement, sans carburant. Il s'agit de la machine à mouvement perpétuel. Malgré une multitude d'essais, aucune machine de ce type n'a jamais été fabriquée. En effet, toute machine, même la mieux graissée, perd de l'énergie par frottement et chaleur ; elle a donc besoin d'un apport d'énergie pour continuer à fonctionner.

Ce modèle de roue à chute de boules tourne pendant des jours mais non éternellement

Résistance minimum

Bateaux, automobiles, avions et trains rapides ont des formes effilées, aérodynamiques qui permettent de résoudre les problèmes de résistance à l'air car elles écartent ses molécules gazeuses – la forme effilée glisse dans les molécules au lieu de les heurter. L'effet ralentisseur dû à la résistance de l'air est appelé résistance. Une résistance plus faible permet une plus grande vitesse et une économie de carburant.

La science des fusées

Dans le moteur d'une fusée, le carburant brûle avec le comburant dans la chambre de combustion. Les gaz chauds s'échappant par la partie arrière propulsent la fusée selon la troisième loi du mouvement – toute action déclenche une force de réaction, de même intensité et de sens contraire. Une fusée doit atteindre une vitesse de 28 000 km/h, vitesse qui lui permet d'entrer dans l'espace et de se placer en orbite autour de la Terre. Une fusée à plusieurs étages possède plusieurs jeux de moteurs et de réservoirs de carburant et comburant. Ils se détachent l'un après l'autre, diminuant le poids à mesure que la force de la gravitation faiblit.

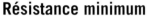

Carter de la soufflante   Pales de la soufflante

Tour de sortie de secours

Charge (capsule spatiale, satellite ou autre cargaison)

Comburant du 1er étage

Carburant du 1r étage

Moteur du 1er étage

Carburant du 2e étage

Comburant du 2e étage

Carburant du booster

Comburant du booster

Boosters de lancement

Moteur du 2e étage

La pointe avant aspire l'air pour alimenter la soufflante

Soufflante principale

Le frottement

LE FROTTEMENT OU FRICTION EST UNE FORCE qui résiste au mouvement. Elle agit toujours dans le sens contraire au mouvement. Le frottement est dû aux aspérités présentes sur les deux surfaces qui, lorsqu'elles entrent en contact, rendent difficile le glissement de l'une sur l'autre. Toute surface, même la plus lisse, comporte de minuscules irrégularités. La friction a pour effet de ralentir les objets en leur faisant perdre de l'énergie cinétique. Cette énergie ne disparaît pas mais se transforme en chaleur. Frottez-vous les mains pour sentir cette chaleur ! Dans une machine, une mince pellicule d'huile ou de graisse réduira le frottement et l'usure des pièces. L'usage d'huile ou de graisse pour réduire la friction s'appelle la lubrification.

Descendre à son rythme
Un alpiniste redescend en toute sécurité en faisant du rappel le long d'une corde. La corde passe dans des mousquetons accrochés à son harnais. Un bon réglage du frottement entre la corde et les mousquetons empêche le grimpeur de descendre trop brusquement ou de tomber.

ROULEMENTS À BILLES

Un palier est la partie d'une machine spécialement conçue pour réduire la friction entre deux pièces en mouvement. Un roulement à billes diminue le frottement en remplaçant le glissement par le roulement. Les deux anneaux à gorge du palier sont appelés cages. Lorsque la cage externe ne bouge pas et que la cage interne tourne, les billes en acier qui sont entre les deux roulent. Les roues tournent souvent sur leur axe grâce à des roulements à billes.

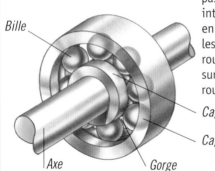

Bille
Cage interne
Cage externe
Axe
Gorge

Naviguer sur l'air

Un aéroglisseur glisse au-dessus de l'eau sur un coussin d'air. Quand un bateau se déplace sur l'eau, l'eau exerce une pression sur la coque et ralentit le bateau. Ce frottement est appelé résistance (*voir* page ci-contre). Dans un aéroglisseur, l'air souffle si vite sous le bateau que sa pression surmonte le poids du bateau et le soulève au-dessus de la surface de l'eau. La jupe en caoutchouc de l'aéroglisseur contribue à empêcher l'air de s'échapper trop vite et augmente la hauteur du coussin d'air.

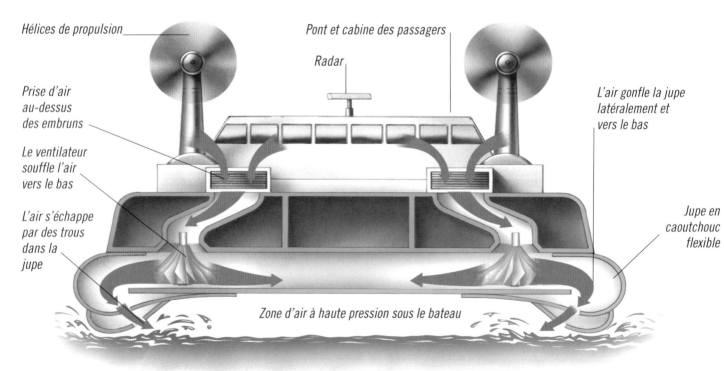

Hélices de propulsion
Pont et cabine des passagers
Radar
Prise d'air au-dessus des embruns
L'air gonfle la jupe latéralement et vers le bas
Le ventilateur souffle l'air vers le bas
L'air s'échappe par des trous dans la jupe
Jupe en caoutchouc flexible
Zone d'air à haute pression sous le bateau

Voir également : L'eau page 32, L'énergie du mouvement page 50, Forces et mouvement page 52

Frottement vital

Le frottement est souvent appelé « ennemi des machines ». Pourtant, certaines machines, le frein automobile par exemple, lui doivent leur efficacité. La friction entre les disques et les plaquettes du frein fait tourner la roue plus lentement, puis la friction entre le caoutchouc du pneu et la route fait ralentir la voiture.

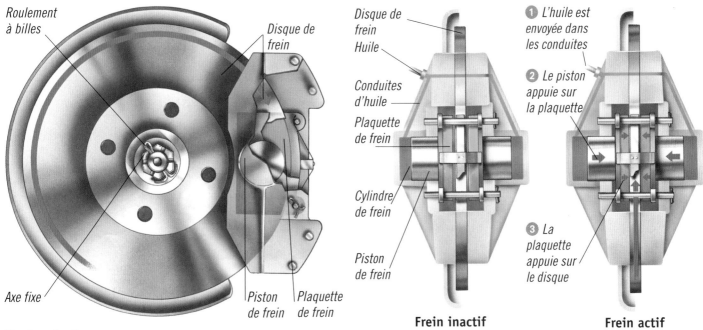

Roulement à billes

Disque de frein

Axe fixe

Piston de frein

Plaquette de frein

Disque de frein

Huile

Conduites d'huile

Plaquette de frein

Cylindre de frein

Piston de frein

❶ *L'huile est envoyée dans les conduites*

❷ *Le piston appuie sur la plaquette*

❸ *La plaquette appuie sur le disque*

Frein inactif

Frein actif

Freins à disques

Lorsque le conducteur d'une automobile appuie sur la pédale de frein, l'huile est envoyée via des canalisations dans des cylindres de chaque côté d'un disque en métal, le disque de frein, solidaire de chaque roue. La pression de l'huile pousse les pistons qui poussent les plaquettes rugueuses contre le disque en rotation. Le frottement entre le disque et les plaquettes ralentit le disque et la roue.

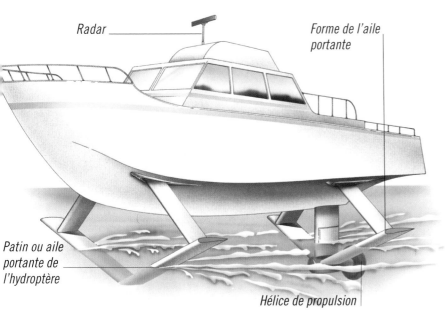

Radar

Forme de l'aile portante

Patin ou aile portante de l'hydroptère

Hélice de propulsion

Voler sur l'eau

Un hydroptère est un bateau sur « patins ». Ceux-ci ont la même forme qu'une aile d'avion, bien que leur bord supérieur soit plus incurvé, mais ils travaillent de la même manière. Quand le bateau avance, l'eau va plus loin sur la surface supérieure de l'aile portante que sur la surface inférieure ; le bateau avance donc plus vite. Ce phénomène crée une pression plus basse et l'hydroptère est soulevé. À grande vitesse, le bateau s'élève à la verticale hors de l'eau et diminue une grande partie de la résistance due au frottement.

Vue latérale de l'aile portante

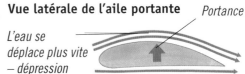

Portance

L'eau se déplace plus vite – dépression

L'énergie dans le monde

L'ESSENTIEL DE L'ÉNERGIE consommée dans le monde provient de trois sources : le pétrole, le charbon et le gaz naturel, appelés combustibles fossiles car ils se composent des restes décomposés, à demi fossilisés, d'organismes qui vécurent il y a des millions d'années. Une autre source commune d'énergie est la biomasse – des matériaux et des produits vivant il y a peu de temps, comme le bois ou les excréments d'animaux. Dans certaines régions du monde, la biomasse, sous forme de bois de chauffage, est l'unique source d'énergie. L'énergie nucléaire occupe une place importante dans certains pays, bien qu'elle pose le problème des accidents et des déchets nucléaires. Les régions montagneuses et baignées par les pluies peuvent exploiter de l'électricité produite par l'énergie de l'eau (hydroélectricité).

Énergie éolienne

Le vent, l'eau et les muscles étaient les principales sources d'énergie pour les machines avant la mise au point de la machine à vapeur au XVIIᵉ siècle. Le moulin à vent traditionnel travaille en faisant tourner ses ailes dans le vent avec le maximum de force. Les ailes entraînent un axe qui actionne un mécanisme à l'intérieur du moulin, par exemple une meule servant à moudre les céréales.

Énergie hydraulique

Une centrale hydroélectrique fabrique de l'électricité à partir de l'eau en mouvement. L'eau coule dans des conduits contenant des turbines qui tournent et entraînent des générateurs. À mesure que la pression de l'eau s'exerçant sur les pales des turbines augmente, ces pales tournent avec plus de puissance et produisent plus d'électricité. Ainsi, pour augmenter la pression de l'eau et faire une provision d'eau suffisante pour les besoins de toute une année, on construit un barrage en travers d'une vallée fluviale. L'eau s'accumule derrière le barrage et forme un lac.

La demande énergétique

Les centrales électriques fournissent leur électricité à un réseau maillé de distribution.

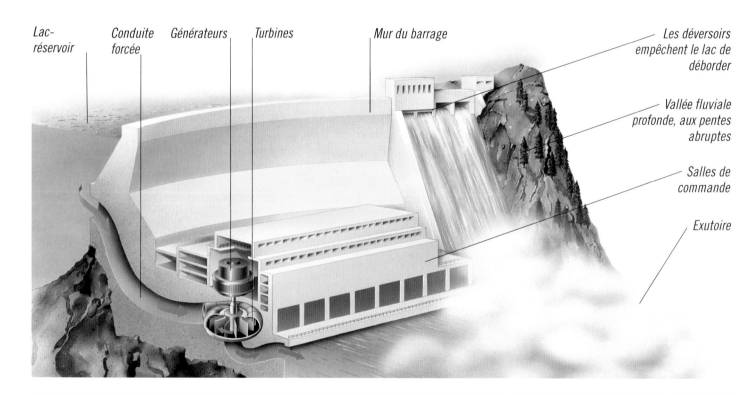

Lac-réservoir

Conduite forcée

Générateurs

Turbines

Mur du barrage

Les déversoirs empêchent le lac de déborder

Vallée fluviale profonde, aux pentes abruptes

Salles de commande

Exutoire

Voir également : L'eau page 32, Transformer l'énergie page 48, La Terre en danger page 170

Découverte scientifique

Marie Curie (1867-1934) découvrit la science dans les livres. Quand elle apprit que l'uranium produisait d'étranges rayons, elles se mit à tester de nombreuses substances pour voir si elles produisaient aussi ce type de rayons. Son terme de «radioactivité» désigne l'énergie dégagée par ces matériaux. Marie découvrit deux nouveaux éléments radioactifs, le radium et le polonium. Son travail aida les autres savants à développer l'énergie nucléaire (*voir* page suivante).

L'énergie fossile

Nous utilisons les combustibles fossiles des millions de fois plus vite qu'ils ne se sont formés. À ce rythme, les réserves connues de pétrole s'épuiseront dans 100 à 200 ans et de houille dans 300 à 400 ans. En outre, l'extraction de la houille dans des mines à ciel ouvert laisse des marques indélébiles sur le paysage.

L'ÉNERGIE DES VAGUES

Les vagues et les marées renferment une grande quantité d'énergie susceptible d'être transformée en électricité. Une machine appelée « canard » danse sur l'eau quand les vagues passent sur elle. Le mouvement de balancier actionne un générateur, ou pompe du liquide ou du gaz qui entraîne une turbine qui fait tourner le générateur. Un autre modèle de générateur utilisant la force des vagues est la colonne hydraulique oscillante. Il s'agit d'une chambre haute dont une extrémité est immergée dans l'eau. Les vagues montent, tombent dans la chambre et propulsent l'air à l'intérieur par le biais d'une turbine située au sommet. Pour exploiter l'énergie des marées, ou énergie marémotrice, on construit un barrage en travers d'une baie ou d'un estuaire. Le flux de la marée fait tourner des turbines à l'intérieur du barrage.

Le « canard » décrit un mouvement de balancier

Chaque « canard » est équipé d'un arbre

Arbres inclinés reliés aux générateurs

Énergies renouvelables

Notre forme d'énergie préférée est l'électricité. Elle se transporte sur de très longues distances dans des câbles et se convertit en mouvement, lumière, chaleur, son et autres formes utiles. Mais nos principales sources d'énergie pour fabriquer l'électricité – les combustibles fossiles – ne dureront pas éternellement. Ce ne sont pas des sources d'énergie renouvelables ; de plus, elles sont très polluantes. Les scientifiques sont donc en train de développer des sources d'énergie renouvelables inépuisables et non polluantes : le vent, les vagues, les marées, le soleil, l'eau (énergie hydraulique) et les roches chaudes en sous-sol (énergie géothermique). Les éoliennes ou turbines à vent sont les versions modernes des moulins à vent et produisent de l'électricité à partir de l'énergie de l'air en mouvement.

Les éoliennes sont parfois regroupées en parcs ou « forêts »

L'énergie et la matière

L'ÉNERGIE PEUT SE TRANSFORMER EN MATIÈRE (ATOMES), et la matière en énergie. La matière se transforme en énergie selon un processus appelé fission nucléaire. Des substances, comme certaines formes d'uranium, ont des atomes à noyaux gros et instables. Quand on les bombarde de particules atomiques telles que des neutrons, ces noyaux se fissurent en libérant un flux d'énergie et d'autres neutrons qui entretiennent le processus. La fission nucléaire se produit dans les centrales nucléaires. Les scientifiques ont mis au point le processus opposé consistant à changer l'énergie en matière. Dans les conditions idéales, des particules de matière se créent là où il n'y avait pas de matière.

Garder le contrôle
Malgré les nombreux dispositifs de sécurité dont sont équipés les réacteurs nucléaires – capteurs, systèmes d'alarme –, des accidents peuvent arriver.

L'énergie nucléaire

Le terme « nucléaire » fait référence au noyau, partie centrale de l'atome. Dans une centrale nucléaire, les noyaux de certains atomes du combustible se fissurent (fission nucléaire). Ainsi, ils créent d'autres substances qui ne pèsent pas tout à fait aussi lourd que le combustible d'origine – qui est en général de l'uranium. De petites quantités de matière ont été transformées en d'énormes quantités de chaleur ou autre énergie. Les réactions nucléaires sont si puissantes qu'un morceau d'uranium de la grosseur d'un poing peut libérer la même quantité de chaleur qu'un tas de charbon plus gros qu'une maison.

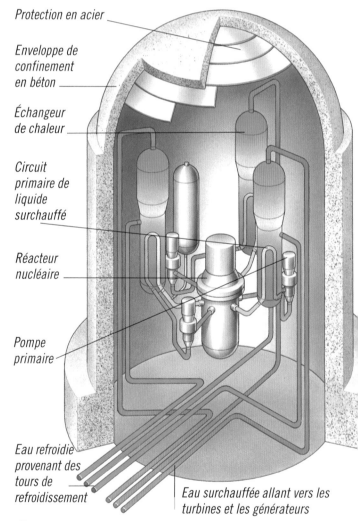

Protection en acier

Enveloppe de confinement en béton

Échangeur de chaleur

Circuit primaire de liquide surchauffé

Réacteur nucléaire

Pompe primaire

Eau refroidie provenant des tours de refroidissement

Eau surchauffée allant vers les turbines et les générateurs

❶ Centrale nucléaire
L'énergie nucléaire produit d'énormes quantités d'énergie calorifique susceptible d'être transformée en électricité, mais cela implique l'usage de substances radioactives dangereuses et produit des déchets radioactifs de toutes sortes. Le stockage sans risques de ces déchets, qui resteront radioactifs pendant des siècles, pose de plus en plus problème.

❷ Enveloppe de confinement
La chaleur du réacteur est transmise au liquide primaire. Celui-ci la transmet à son tour pour surchauffer l'eau ; la vapeur ainsi dégagée actionne les turbines qui produisent de l'électricité.

Voir également : Les atomes page 14, Au cœur des atomes page 16, Le soleil page 188.

❸ Le réacteur nucléaire

Dans une centrale nucléaire, la chaleur est produite dans le réacteur. Celui-ci chauffe un liquide primaire spécial à des températures extrêmement élevées. Ce liquide primaire est pompé dans des échangeurs de chaleur situés autour du réacteur où il surchauffe l'eau destinée aux turbines.

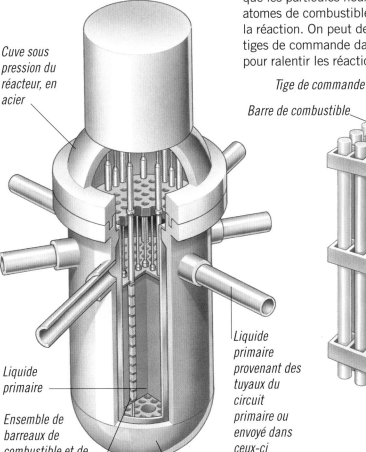

Cuve sous pression du réacteur, en acier

Liquide primaire

Ensemble de barreaux de combustible et de tiges de commande (voir ci-dessus à droite)

Liquide primaire provenant des tuyaux du circuit primaire ou envoyé dans ceux-ci

La forme incurvée subit une énorme pression

❹ Barres de combustible

Le combustible nucléaire, de l'uranium souvent, se présente sous la forme de barreaux. Parfois, le combustible est inséré dans une autre substance, le modérateur. Celui-ci ralentit les particules atomiques qui s'échappent des atomes du combustible quand les atomes se fissurent ; il est ainsi plus probable que les particules heurtent d'autres atomes de combustible et poursuivent la réaction. On peut descendre des tiges de commande dans le réacteur pour ralentir les réactions nucléaires.

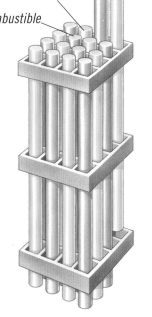

Tige de commande

Barre de combustible

Libération d'un plus grand nombre de neutrons dans une réaction en chaîne

Les neutrons heurtent plus de noyaux de combustible

Libération d'un plus grand nombre de neutrons

Deux noyaux de produits de fission

Le noyau de l'atome de combustible se fissure

Neutron

❺ Fission nucléaire

Le noyau d'un atome de combustible est heurté par une particule se déplaçant à vitesse rapide, un neutron. Il se divise alors en deux noyaux plus petits qui sont des produits de la fission tels que le plomb. Au cours de ce processus, le noyau libère également plus de neutrons ainsi que de grandes quantités d'énergie. Les neutrons provoquent plus de fissions, et ainsi de suite, dans une réaction en chaîne. Les tiges de commande et les modérateurs empêchent l'emballement.

Une énergie nucléaire d'avenir

Les centrales nucléaires sont d'énormes structures (*voir* ci-contre) qui présentent divers risques, dont celui de la pollution radioactive. Loin de la Terre, les étoiles fabriquent aussi de la chaleur et de la lumière avec l'énergie nucléaire, mais par un processus de fusion des noyaux plutôt que de fission. Les scientifiques essaient de copier ce processus dans des réacteurs de fusion nucléaire expérimentaux. La fusion nucléaire utilise comme combustible l'hydrogène, qui peut être fabriqué à partir de l'eau de mer et produit peu ou pas du tout de déchets nucléaires ; mais les problèmes pratiques, notamment les températures extrêmement élevées, sont immenses.

3

Électricité et magnétisme

L'électricité est une forme d'énergie basée sur le mouvement de fragments d'atomes appelés électrons. Le magnétisme est une force mystérieuse et invisible qui attire ou repousse. L'électricité produit du magnétisme et le magnétisme de l'électricité. Ensemble, ils constituent le principe de base d'innombrables machines, des moteurs aux ordinateurs.

L'énergie électrique

L'ÉLECTRICITÉ EST UNE ÉNERGIE invisible qui repose sur de minuscules particules chargées à l'intérieur des atomes. Le noyau d'un atome renferme des particules de charge positive, appelées protons. Les électrons, de charge négative, se déplacent extrêmement vite autour du noyau de l'atome. Normalement, les charges positive et négative s'équilibrent. Si tel n'est pas le cas, il y a production d'une force électrique. Celle-ci peut rester au même endroit sous forme d'électricité statique, ou se déplacer sous forme de courant. L'électricité nous est très utile car elle peut être acheminée dans des câbles et des fils jusqu'aux lieux de consommation et s'y transformer en d'autres formes d'énergie telles que lumière, chaleur et mouvement.

Électricité, danger !

L'énergie électrique est dangereuse. Un choc électrique émis par la prise de courant d'une maison à 110 ou 220 volts risque de tuer la personne qui en est victime. L'électricité haute tension (des centaines de milliers de volts) transportée par des câbles et des pylônes est capable de faire « décoller » un homme à plusieurs mètres du sol.

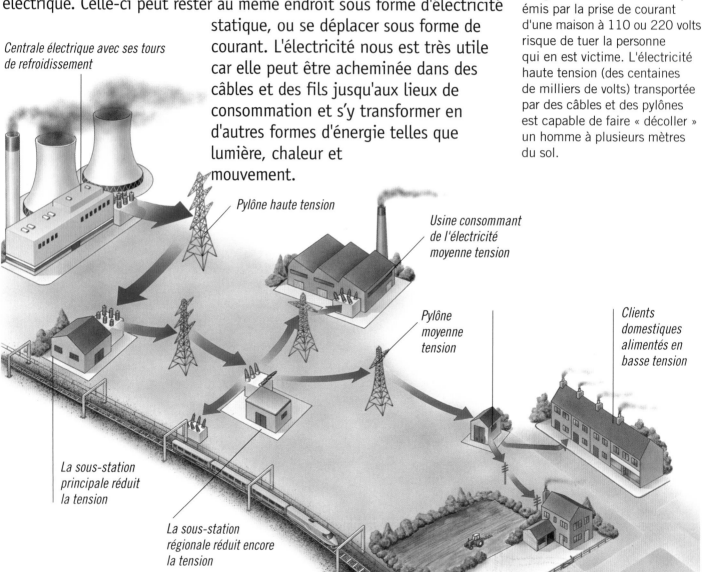

Centrale électrique avec ses tours de refroidissement

Pylône haute tension

Usine consommant de l'électricité moyenne tension

Pylône moyenne tension

Clients domestiques alimentés en basse tension

La sous-station principale réduit la tension

La sous-station régionale réduit encore la tension

Le réseau électrique

Les centrales électriques transforment l'énergie du mouvement, ou énergie cinétique, en énergie électrique moyenne tension. Celle-ci est transformée en électricité haute tension puis transportée dans de gros câbles, par voie aérienne ou souterraine. Ce réseau de câbles est un réseau maillé de distribution électrique. Afin de subvenir aux besoins des usines, des fermes, des bureaux et du domicile des particuliers, l'électricité haute tension est à nouveau transformée en électricité moyenne et basse tension.

Voir également : L'électricité statique page 80, Le courant électrique page 82

L'électricité dans les atomes

Toute chose est constituée de milliards de particules microscopiques, les atomes.
Un atome possède un noyau central contenant des protons, chargés positivement, et des neutrons sans aucune charge (neutres). Des particules beaucoup plus petites, les électrons, chargés négativement, naviguent dans l'espace vide autour du noyau.
Quand les atomes ou substances gagnent ou perdent des électrons, ils se chargent en électricité.
Le gain d'électrons les rend négatifs et la perte d'électrons les rend positifs.

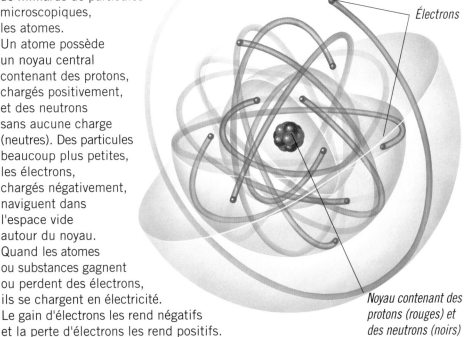

Électrons

Noyau contenant des protons (rouges) et des neutrons (noirs)

Découverte scientifique

Benjamin Franklin (1706-1790) fut l'un des premiers à étudier de près l'électricité. En 1752, il fit voler un cerf-volant auquel était attachée une clef en métal dans un nuage d'orage. Des étincelles jaillirent de la clef, montrant que l'éclair était une forme d'électricité. Selon Franklin, l'électricité consistait en deux états d'un mystérieux fluide, idée qui n'a plus cours aujourd'hui.

L'électricité au travail

S'il y avait une coupure de courant dans cette ville, ses habitants devraient se débrouiller sans éclairage ni chauffage, et sans les machines qui leur facilitent la vie. L'activité quotidienne serait ralentie et l'énergie proviendrait uniquement des batteries, des bougies, du bois, du charbon ou du gaz. Pourtant, les hommes ont vécu sans appareils électriques pendant des milliers d'années et le font encore dans de nombreuses régions du monde. C'est au XXe siècle seulement, ou un peu avant, que l'électricité a été mise à disposition du public. Elle présente l'immense avantage d'être disponible par une simple pression du doigt sur un interrupteur.

SENTIR L'ÉLECTRICITÉ

Les requins ont un sens particulier qui leur permet de détecter de faibles signaux électriques. Ceux-ci sont émis naturellement par les muscles de leurs proies et se déplacent aisément dans l'eau. Le requin utilise de minuscules cavités sensorielles logées dans la peau de son museau, les ampoules de Lorenzini, pour détecter l'électricité. D'autres animaux aquatiques, tel les calmars, sont capables de détecter l'électricité. Les gymnotes, les torpilles et les poissons-chats lancent de puissantes décharges d'électricité pour étourdir leurs proies.

L'électricité statique

ON MARCHE SUR UN TAPIS, on touche une poignée de porte en métal et hop ! on ressent une petite décharge électrique tandis qu' une minuscule étincelle jaillit. Ce type d'électricité appelée électricité statique peut faire dresser les cheveux sur la tête, attirer la poussière sur l'écran de télévision ou coller un ballon de baudruche au mur. L'électricité statique survient en cas de frottement entre deux matériaux non métalliques (*voir* page ci-contre). Elle peut rapprocher ou séparer deux choses car les charges opposées s'attirent et les charges semblables se repoussent. L'électricité statique est parfois destructrice dans le cas de la foudre, ou utile comme dans les photocopieurs, les bombes de peinture ou les ionisateurs.

Étincelle géante
L'éclair est une décharge électrique, gigantesque étincelle qui libère l'électricité statique accumulée dans les nuages d'orage.

Usage de l'électricité statique

Les photocopies fonctionnent en utilisant l'électricité statique et l'attraction de charges opposées. Un tambour rotatif, enduit d'un matériau conducteur d'électricité quand la lumière le frappe, est chargé d'électricité positive. La lumière émise par les surfaces blanches de la feuille à copier frappe le tambour et la charge s'évacue. Les surfaces noires conservent leur charge positive et attirent une poudre de charge négative, le toner, qui est ensuite transférée sur le papier.

La feuille est placée au-dessus de la source lumineuse

❶ L'image réfléchie
Les rayons lumineux sont réfléchis par les surfaces blanches des feuilles à copier Ils frappent le tambour, de charge positive, et évacuent sa charge.

Cartouche de toner

Miroirs réfléchissants

❷ Le transfert du toner
Les surfaces du tambour, de charge positive, attirent les particules du toner, de charge négative.

Chargeur du tambour

Transporteur de papier

Les rouleaux expulsent le papier de la machine

La lumière réfléchie par les surfaces blanches élimine les charges positives du tambour

Le tambour continue à tourner

Les zones du tambour de charge positive attirent les particules négatives du toner

Le papier vierge passe sur le tambour et recueille les particules du toner

Les rouleaux chauffants font pénétrer le toner dans le papier

Voir également : L'énergie électrique page 78, Mystérieux magnétisme page 92

Charges géantes

Les équipements de recherche scientifique tels que
les générateurs Van der Graaf, produisent des charges
d'électricité statique de plusieurs milliards de volts. Ces
charges sont envoyées dans des substances et des matériaux
pour en étudier les effets, ou données à des atomes
et d'autres particules pour les faire circuler à grande vitesse.

*Chaque copie nécessite
de recharger le tambour*

➌ Fixation du toner
Pour faire pénétrer
les minuscules particules
sensibles à la chaleur
du toner dans le papier,
on chauffe les rouleaux.
Pendant ce temps,
le tambour se recharge
en vue de la prochaine copie.

Découverte scientifique

Le premier photocopieur a été fabriqué en 1938 par
l'avocat américain, Chester Carlson (1906-1968). Il
baptisa ce procédé xérographie, des mots grecs *xeros*,
« sec » et *graphos*, « écriture ». À l'époque,
l'écriture, qui se faisait à l'encre, était
humide. Au début, la réalisation d'une
copie demandait une heure, voire plus.
Mais ces documents présentaient
l'avantage d'être des répliques exactes
de l'original et pouvaient servir de
preuves devant les tribunaux. La
copie manuelle de documents
était souvent source d'erreurs.

SÉPARER LES CHARGES

Le frottement provoque
le mouvement des électrons
et confère une charge positive à
un matériau, une charge négative
à l'autre. Les charges restent
statiques sur la surface des
matériaux jusqu'à ce qu'elles
trouvent une voie par laquelle
s'évacuer. La charge statique peut
rapprocher ou séparer les objets (comme
des aimants) car les charges contraires s'attirent
et les charges semblables se repoussent.

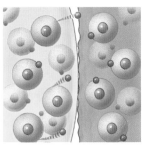

Les deux matériaux se rapprochent.
Chacun comporte des milliards
d'atomes. Chaque atome a un
noyau (rouge) avec un électron ou
plus (bleu) qui navigue autour.
L'électron négatif est maintenu à
proximité de son noyau positif par
les forces électrostatiques, puisque
les charges contraires s'attirent.

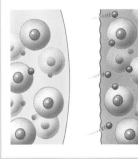

L'énergie issue du frottement
(ou friction) donne une énergie
supplémentaire aux électrons.
Celle-ci permet à certains d'entre
eux de se séparer de leur noyau
et de naviguer en solo. On parle
de « charge séparatrice ».
D'autres électrons sont transférés,
d'un matériau à un autre.

Un matériau a gagné des électrons
supplémentaires et devient donc
chargé négativement. L'autre
a perdu des électrons et devient
chargé positivement.
Les charges demeurent en surface
des matériaux (dans un métal,
elles seraient capables de se
disperser à l'intérieur de l'objet).

Stockage des charges
Les circuits électroniques
des appareils hi-fi, des télévisions
et des ordinateurs comprennent
des appareils de la taille
d'un ongle appelés condensateurs
(marron clair). Ils servent
à emmagasiner la charge
d'électricité statique, qui est
ensuite libérée en une seule fois,
ou par à-coups réguliers.

Le courant électrique

EN APPUYANT sur un interrupteur, on utilise l'électricité qui circule dans les fils ou les câbles, comme l'eau dans les canalisations.
Il s'agit du courant électrique, composé de milliards d'électrons qui se déplacent à l'intérieur d'un câble ou d'un composant électrique. Ces électrons ne circulent pas d'eux-mêmes, ils sont entraînés par une différence de puissance électrique, appelée différence de potentiel, issue d'une batterie ou d'une centrale électrique. La puissance d'un courant électrique sert à faire fonctionner toutes sortes de machines dans les maisons, les écoles et sur les lieux de travail.

À l'intérieur du fil

Un courant électrique est composé de milliards d'électrons, séparés de leurs atomes, qui circulent à l'intérieur d'un fil (ou câble). Les électrons « sautent » d'un atome à l'autre, ils se déplacent par petits bonds. Chaque électron franchit quelques fractions de millimètres par seconde. Mais, comme une file de wagons, ils produisent des effets de collision. En conséquence, les effets de l'électricité avancent à la vitesse de la lumière, 300 000 kilomètres par seconde.

Découverte scientifique

L'ingénieur Nikola Tesla (1856-1943) encouragea l'usage, aujourd'hui très répandu, du courant alternatif pour la plupart des applications pratiques (*voir* pages suivantes). En 1888, il construisit son premier moteur à induction, le type de moteur employé dans de nombreux appareils électroménagers. Il inventa également un transformateur, la bobine de Tesla, produisant d'énormes voltages et utilisée en technologie radio.

Courant continu (DC)

Dans un courant continu, tous les électrons se déplacent dans la même direction pendant le temps où l'électricité circule. Ce type de courant est fourni par des batteries ou des piles dans les voitures, les lampes torches et autres appareils du même type.

Les électrons se déplacent

Une enveloppe en plastique, ou isolant empêche les électron de s'échapper du fil

Le flux s'inverse

Le flux s'inverse à nouveau

Chaque atome se compose d'un noyau central (rouge) et d'un espace vide dans lequel les électrons tournent en orbite (bleu)

Courant alternatif (AC)

Dans le courant alternatif, le sens du mouvement de l'électron change plusieurs fois par seconde. Les électrons se déplacent dans un sens, puis dans un autre et ainsi de suite.

Voir également : L'énergie électrique page 78, Électricité et produits chimiques page 84

Les électrons produisent des effets de collision tout le long du câble électrique

Isolation

L'électricité circule aisément à travers certains matériaux, notamment les métaux servant à la fabrication des fils, mais elle est stoppée par d'autres matériaux comme le plastique. Ainsi, la majorité des câbles et des fils sont enrobés de plastique, un isolant électrique.

Câbles électriques

Les câbles électriques sont suspendus au-dessus du sol à l'aide de pylônes ou enterrés sous terre dans des conduits. Ils sont aussi tirés au fond de l'eau par des bateaux spéciaux, ou câbliers (*voir* ci-dessus), reliant deux pays distants de plusieurs centaines de kilomètres. On pose le même genre de câbles pour transporter les communications téléphoniques et électroniques. Mais les séismes sous-marins ou les courants rapides chargés de matériaux sur les fonds marins (courants turbides) endommagent parfois ces câbles.

L'ÉLECTRICITÉ DANS LE CORPS

De minuscules courants et pulsations électriques parcourent naturellement l'organisme. Certains sont des signaux nerveux qui se déplacent autour du cerveau et des organes sensoriels, comme les yeux, jusqu'au cerveau, puis du cerveau aux muscles. Un muscle produit aussi des pulsations électriques quand il se contracte pour provoquer un mouvement. Il est possible de détecter les moindres pulsations électriques émises par le cerveau en posant des capteurs, ou électrodes, sur la peau ; des signaux apparaissent ensuite sur un écran ou du papier sous forme de graphique. L'appareil qui réalise ce travail est un EEG ou électroencéphalographe.

Un électroencéphalogramme est absolument indolore. Les électrodes appliquées sur le cuir chevelu détectent de faibles signaux électriques produits naturellement et en permanence par le cerveau. Le tracé obtenu montre si le cerveau fonctionne normalement.

Tracé obtenu par un électroencéphalographe montrant les ondes cérébrales

Les lignes irrégulières figurent des signaux nerveux électriques

LES LETTRES DE L'ÉLECTRICITÉ

Les ingénieurs électriques et les concepteurs de circuits utilisent un éventail de lettres pour nommer les différentes caractéristiques de l'électricité comme son intensité ou sa quantité.

A Ampère, unité de mesure de la quantité du courant électrique.

AC Courant alternatif, qui change alternativement de direction.

C Quantité d'électricité, charge électrique, en coulombs.

DC Courant continu, qui ne change pas de direction.

DDP Différence de potentiel, exprimée en volts.

F Quantité de capacitance électrique, mesurée en faradays.

FEM Force électromotrice, exprimée en volts.

Hz Fréquence de l'électricité, mesurée en hertz.

J Quantité d'énergie ou travail, dont l'électricité, mesurée en joules.

kWh Kilowattheure, unité d'énergie, énergie fournie par un moteur d'une puissance de 1kW pendant une heure.

V Volt, unité de mesure de potentiel, de différence de potentiel (tension) et de force électromotrice

W Watt, unité de mesure de la puissance, incluant la puissance électrique.

Ω Ohm, unité de mesure de résistance électrique

Électricité et produits chimiques

L'UNITÉ DE PRODUCTION d'électricité la plus simple est un élément, qui fabrique de l'électricité à partir de réactions chimiques et travaille comme une pompe pour faire circuler les électrons à l'intérieur des câbles. Une batterie comprend deux éléments ou plus. Dans un type d'élément (pile), quand il y a production d'électricité, les substances chimiques sont consommées lentement. Elles finissent par s'épuiser et la batterie ne produit plus d'électricité. Dans un autre type d'élément (accumulateur), les substances chimiques peuvent être recréées en rechargeant l'élément avec de l'électricité.

Animal électrique
En travaillant, les muscles produisent d'infimes signaux ou impulsions électriques. Chez la torpille, ces muscles forment de grosses masses le long du corps. Ils émettent des décharges électriques de centaines de volts et s'apparentent ainsi à une batterie vivante.

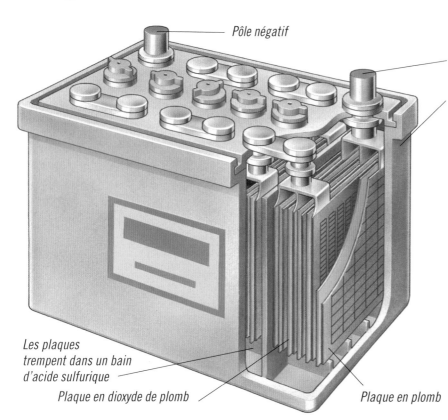

Pôle négatif

Pôle positif

Enveloppe étanche à l'acide

Les plaques trempent dans un bain d'acide sulfurique

Plaque en dioxyde de plomb

Plaque en plomb

Batteries automobiles
Également appelées accumulateurs, les batteries automobiles sont rechargeables. On peut inverser la réaction chimique qui produit l'électricité en renvoyant de l'électricité dans la batterie afin de la réutiliser. Dans un véhicule, cette opération est effectuée par un alternateur actionné par le moteur. La plupart des batteries automobiles comprennent six éléments associés de deux volts chacun environ. Chaque élément se compose de plaques de plomb et de dioxyde de plomb, et d'acide sulfurique. L'électricité est issue de la réaction entre les plaques et l'acide sulfurique.

Les substances comme l'acide se dissolvent dans l'eau pour donner des particules chargées, des ions – cations positifs (rouges) et anions négatifs (bleus). Dans une batterie, ceux-ci constituent l'électrolyte. Quand d'autres matériaux, comme des baguettes en métal, sont plongés dans l'électrolyte, ils fonctionnent comme des électrodes. Ils attirent les ions de charge positive et font circuler un courant électrique.

FONCTIONNEMENT D'UN ÉLÉMENT

Ion positif   Ion négatif   Anode   Cathode

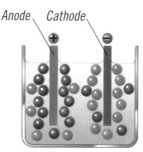

Les électrons circulent

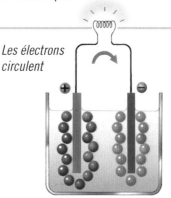

L'électrolyte se compose de particules chargées positives et négatives, appelées ions.

Les électrodes sont l'anode positive et la cathode négative.

Les charges contraires s'attirent et les électrons bougent, produisant du courant.

Voir également : L'énergie électrique page 78, Les circuits électriques page 86

Le renflement de la boîte en acier est le pôle positif

Cathode de dioxyde de manganèse

Anode de poudre de zinc (mélangée à de la pâte d'électrolyte)

« Clou » en métal qui recueille le courant

La tête du clou est le pôle négatif

Pile sèche

Les piles « sèches » contiennent de l'électrolyte sous forme de pâte et non de liquide comme dans une batterie automobile. La pile sèche longue durée, ou alcaline, renferme une anode combinée (pôle positif) et un électrolyte de poudre de zinc sous forme de pâte.

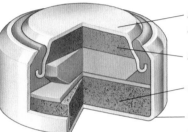

Le renflement en acier est le pôle négatif

Poudre de zinc

Dioxyde de mercure

La coque en acier est le pôle positif

Pile bouton au mercure et au zinc

Cette pile de la taille d'un bouton est utilisée dans les montres, les appareils photo, les calculatrices, les appareils auditifs et autres petits appareils du même type. L'anode est de la poudre de zinc et la cathode est du dioxyde de mercure. La plupart des piles bouton sont de 1,4 volts.

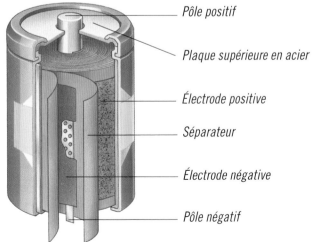

Pôle positif

Plaque supérieure en acier

Électrode positive

Séparateur

Électrode négative

Pôle négatif

Pile sèche rechargeable

La pile rechargeable se compose de nickel (Ni) et de cadmium (Cd).

Découverte scientifique

En 1800, un Italien, le comte Alessandro Volta (1745-1827), découvrit que deux métaux différents, séparés par des substances chimiques humides, pouvaient produire une charge électrique. C'était la première cellule électrique. Volta empila les cellules les unes sur les autres pour fabriquer la première batterie électrique, la pile voltaïque. En mettant en contact un fil en haut de la pile avec un fil en bas de la pile, il créait une étincelle électrique. C'était la première fois que l'on réussissait à obtenir une provision fiable de courant électrique continu. Cette découverte fut à l'origine d'une vaste gamme d'inventions.

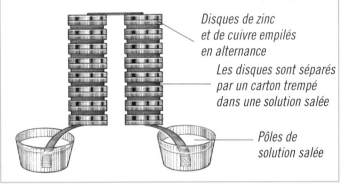

Disques de zinc et de cuivre empilés en alternance

Les disques sont séparés par un carton trempé dans une solution salée

Pôles de solution salée

STIMULATEURS CARDIAQUES OU PACEMAKERS

Parfois, les petites impulsions électriques qui font naturellement battre le cœur ne surviennent pas à un rythme normal. Un pacemaker électrique artificiel stimule le cœur pour le faire battre régulièrement, au rythme d'une pulsation par seconde. Il fonctionne grâce à des piles qui durent au moins cinq ans et parfois douze. Le pacemaker, qui sait déceler quand le cœur ne produit pas ses impulsions électriques, comble les vides.

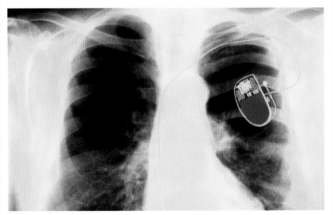

Cette radiographie couleur montre un pacemaker (en bleu) implanté sous la peau d'un patient au niveau de la poitrine. Le cœur se situe juste en-dessous, sous les côtes.

Les circuits électriques

DANS CERTAINS MATÉRIAUX, appelés conducteurs, les électrons quittent leurs atomes, se déplacent, et l'électricité circule librement. Dans d'autres matériaux, appelés isolants, les électrons sont maintenus dans leurs atomes et l'électricité est empêchée de circuler librement. La voie empruntée par un courant électrique qui circule est appelée circuit. Le courant ne circulera que si la voie est libre – circuit complet. Si le circuit comporte un obstacle, de l'air ou un autre isolant, l'électricité ne circule pas. Un interrupteur est un dispositif permettant de placer ou de retirer un obstacle dans un circuit, et donc de laisser circuler ou non le courant électrique.

Circuits domestiques

L'électricité est acheminée dans la maison par des fils qui vont jusqu'à un tableau électrique contenant les fusibles. Puis ces fils se divisent en plusieurs circuits, certains pour l'éclairage et d'autres pour les prises électriques. Un circuit est un câble qui fait le tour de la maison, alimente toutes les prises et revient au tableau électrique. Ce dispositif permet à l'électricité d'alimenter une prise murale en parcourant le circuit dans les deux sens. On répartit ainsi la demande d'électricité sur deux voies, en évitant les problèmes de surcharge.

Découverte scientifique

Georg Simon Ohm (1789-1854) démontra que tous les conducteurs, même les meilleurs métaux, résistaient dans une certaine mesure au flux électrique. En son honneur, l'unité de résistance électrique est l'ohm. La loi d'Ohm dit que l'intensité du courant électrique dans un conducteur, exprimée en ampères, est proportionnelle à la différence de potentiel (exprimée en volts) entre les deux points du conducteur.
volts = ampères x ohms

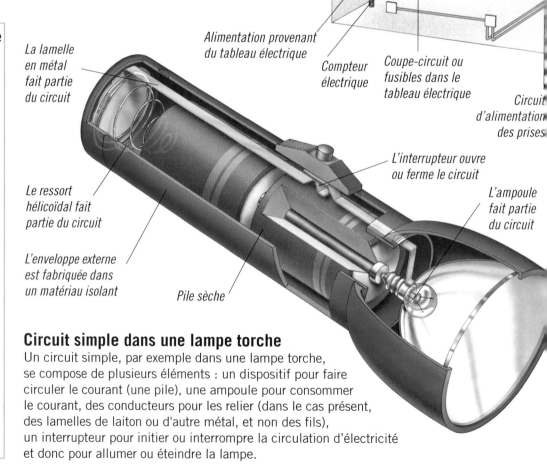

Câble latéral conduisant au chauffe-eau

La lamelle en métal fait partie du circuit

Alimentation provenant du tableau électrique

Compteur électrique

Coupe-circuit ou fusibles dans le tableau électrique

Circuit d'alimentation des prises

Le ressort hélicoïdal fait partie du circuit

L'interrupteur ouvre ou ferme le circuit

L'ampoule fait partie du circuit

L'enveloppe externe est fabriquée dans un matériau isolant

Pile sèche

Circuit simple dans une lampe torche

Un circuit simple, par exemple dans une lampe torche, se compose de plusieurs éléments : un dispositif pour faire circuler le courant (une pile), une ampoule pour consommer le courant, des conducteurs pour les relier (dans le cas présent, des lamelles de laiton ou d'autre métal, et non des fils), un interrupteur pour initier ou interrompre la circulation d'électricité et donc pour allumer ou éteindre la lampe.

Voir également : L'énergie électrique page 78, Le courant électrique page 82

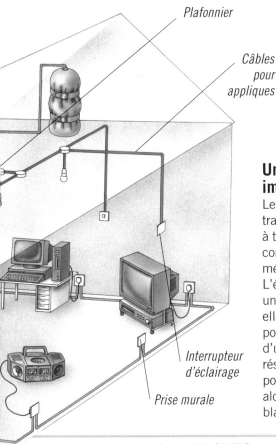

Plafonnier

Câbles pour appliques

Interrupteur d'éclairage

Prise murale

Une résistance importante

Les gros câbles qui transportent l'électricité à travers le pays sont composés d'alliages (combinaison de métaux) robustes et de faible résistance. L'énergie électrique ne se perd pas uniquement à cause de la résistance, elle se convertit surtout en chaleur. C'est pourquoi le mince filament métallique d'une ampoule jaune a une très grande résistance. L'électricité doit pousser fort pour passer à travers. Le filament devient alors si chaud qu'il émet une lumière blanche éclatante.

SYMBOLES DES CIRCUITS

Pour gagner du temps et éviter la confusion, les schémas de circuits sont dessinés avec de petits symboles représentant les composants standard. Voici l'un des nombreux exemples de la langue scientifique internationale des signes et des symboles.

 Courant alternatif (AC)

 Ampèremètre (mesure l'intensité d'un courant électrique)

 Elément électrique (générateur)

 Fusible

 Relais

 Interrupteur

 Transformateur

 Voltmètre (mesure la différence de potentiel)

 Résistance

 Résistance variable (rhéostat)

 Bobine (solénoïde)

 Condensateur (emmagasine la charge)

 Condensateur programmé

 Condensateur électrolytique

 Diode

 LED Diode émettrice de lumière

 Transistor bipolaire

 Transistor à effet de champ

TYPES DE CIRCUITS

Il existe plusieurs manières de connecter les fils et les composants pour fabriquer des circuits. Dans un circuit en série, les composants sont reliés les uns à la suite des autres. Si l'on retire l'un des composants ou s'il est défaillant, le circuit est interrompu et plus rien ne fonctionne. Dans un circuit parallèle, chaque composant possède son propre « mini-circuit » ; s'il y a défaillance de l'un des composants, le circuit continue à fonctionner.

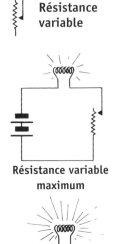

Ampoule

Elément (pile)

Résistance variable

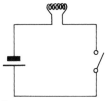

Interrupteur ouvert – le courant ne circule pas

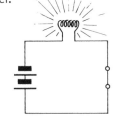

Elément supplémentaire en série – deux fois la quantité de courant

Résistance variable maximum

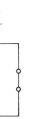

Interrupteur fermé – le courant circule

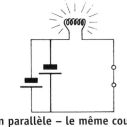

En parallèle – le même courant dure deux fois plus longtemps

Résistance variable minimum

Usages de l'électricité

L'ÉLECTRICITÉ EST NOTRE SOURCE D'ÉNERGIE la plus utile et la plus adaptable. Elle se transporte sur de longues distances dans des câbles et se convertit en d'autres formes d'énergie. À la maison, elle devient lumière dans les ampoules électriques, les tubes fluorescents et les téléviseurs, mouvement dans les moteurs, les pompes et les ventilateurs, son dans les téléphones et les chaînes hi-fi, chaleur dans la cuisinière ou le four à micro-ondes, et froid dans un réfrigérateur ou un congélateur. L'électricité se prête également à de multiples usages dans l'industrie, fait fonctionner des machines, des outils et des robots, des hauts fourneaux et des postes de soudure à l'arc. Les hôpitaux consomment de l'électricité pour alimenter les appareils de radiographie, les scanners, les poumons artificiels et tout autre matériel de réanimation. L'électricité joue également un rôle essentiel dans les transports et les communications.

Découverte scientifique

André Marie Ampère (1775-1836) travailla dans de nombreux domaines scientifiques dont la physique, la chimie et la philosophie scientifique. Poursuivant les travaux d'Oersted, il fit de nombreuses découvertes sur l'électricité et l'effet électromagnétique. Il remarqua que l'intensité du champ magnétique autour d'un câble était liée à la quantité de courant circulant dans ce câble et à la distance qui sépare celui-ci du câble (loi d'Ampère). Il émit l'idée d'enrouler un fil autour d'une bobine, le solénoïde, pour augmenter son champ magnétique. L'unité de mesure d'intensité du courant électrique, l'ampère, porte son nom.

L'électricité à la ferme

Les installations agricoles électriques permettent de gagner du temps et d'effectuer automatiquement une grande partie des travaux pénibles. Les trayeuses électriques diminuent le temps de traite et les transporteurs électriques déplacent le foin à la demande. Des distributeurs automatiques assurent au bétail une nourriture suffisante et régulière. Les jeunes animaux, comme les poussins, sont élevés sous la chaleur d'incubateurs. Dans les serres, le chauffage électrique allonge la période de croissance des plantes, et des horloges électriques commandent des lampes pour rallonger le temps de « jour », afin d'obtenir des fleurs et des fruits même en hiver. L'arrosage électrique permet un arrosage régulier des plantes et on peut chauffer la terre grâce à des fils souterrains.

Voir également : L'énergie électrique page 78, Les circuits électriques page 86

La chaleur électrique

Quand un courant électrique circule dans un fil, les électrons en mouvement rebondissent sur les atomes de métal dans le fil et les font bouger aussi. Ce phénomène donne aux atomes une énergie supplémentaire qui s'échappe du fil sous forme de chaleur. Plus les atomes vont vite, plus le fil chauffe, la quantité de chaleur contenue dans un objet dépendant de la vitesse de ses atomes. Beaucoup de machines électriques – bouilloires et grille-pain, fourneaux et cuisinières – renferment ce type d'éléments chauffants. La chaleur s'échappe naturellement sous forme d'air chaud ascendant (on parle de convection libre) ; des ventilateurs expulsent la chaleur sous la forme d'un flux d'air chaud comme dans un sèche-cheveux (convection forcée) ; des réflecteurs aident la chaleur à se déplacer en renvoyant les rayons infrarouges chauds, comme dans un système de chauffage électrique radiant. Une installation de chauffage électrique comprend souvent un thermostat qui coupe le courant si l'élément chauffant atteint une température trop élevée, évitant au matériel de prendre feu ou de s'abîmer.

L'électrification des usines

Au milieu du XIXᵉ siècle, certaines usines commencèrent à passer de l'énergie thermique à l'énergie électrique. Des rangées de batteries acide-plomb assuraient une alimentation régulière en électricité et les premiers moteurs électriques actionnaient leurs machines – comme le métier à tisser la soie électrique de Bonelli à partir des années 1880

UNITÉ ÉLECTRIQUE

La quantité d'électricité consommée par un appareil ou une installation électrique dépend de l'appareil, de sa période et de sa durée d'utilisation. En général, les appareils qui transforment l'électricité en chaleur, comme les bouilloires, les fours, les plaques de cuisson, les résistances plongeantes, consomment plus d'énergie électrique et coûtent donc plus cher. Les éclairages aux lumières très vives comme les spots halogènes sont également coûteux. Le matériel qui utilise des puces, comme les brosses à dents et les rasoirs électriques, consomme moins d'électricité. Souvent, la puissance électrique (en watts) nécessitée par un appareil est indiquée sur son emballage. Par exemple, une ampoule à filament classique est de 40, 60 ou 100 watts. Dans certains pays, l'énergie électrique se mesure en unités électriques. Une unité est la quantité consommée par un appareil de 1000 watts (1 kW) en une heure, ou un appareil de 100 watts en dix heures. Cette énergie ne disparaît pas, elle se transforme en lumière, chaleur, son et mouvement. En général, le prix de l'électricité est moins élevé la nuit, quand la demande est plus faible.

Ampoule électrique à filament – 10 heures

Perceuse électrique – 2 heures

Cet histogramme montre la durée (en heures) de fonctionnement d'appareils ou de dispositifs courants avec une unité d'électricité

Appareil	Durée
Douche chaude	0,2
Plaque de cuisson à 4 feux au maximum	0,3
Lave-linge (à froid)	0,3
Bouilloire électrique 24 tasses	0,5
Sèche-linge	0,5
Gros radiateur soufflant	0,5
Résistance plongeante	1
Petit radiateur à convection	1,2
Tondeuse électrique	1,2
Four à micro-ondes de taille moyenne au maximum	1,2
Taille-haie	1,5
Sèche-cheveux	1,5
Perceuse	2
Aspirateur	2
Petite télévision	5
Chaîne hi-fi	8
Ampoule à filament ordinaire	10
Congélateur	10
Gros tube fluorescent (1,5 m)	15
Petit réfrigérateur	15
Tube fluorescent à faible énergie	25
Rasoir	100
Brosse à dents	200

L'électricité, source de magnétisme

L'ÉLECTRICITÉ EST INTIMEMENT LIÉE à une force appelée magnétisme (décrite en détail dans les pages à venir). En réalité, l'électricité et le magnétisme sont deux aspects d'une même force que la science moderne considère comme l'une des quatre forces fondamentales de l'Univers, l'électromagnétisme. Quand l'électricité circule dans un conducteur tel qu'un câble, elle produit un champ magnétique invisible autour de ce câble : il s'agit d'un effet électromagnétique. Les aimants fabriqués de cette manière, en faisant circuler de l'électricité, sont des électroaimants.

Ligne de force magnétique

Câble où circule du courant électrique

Lignes de force magnétique

Plus l'on s'éloigne du noyau, plus le magnétisme est faible

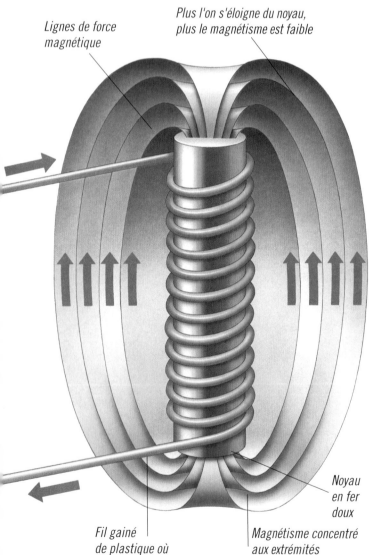

Fil gainé de plastique où circule le courant

Magnétisme concentré aux extrémités du noyau

Noyau en fer doux

Force invisible

Le champ magnétique autour d'un câble transportant de l'électricité suit un mouvement circulaire, en s'enroulant autour du câble.

L'électroaimant

Un électroaimant classique se compose d'un fil gainé de plastique enroulé autour d'une barre métallique appelée noyau. Une bobine entourée de fil conducteur, ou solénoïde, produit un champ magnétique plus puissant qu'un morceau de fil droit. Le fil est relié à une source électrique, une batterie par exemple. Dès que le courant électrique circule, la barre devient un aimant très puissant. Si l'électricité est coupée, le magnétisme disparaît. Dans la majorité des électroaimants, le noyau est en fer doux car il perd son magnétisme dès que l'électricité est coupée. Un noyau en acier dur conserverait son magnétisme encore un certain temps.

Découverte scientifique

En 1820, le savant danois Hans Christian Oersted (1777-1851) remarqua qu'un fil parcouru d'un courant électrique fonctionnait comme un aimant car il faisait bouger l'aiguille d'un compas magnétique placé à proximité. L'aiguille d'un compas est un minuscule aimant ; or les aimants s'attirent ou se repoussent. Oersted se rendit compte que le courant électrique produisait du magnétisme et fut le premier à découvrir l'effet électromagnétique. Presque en même temps, d'autres savants commencèrent à expérimenter cet effet.

Voir également : Le courant électrique page 82, Mystérieux magnétisme page 92

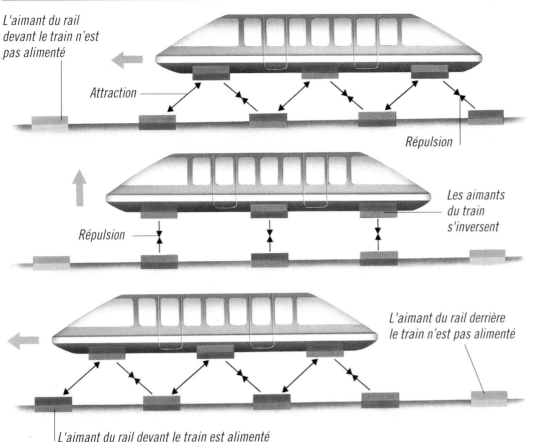

L'aimant du rail devant le train n'est pas alimenté

Attraction

Répulsion

Les aimants du train s'inversent

Répulsion

L'aimant du rail derrière le train n'est pas alimenté

L'aimant du rail devant le train est alimenté

❶ En avant
Les électroaimants du train et du rail produisent des forces d'attraction et de répulsion qui propulsent le train vers l'avant.

❷ En haut
Les électroaimants du train inversent leur champ magnétique pendant une fraction de seconde pour produire d'importantes forces de répulsion et maintenir le train en hauteur.

❸ En avant
Les électroaimants du train inversent à nouveau leur magnétisme pour propulser le train vers l'avant, et ainsi de suite, plusieurs fois par seconde.

Trains magnétiques
Sur certains trains on utilise des électroaimants à la place des roues. Le train « flotte » à quelques centimètres au-dessus des rails, poussé vers le haut par une force magnétique produite par des électroaimants. Plusieurs modèles de ce train à sustentation magnétique, ou Maglev, ont été mis en service mais la plupart posent des problèmes pratiques ; par exemple, le coût de pose et de maintenance des rails à électroaimants est élevé.

Triage des métaux
Dans les décharges, les ferrailleurs utilisent de puissants électroaimants pour ramasser ou déplacer certains objets dans des tas de débris mélangés et compressés. Les aimants attirent les métaux ferreux et l'acier (qui est principalement du fer), ainsi que le nickel et le cobalt. Cet électroaimant est suspendu au bout d'une grue.

Silencieux et rapide
Un train à sustentation magnétique ou Maglev (Magnetically levitated) est rapide et silencieux. On n'entend pas de bruit de roue car aucune partie du train ne touche les rails. En outre, le train n'est pas freiné par le frottement contre les rails. Mais Ce système consomme une grande quantité d'électricité et fonctionne grâce à des circuits d'aiguillage complexes. Cependant, des études sont en cours aujourd'hui pour essayer de développer ce type de transport.

Mystérieux magnétisme

Si on approche un aimant de la porte d'un réfrigérateur, on sent qu'il est attiré vers la porte et qu'il va s'y coller. Pourtant, un aimant ne se collera pas sur un gobelet en plastique, une vitre ou un morceau de bois. La force invisible du magnétisme reste mystérieuse, même si elle est connue depuis plus de deux mille ans. Le magnétisme semble avoir quelque chose en commun avec les groupes d'atomes appelés domaines. Dans les matériaux non magnétiques, les domaines se dirigent dans toutes les directions et s'annulent mutuellement. Dans les matériaux magnétiques, tous les domaines se dirigent dans une même direction et leurs forces magnétiques s'ajoutent. Les aimants attirent principalement les matériaux ferreux – ceux qui renferment du fer.

Les lignes de la force magnétique sont plus rapprochées près des pôles ; le magnétisme est donc plus fort à cet endroit.

Champs magnétiques

Chaque aimant est entouré d'un champ magnétique invisible qui est l'espace dans lequel agit la force de son magnétisme. Un dessin de lignes imaginaires fournit une image de ce champ magnétique. Ces lignes de force montrent que le champ magnétique est puissant à proximité de l'aimant mais s'affaiblit dès qu'il s'en éloigne. La puissance d'un aimant est plus importante en deux points appelés pôles qui, en général, sont proches des extrémités d'un aimant en forme de barre. Les deux pôles, sud et nord, doivent leur nom aux deux pôles de la Terre vers lesquels ils sont attirés. Les pôles contraires s'attirent, les pôles semblables se repoussent.

TROUVER SON CHEMIN

L'aiguille d'une boussole s'oriente vers les pôles magnétiques nord et sud de la Terre. En effet, c'est un aimant petit et fin et la Terre est un aimant gigantesque. Ainsi, l'aiguille s'aligne sur le champ magnétique de la Terre. Fixée en équilibre sur une petite pointe, elle pivote aisément. Le pôle nord magnétique se situe environ à 1 600 kilomètres du véritable pôle nord et le pôle sud magnétique à 2 400 kilomètres du véritable pôle sud. Les pôles magnétiques de la Terre se déplacent de quelques centimètres chaque année et la force du champ magnétique terrestre change lentement sur de longues périodes.

Extrémité nord de l'aiguille de la boussole

L'aiguille de la boussole est orientée vers le nord

On a tourné la boussole pour aligner le nord du cadran avec l'aiguille indiquant le nord

---

Voir également : L'électricité, source de magnétisme page 90

Pôle sud

Pôle nord

Les lignes de force magnétique s'éloignent les unes des autres ; loin de l'aimant, le magnétisme faiblit

Les lignes de force magnétique sont parallèles à la barre aimantée

Animaux magnétiques

Les bateaux utilisent des compas magnétiques pour naviguer sur l'océan. Certains animaux comme les baleines, les dauphins et les tortues marines, des oiseaux comme les pigeons, les hirondelles, les oies et les cigognes semblent aussi se servir du champ magnétique terrestre pour trouver leur direction et faire leur itinéraire au cours de leurs voyages. Les scientifiques ne savent pas vraiment comment ces animaux détectent le magnétisme – peut-être grâce à des particules microscopiques de minéraux renfermant du fer à l'intérieur, ou près, de leur cerveau, qui forment un « biocompas ».

Découverte scientifique

Charles Coulomb 1736-1806), ingénieur dans l'armée, s'est intéressé aux sciences physiques en 1791. Il étudia les forces d'attraction et de répulsion produites par des aimants et des objets possédant une charge électrostatique, inventa une balance de torsion électrique capable de mesurer de petites forces avec une grande précision et l'utilisa pour développer sa loi qui démontre que les forces magnétiques disparaissent avec une rapidité correspondant au carré de la distance qui sépare les objets magnétiques.

Les lignes de force magnétique sont obligées de s'incurver pour rejoindre le pôle de l'aimant

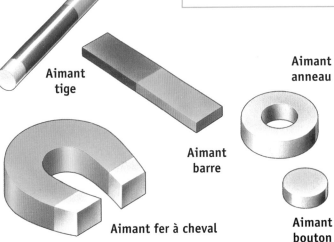

Aimant tige

Aimant anneau

Aimant barre

Aimant fer à cheval

Aimant bouton

Formes d'aimant

Les aimants présentent des formes différentes. Les aimants barres sont longs et étroits alors que les aimants en fer à cheval sont incurvés comme la partie métallique du sabot d'un cheval. On trouve aussi des aimants en forme d'anneau ou de petit cylindre, comme des crayons. Un aimant anneau a un pôle à l'intérieur de l'anneau et l'autre à l'extérieur.

Du magnétisme à l'électricité

EN 1831, LE SAVANT ANGLAIS MICHAEL FARADAY suggéra que, si l'électricité circulant dans un fil produisait du magnétisme, l'inverse devait aussi être vrai – un aimant en mouvement à proximité d'un fil pouvait produire de l'électricité. Il déplaça un aimant à l'intérieur et à l'extérieur d'une bobine et l'électricité se mit à circuler dans le fil. Ce phénomène est appelé induction électromagnétique. Le courant électrique circule uniquement quand le champ magnétique bouge ou varie. Si l'aimant et le fil ne bougent pas, aucun courant ne circule. Des centaines de machines utilisent l'induction électromagnétique, des magnétoscopes, magnétophones et micros de guitares électriques aux feux de signalisation tricolores, ainsi que les moteurs et les générateurs électriques, comme vous aurez l'occasion de le voir ci-après.

Beaucoup d'induction

Un magnétoscope stocke des millions de taches de magnétisme chaque seconde. Elles sont renvoyées sous forme de signaux électriques, puis de taches lumineuses pour le visionnage.

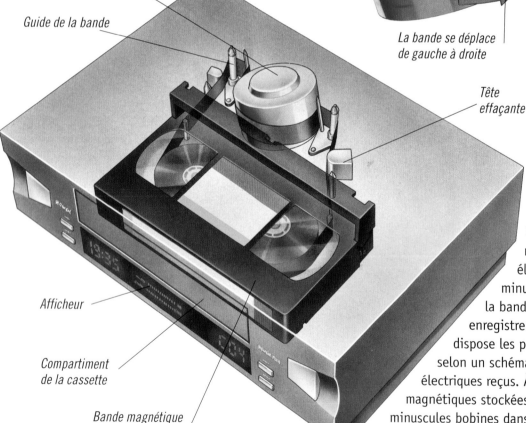

La tête de lecture enregistreuse tourne en étant inclinée par rapport à la bande magnétique

Le motif magnétique es enregistré sous forme de rayur inclinées

Tête de lecture enregistreuse

Guide de la bande

La bande se déplace de gauche à droite

Tête effaçante

Tête de lecture enregistreuse

Dans un magnétoscope, la tête tourne dans un sens tandis que la bande défile dans l'autre. Cela augmente la vitesse de passage de la bande et permet le stockage d'un plus grand nombre de signaux par seconde et donc une meilleure qualité d'image.

Magnétoscope

Un magnétoscope ou un magnétophone stocke des signaux électriques sous forme de minuscules taches de magnétisme sur la bande magnétique. La tête de lecture enregistreuse est un électroaimant qui dispose les particules de métal sur la bande selon un schéma qui suit le schéma des signaux électriques reçus. À la lecture, les taches magnétiques stockées sur la bande passent sur les minuscules bobines dans la tête de lecture et produisent des signaux électriques par induction électromagnétique.

Afficheur

Compartiment de la cassette

Bande magnétique à l'intérieur de son étui en plastique

Voir également : L'énergie électrique page 78, L'électricité source de magnétisme page 90

Découverte scientifique

Le savant américain Joseph Henry (1797-1878) observa les effets de l'induction électromagnétique un an environ avant Michael Faraday mais il ne publia pas le résultat de ses expériences aussi vite. Henry fut l'auteur de nombreuses avancées dans le domaine de l'électricité. Il conçut et construisit un premier moteur électrique, aida Samuel Morse à développer le télégraphe et découvrit les lois conduisant à l'élaboration du transformateur. L'unité électrique scientifique de résistance inductive, le henry, lui doit son nom.

Trésor enfoui

Un détecteur de métaux localise certains objets métalliques, comme les pièces, les médailles et les gobelets, enfouis sous terre. Le détecteur renferme une bobine de fil dans laquelle circule l'électricité fournie par les batteries. Un champ magnétique se crée autour de la bobine par effet électromagnétique. Tout objet ferreux ou contenant du fer qui entre dans le champ magnétique provoque la distorsion de celui-ci. Cela affecte très légèrement la quantité d'électricité circulant dans le fil par induction électromagnétique. Les variations sont détectées par une puce insérée dans la poignée, puis transformées en un sifflement avertisseur ou des bips d'ondes sonores.

Batteries, sifflet ou bipper et circuits électroniques dans la poignée

Fils dans le manche

Champ magnétique autour de la bobine

Champ magnétique non affecté par les objets non ferreux comme les pierres

Un objet ferreux qui se trouve dans le champ magnétique provoque une distorsion

La bobine fonctionne comme un électroaimant

Boutons de volume et de tonalité

Bouton sélecteur de micros

Micros

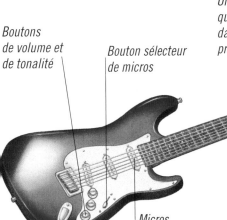

Guitare électrique

Quand un musicien joue de la guitare électrique, les cordes seules n'émettent presque aucun son ; nous entendons la guitare grâce à l'induction électromagnétique. Le pincement des cordes les fait vibrer dans le champ magnétique des micros situés sous les cordes. Les vibrations modifient la quantité d'électricité présente dans les bobines des micros, créant des signaux électriques qui vont jusqu'à l'amplificateur. Ces signaux sont renforcés puis rendus audibles par un haut-parleur.

Pièce polaire (aimant à l'intérieur de la bobine)

Corde

Bobine de fil mince

Fils conduisant aux boutons de contrôle du volume et de la tonalité

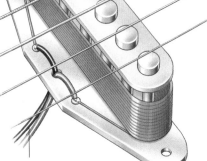

Effets de guitare

La guitare électrique produit des signaux électriques qui peuvent être manipulés par des procédés électroniques, pour obtenir des effets d'écho et de distorsion par exemple.

De l'électricité au mouvement

L'ÉLECTRICITÉ ET LE MAGNÉTISME travaillent ensemble pour produire du mouvement. Un courant qui circule dans un fil crée un champ magnétique autour de ce fil. S'il y a déjà un autre champ magnétique, les deux champs interagissent de la manière habituelle : les pôles semblables se repoussent et les pôles contraires s'attirent. Ce phénomène produit une force en mouvement sur le fil ; celle-ci peut être considérée comme la force de l'aimant repoussant ou attirant les particules chargées qui fabriquent le courant électrique à l'intérieur du fil. On la nomme effet moteur, effet qui est utilisé dans les moteurs électriques. Un moteur électrique est une bobine qui tourne entre les pôles d'un aimant permanent. Lorsque le courant circule à travers la bobine, un champ magnétique est produit qui crée un mouvement tournant.

Découverte scientifique
Michael Faraday (1791-1867) reçut une formation de libraire et de relieur avant d'exercer ses talents de chercheur scientifique. Il initia d'importants progrès dans le domaine de l'électricité et du magnétisme. On lui doit les principes de l'induction électromagnétique, le transformateur et le moteur électrique. Il conçut également l'idée de représenter les champs magnétiques invisibles par des lignes de force.

Balai (contact glissant sur le collecteur)

Spire de fil sur l'arbre

Collecteur

Pôle nord de l'aimant permanent

Pôle nord de l'électroaimant

La batterie fournit du courant continu

Le collecteur est sur le point de changer le sens du courant dans la bobine

Sens du courant

Le moteur électrique

Dans un moteur électrique simple, un courant électrique continu est envoyé dans une bobine installée sur un arbre entre les pôles nord et sud d'un aimant permanent. Le courant transforme la bobine en électroaimant. Celui-ci tourne sur son axe en essayant de rapprocher son pôle nord du pôle sud de l'aimant permanent, et son pôle sud du pôle nord de l'aimant permanent, car les pôles contraires s'attirent. Mais quand la bobine tourne, un dispositif appelé collecteur, situé sur l'arbre, inverse le sens de son courant. Les pôles de l'électroaimant sont alors inversés ; chaque pôle est repoussé du pôle qu'il vient de dépasser et attiré vers l'autre pôle. Après un autre demi-tour, le même phénomène se produit et la bobine continue de tourner sur son arbre.

Le pôle nord de l'électroaimant tourne attiré par le pôle sud de l'aimant permanent

Force tournante

L'aimant permanent est fixé, donc l'électroaimant essaie de bouger et tourne grâce aux forces magnétiques d'attraction et de répulsion.

Voir également : Mystérieux magnétisme page 92, Du mouvement à l'électricité page 98

MOTEURS ÉLECTRIQUES

▶ Un moteur électrique moderne transforme plus de 90 pour cent de l'énergie qu'il reçoit en énergie cinétique ; c'est l'une des machines les plus efficaces.

▶ De nombreux appareils ménagers ont au moins un moteur électrique, certains en ont plusieurs. Par exemple :

▶ Dans un lave-linge, un gros moteur électrique (de plusieurs centaines de watts) fait tourner le tambour.

▶ Un moteur plus petit (de quelques dizaines de watts) actionne la pompe qui évacue l'eau sale tandis qu'un autre, plus petit encore, fait tourner le programmateur.

Petits et gros moteurs

Les gros moteurs électriques des trains électriques sont plus gros qu'une personne. Chaque jeu de roues possède son moteur ; si l'un d'entre eux tombe en panne, le train continue à rouler. Dans les trains diesel et électrique, un moteur diesel fait fonctionner un générateur pour produire l'électricité qui actionne les moteurs électriques des roues. Le train peut donc rouler sur des voies non électrifiées. De nombreux moteurs génèrent un mouvement continu rotatif, mais les moteurs pas à pas des lecteurs de disques d'un ordinateur sont spécialisés pour faire tourner le disque magnétique ou disque optique (disque compact, CD) par petites saccades très précises.

Moteur à courant alternatif

Le courant alternatif, tel qu'il est fourni dans les circuits basse tension, change de sens de cinquante ou soixante fois par seconde – sa fréquence est de 50 ou 60 Hz (cycles par seconde). Ainsi, un moteur électrique qui fonctionne au courant alternatif n'a pas besoin de collecteur qui inverse le courant alimentant la bobine d'un moteur à courant continu (à chaque demi-tour). Le moteur à courant alternatif comprend des balais (contacts tournants) qui appuient sur des bagues tournantes pour transporter l'électricité à la bobine en rotation. Le moteur tourne à la même vitesse que le changement de fréquence du courant alternatif.

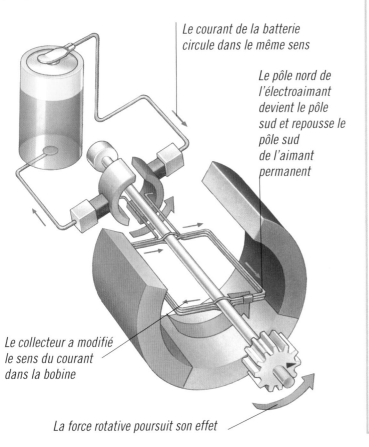

Le courant de la batterie circule dans le même sens

Le pôle nord de l'électroaimant devient le pôle sud et repousse le pôle sud de l'aimant permanent

Le collecteur a modifié le sens du courant dans la bobine

La force rotative poursuit son effet

Le courant circule dans un sens

Le courant transforme la bobine en électroaimant. Son champ magnétique interagit avec le champ de l'aimant permanent qui l'entoure pour faire tourner la bobine.

Le courant s'inverse

Aimant permanent

Balai

Bague tournante

Le courant s'inverse comme cela se produit dans un système à courant alternatif normal. Cela intervertit les pôles du champ électromagnétique autour de la bobine et la bobine continue ainsi à tourner.

La force rotative poursuit son effet

Du mouvement à l'électricité

LA MAJEURE PARTIE DE L'ÉLECTRICITÉ que nous consommons aujourd'hui est fabriquée dans des centrales électriques par des machines appelées générateurs qui utilisent des aimants et le mouvement pour produire de l'électricité, et dont le fonctionnement est inverse à celui des moteurs électriques. Dans un générateur, un aimant ou un électroaimant tourne à l'intérieur d'une bobine de fil et produit de l'électricité par induction électromagnétique. L'énergie cinétique nécessaire pour faire tourner l'aimant provient de la vapeur (obtenue en brûlant du combustible), de l'eau en mouvement ou du vent.

Générateur à courant continu

Une bobine, qui tourne entre les pôles d'un aimant permanent, fait circuler un courant dans la bobine par induction électromagnétique. Ce courant change de sens à chaque demi-tour parce que chaque côté de la bobine passe alternativement près du pôle nord de l'aimant permanent puis du pôle sud, et ainsi de suite. Mais le collecteur change les connexions à chaque demi-tour et le courant généré circule seulement dans un sens ; c'est un courant continu.

Découverte scientifique

Dans les années 1800, l'ingénieur Charles Parsons (1854-1931) conçut un moteur à vapeur équipé de pales inclinées dans lequel la vapeur haute pression faisait tourner un arbre qui actionnait aussi le générateur. Il était plus petit, plus efficace et moins bruyant que les précédents générateurs à pistons. La turbine à vapeur est maintenant utilisée dans les centrales électriques et également sur les bateaux pour entraîner l'hélice.

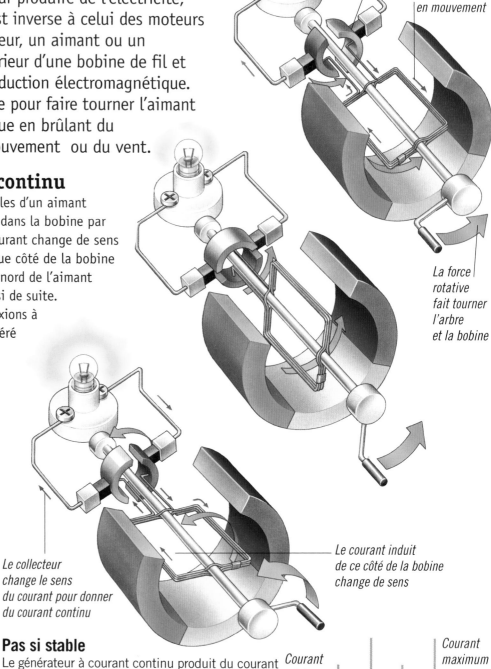

Balai et collecteur (comme sur un moteur électrique)

Courant induit dans la bobine en mouvement

La force rotative fait tourner l'arbre et la bobine

Le courant induit de ce côté de la bobine change de sens

Le collecteur change le sens du courant pour donner du courant continu

Pas si stable

Le générateur à courant continu produit du courant continu. Mais sa puissance croît quand la bobine s'approche du pôle de l'aimant permanent, et décroît quand elle s'en éloigne. Dans la pratique, un générateur à courant continu renferme de nombreuses bobines ainsi qu'un équipement électronique pour régulariser le flux électrique.

Courant minimum

Courant maximum

Voir également : L'énergie électrique page 78, Mystérieux magnétisme page 92

GÉNÉRATEUR À COURANT ALTERNATIF

Cet appareil, également appelé alternateur, fonctionne à l'inverse du moteur à courant continu de la page précédente. Comme il n'a pas de collecteur, le courant induit qu'il produit s'inverse à chaque demi-tour. C'est le type de générateur utilisé pour produire du courant alternatif dans les centrales électriques. La vitesse de rotation de la bobine contrôle la fréquence, ou vitesse d'inversion, du courant alternatif.

Le courant induit circule dans un sens tandis que les bobines passent devant les deux pôles de l'aimant permanent.

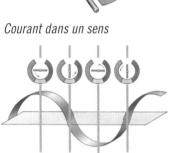

Courant dans un sens

Le courant s'inverse chaque fois qu'un côté de la bobine passe près du pôle opposé de l'aimant permanent.

Courant dans l'autre sens

Centrales électriques

Dans une centrale électrique, d'énormes générateurs produisent de l'électricité. Ils fonctionnent souvent à la vapeur ou à l'eau qui est envoyée dans une turbine – un moteur dont l'élément essentiel est une roue portant à sa périphérie une série de pales inclinées. La vapeur ou l'eau appuie sur les pales et fait tourner leur arbre. À l'extrémité de la turbine, l'arbre est connecté au générateur.

Ampoule à l'intérieur du phare de la bicyclette

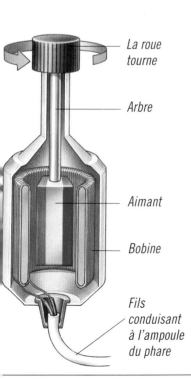

La roue tourne

Arbre

Aimant

Bobine

Fils conduisant à l'ampoule du phare

Dynamo de bicyclette

Sur certaines bicyclettes, les phares sont alimentés par un générateur simple, ou dynamo. Une petite roue touche le pneu de la bicyclette. Quand la roue tourne, elle fait tourner un aimant à l'intérieur d'une bobine. L'électricité produite dans la bobine par induction électromagnétique fait briller l'ampoule – mais les phares ne marchent que si les roues tournent.

La roue de la dynamo appuie sur le pneu et tourne

L'information électronique

EN MODIFIANT DÉLICATEMENT et en régulant le flux des électrons dans les conducteurs, il est possible d'envoyer de l'information dans un circuit électrique, une puce, un dispositif électronique tel qu'un ordinateur, sous forme d'impulsions codées, ou signaux, d'électricité. Utilisés pour la première fois par le télégraphe électrique développé dans les années 1830-1840, ces signaux prenaient la forme d'une combinaison de points (impulsions brèves) et de traits (impulsions longues) constituant le Morse. Aujourd'hui, nous utilisons de tels signaux dans le code numérique binaire.

Convertir l'analogique en numérique

L'onde est « échantillonnée » chaque fraction de seconde. Sa hauteur est mesurée sur une échelle numérique décimale puis convertie en chiffres binaires.

CODE BINAIRE

Le binaire est un code numérique – basé sur des chiffres – qui n'utilise que deux chiffres, le 0 et le 1, à la différence de notre système décimal qui a dix chiffres, de 0 à 9.

Décimal		Binaire			
Dizaines	Unités	Huit	Quatre	Deux	Unités
1	0	1	0	1	0
	9	1	0	0	1
	8	1	0	0	0
	7	0	1	1	1
	6	0	1	1	0
	5	0	1	0	1
	4	0	1	0	0
	3	0	0	1	1
	2	0	0	1	0
	1	0	0	0	1
	0	0	0	0	0

La hauteur de l'onde se mesure sur une échelle numérique décimale

La mesure décimale est transformée en code binaire

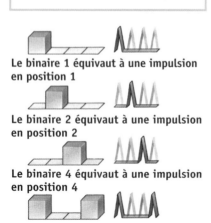

Le binaire 1 équivaut à une impulsion en position 1

Le binaire 2 équivaut à une impulsion en position 2

Le binaire 4 équivaut à une impulsion en position 4

Le binaire 9 équivaut à deux impulsions en positions 1 et 8

Les copies du code numérique restent exactement identiques, d'une copie à l'autre

Voir également : L'énergie électrique page 78, Les communications page 102

Analogique

Un système analogique varie en permanence, sans les incréments ou chiffres progressifs du système numérique. Une horloge analogique est une horloge à aiguilles. Avec un chronomètre analogique, il est difficile de connaître exactement le temps écoulé car les aiguilles peuvent s'arrêter entre deux traits.

Numérique

Un système numérique a des incréments ou chiffres progressifs, comme 1, 2, 3 et ainsi de suite. Ces chiffres sont des quantités fixes, invariables, et il n'y a pas « d'entre-deux ». Un chronomètre numérique donne l'heure exacte, à la minute, à la seconde, au dixième de seconde près.

De l'analogique au numérique

Une onde est un système analogique. Elle monte et descend continuellement, et varie toujours, même de manière infime. Les impulsions d'un signal électronique constituent un système numérique. Elles appartiennent à un code de type « tout ou rien ». La réalisation de copies d'un système analogique, tel l'enregistrement d'une cassette audio ordinaire, est source d'erreurs. Les copies d'un système numérique restent exactement identiques. Le passage de l'analogique au numérique est une numérisation. Un ordinateur ou une platine CD fonctionne avec des informations numériques.

Les copies de l'onde analogique s'altèrent et se distordent

Onde analogique

La hauteur de l'onde se mesure en échantillonnant chaque seconde des milliers de fois

La conversion décimal-binaire transforme le système numérique basé sur les dizaines (décimal) en un système numérique basé sur les paires (binaire)

Un
Deux
Quatre
Huit

Le code binaire se représente sous la forme de minuscules pulsations électriques

Découverte scientifique

Samuel Morse (1791-1872), qui avait entamé sa carrière comme portraitiste, eut l'idée du télégraphe électrique après avoir entendu une conversation sur l'électroaimant récemment découvert. C'était en 1832, alors qu'il rentrait en bateau en Amérique du Nord après des études artistiques en Europe. Il mit au point un code de signaux électriques longs et brefs, des traits et des points, pour chaque lettre et chaque chiffre. Morse conçut probablement son premier modèle de télégraphe en 1835 et ouvrit la première ligne télégraphique permanente en 1844, entre Baltimore et Washington aux États-Unis. Le premier message qu'il envoya était celui-ci : « Dieu a vraiment bien travaillé ! »

Un des premiers émetteurs-récepteurs du télégraphe de Morse

Signal électrique   *Marque sur le papier*

Chiffre 1   **Lettre S**   **Lettre O**   **Lettre N**

Fragment du code Morse

Les communications

LES SYSTÈMES DE COMMUNICATION MODERNES fournissent un accès quasi immédiat à presque toutes les informations presque partout dans le monde. La plupart utilisent l'électricité et le magnétisme, et certains la lumière. Les téléphones et les télévisions reposent sur la conversion des sons et des images en signaux électriques, qui sont envoyés par des câbles, très loin et à grande vitesse – celle de la lumière, soit 300 000 kilomètres par seconde. L'information peut aussi être convertie de signaux électriques en impulsions d'ondes électromagnétiques – lumière laser – et envoyée par des câbles à fibres optiques, ou transformée en ondes radio et envoyée aux réseaux locaux (ou aux satellites dans l'espace pour être ensuite renvoyée sur Terre). Les signaux lumineux ou radio doivent être convertis en signaux électriques avant de réapparaître sous forme de sons ou d'images.

La fibre optique

Une fibre optique est une baguette de verre ou de matériau transparent, souple et plus fine qu'un cheveu. Elle est protégée par une gaine – celle-ci la sépare également des autres fibres optiques qui l'entourent. Cette fibre transporte de l'information sous forme d'impulsions de lumière laser codées. Celles-ci heurtent l'intérieur de la surface en dessinant un angle très aigu, puis rebondissent sur les parois internes de la baguette. Les impulsions, qui zigzaguent le long de la fibre même si celle-ci est pliée, transmettent l'information sous forme numérique. Comme pour l'information électrique, une impulsion est codée 1 en binaire, et l'intervalle (sans pulsation) est codé 0. L'information numérique représente des chiffres, des lettres, des mots, des sons et des images. Des milliers de fibres optiques sont rassemblées en faisceau dans une gaine pour donner un câble à fibres optiques.

L'ère de l'électronique

Dans les 170 dernières années, l'information électrique a révolutionné notre manière de communiquer. Les réseaux de télécommunications sont capables de transmettre des messages dans le monde entier en l'espace de quelques secondes. Ces prodigieuses réalisations ont pour ancêtre le télégraphe électrique, qui s'est ensuite mué en télex. Le réseau téléphonique s'est développé pour transmettre des images, des données informatiques, du courrier électronique et bien d'autres types d'informations.

Gaine externe étanche et résistante

Des gaines externes protègent les câbles des coups et des nœuds

Chaque fibre est enveloppée d'une gaine protectrice de couleur spécifique

Le noyau en acier renforce le câble, qu'il empêche de s'étirer ou de se torsader

Fibre en verre spécial

La lumière laser émet des impulsions à l'intérieur de la fibre

Les différentes couleurs, ou longueurs d'ondes de lumière, transportent différents messages

Voir également : L'information électronique page 100, Les ordinateurs page 106

Découverte scientifique

Dans les années 1920, Vladimir Zworykin (1889-1982) mit au point l'iconoscope, un tube de prise de vues, et le kinéscope, ou récepteur de télévision. Ces deux inventions constituèrent le premier système de télévision entièrement électronique et permirent le développement de la télévision moderne. Le tube cathodique moderne est basé sur le kinéscope de Zworykin. Le premier programme télévisé fut diffusé en 1936 à Londres, en Grande-Bretagne. Zworykin participa également à l'élaboration d'un dispositif de télévision couleur et du microscope électronique.

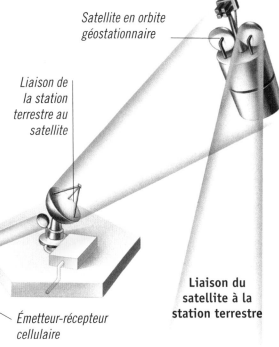

Satellite en orbite géostationnaire

Liaison de la station terrestre au satellite

Liaison du satellite à la station terrestre

Le réseau de télécommunications

Un téléphone mobile envoie et reçoit des messages par ondes radio. Celles-ci sont émises et reçues par une station émettrice/réceptrice qui transmet les appels au réseau téléphonique. Les pays sont divisés en différentes cellules et chaque cellule possède sa propre station émettrice/réceptrice. Une région très peuplée sera découpées en plusieurs petites cellules parce que les utilisateurs du téléphone seront plus nombreux. Dans les régions moins peuplées, les cellules sont plus grandes.

Émetteur-récepteur cellulaire

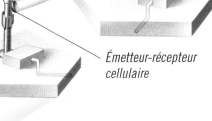

Réseau de cellules

Au cœur d'un téléphone mobile

Un « mobile » est un émetteur/récepteur radio de faible puissance. Il est équipé d'un microphone pour convertir les ondes sonores en signaux électriques et d'un écouteur pour convertir les signaux électriques en ondes sonores (comme un haut-parleur). L'émetteur/récepteur nécessite seulement d'envoyer et de recevoir les ondes provenant de la tour cellulaire la plus proche, qui se trouve en général à une distance de quelques kilomètres. Cependant, les montagnes ou les bâtiments élevés arrêtent parfois les signaux radio. En outre, dans les régions où les tours cellulaires sont éloignées les unes des autres, les signaux risquent d'être trop faibles pour être transmis.

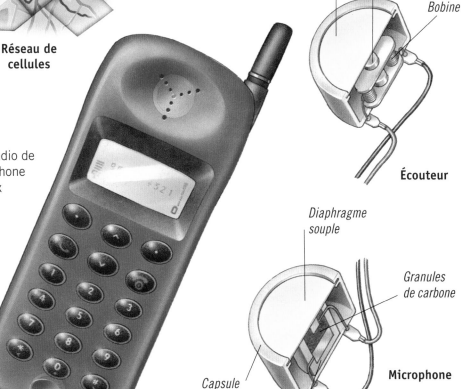

Diaphragme flexible — *Aimant* — *Bobine*

Écouteur

Diaphragme souple

Granules de carbone

Microphone

Capsule

Contacts métalliques

Les machines électroniques

IMAGINEZ CE QUE SERAIT LA VIE sans les appareils électroniques que les habitants des pays développés ont tendance à prendre pour argent comptant. On ne pourrait pas téléphoner à ses amis, regarder la télévision, jouer aux jeux vidéo ou écouter un disque compact. Dans un bureau, personne ne pourrait communiquer par téléphone, fax ou courrier électronique. Dans une usine, il n'y aurait pas de robots, d'alarmes, de systèmes de commande ou de paie informatisés. Tous ces dispositifs ont une « langue » commune, des signaux ou impulsions électroniques. Manipulés par des composants électroniques comme les puces, ils servent à présenter, traiter et transmettre l'information.

Envoyer un fax

Un fax, ou télécopie, est un fac-similé, une copie ou une reproduction. Les télécopieurs utilisent le réseau téléphonique pour envoyer et recevoir du matériau écrit ou imprimé, c'est-à-dire des mots, des photos, des cartes et des dessins. Un scanner convertit les signes figurant sur le papier en signaux électriques codés et les envoie par la ligne téléphonique.

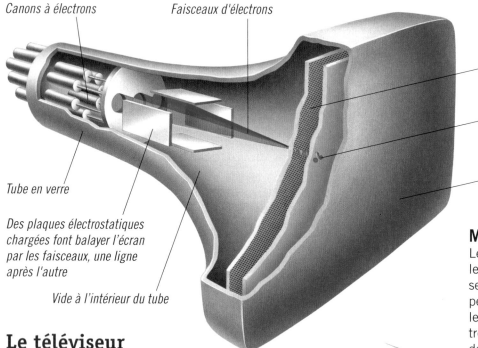

Canons à électrons

Faisceaux d'électrons

Fils et câbles du réseau téléphonique

Masque perforé

Points phosphorescents sur l'écran

Écran

Tube en verre

Des plaques électrostatiques chargées font balayer l'écran par les faisceaux, une ligne après l'autre

Vide à l'intérieur du tube

Faisceaux d'électrons

Masque perforé

Points de phosphore

Le téléviseur

La partie principale du téléviseur est un tube cathodique en verre, vide d'air, avec un écran à l'avant. Les canons à électrons envoient des faisceaux de particules atomiques, ou électrons, vers l'écran. Dans un téléviseur couleur, se trouvent trois canons à électrons, un pour chaque couleur primaire – rouge, vert et bleu. L'écran est couvert de minuscules points de phosphore qui brillent d'une lumière rouge, verte ou bleue quand ils sont frappés par les électrons. De loin, nos yeux assemblent les points colorés pour en faire une image complète.

Masque perforé

Les électrons sont incolores. Entre les canons à électrons et l'écran se trouve une plaque, le masque perforé, percé de milliers de petits trous. Quand les électrons passent à travers chaque trou, ils frappent uniquement les points de phosphore de la bonne couleur.

Voir également : L'information électronique page 100, Les communications page 102

Découverte scientifique

René Descartes (1596-1650) était un philosophe, un mathématicien et un physicien. Il associa la géométrie et l'algèbre pour créer la géométrie cartésienne qui est la base des graphiques que nous connaissons aujourd'hui ;

elle est également utilisée dans la conception des composants et des circuits électroniques. Descartes a aussi longuement réfléchi sur ce que nous savons, ou pensons savoir, et sur comment et pourquoi nous le savons. Sa célèbre devise était *Cogito, ergo sum* – « Je pense donc je suis ».

EN ROUTE VERS L'ORDINATEUR

▶ **Années 1930** Le mathématicien Alan Turing émit l'idée d'un ordinateur électronique qui pourrait manipuler les données selon des instructions réunies dans un programme.
▶ **1949** L'ordinateur EDVAC de John von Neumann fut le premier à utiliser l'arithmétique binaire et à stocker ses instructions opératoires en interne. Ce modèle constitue la base des ordinateurs actuels.

Bande magnétique à l'intérieur d'un compartiment

Un prisme sépare la lumière en différentes couleurs

Système de lentilles

Rayons lumineux

Oculaire pour la prise de vues

Le caméscope

Dans un appareil photo ou une caméra de cinéma, la lumière provoque une mutation chimique sur le film photographique. Dans un caméscope (caméra électronique et magnétoscope réunis dans le même boîtier), la lumière est concentrée sur des plaques-cibles recouvertes d'un matériau qui conduit des quantités d'électricité différentes selon la quantité de couleur et de lumière qui les frappent. L'image sur la plaque-cible est changée en signaux électroniques codés qui sont ensuite enregistrés sur une bande magnétique.

Plaque-cible pour lumière verte

Plaque-cible pour lumière bleue

Plaque-cible pour lumière rouge

Recevoir un fax

Le récepteur convertit les signaux électriques en signes sur le papier ; cette opération ne demande que quelques secondes.

Affichage de l'information

Avant, les consoles présentaient des rangées de voyants et de cadrans. Aujourd'hui, les écrans de visualisation sont monnaie courante ; ils affichent l'information sous forme de graphiques, plus modulables, et les remplacent si une information plus importante devient disponible.

Les ordinateurs

Découverte scientifique

UN ORDINATEUR EST UNE MACHINE ÉLECTRONIQUE qui manipule, transforme et traite de l'information, ou des données, de nature variée – des chiffres, des mots, des motifs, des images, des animations, des sons, etc. Les données sont traitées selon une séquence d'instructions appelée programme qui indique à l'ordinateur ce qu'il doit faire. À l'intérieur d'un ordinateur, les programmes et les données sont traduits en langage numérique, petits signaux électriques qui passent autour de nombreux circuits et puces. Les ordinateurs sont capables de traiter de grandes quantités d'information en un bref laps de temps. Par exemple, un superordinateur peut analyser chaque seconde les conséquences de plus de 200 millions de mouvements de jeux d'échecs.

Dans les années 1930, le mathématicien anglais Charles Babbage (1792-1871) mit au point plusieurs types de calculateurs mécaniques programmables. Ces machines utilisaient des pignons pour effectuer les calculs et possédaient plus de 2 000 pièces mobiles. À cause de problèmes techniques et financiers, elles ne furent jamais terminées, mais les ordinateurs modernes s'en inspirent toujours.

Superordinateurs

Un superordinateur doit travailler si vite que ses principaux circuits de traitement et de mémoire sont refroidis jusqu'à plusieurs degrés au-dessous de zéro. Le refroidissement diminue la résistance des conducteurs dans les circuits électroniques.

Micro-ordinateur

Le micro-ordinateur (PC : *Personal Computer* – ou ordinateur personnel) est constitué de plusieurs éléments : les systèmes de restitution de données qui sont l'ordinateur lui-même (unité centrale) et l'écran (moniteur – il fonctionne quasiment comme un écran de télévision), ainsi que les systèmes de saisie comme le clavier. D'autres appareils, comme scanners et tablettes graphiques, sont appelés périphériques et peuvent être connectés à l'ordinateur.

Contact sous la touche

Touches fonctions spéciales

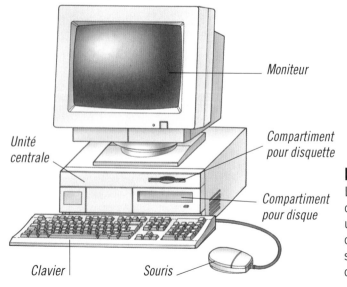

Moniteur

Unité centrale

Compartiment pour disquette

Compartiment pour disque

Clavier

Souris

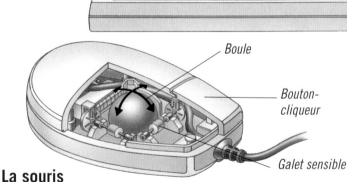

Boule

Bouton-cliqueur

Galet sensible

La souris

La souris est un petit boîtier contenant une boule que l'on déplace sur une surface plane afin de désigner un point sur l'écran et d'agir sur lui. Un ou plusieurs boutons-cliqueurs permettent de sélectionner des icônes ou des boîtes sur l'écran. La souris est directement connectée à l'unité centrale de l'ordinateur.

Voir également : L'information électronique page 100, Les communications page 102

Mise en réseau

Il est possible de relier plusieurs ordinateurs en réseau, sous réserve qu'ils possèdent les connexions nécessaires pour assurer la transmission de signaux électroniques. Les réseaux utilisent les moyens de communication existants, comme les lignes et les satellites téléphoniques ou leurs propres câbles (LAN : Local Area Network). La mise en réseau permet l'échange et le partage d'informations ou de programmes. Dans un réseau, tous les appareils, comme les ordinateurs, les imprimantes et les fax sont connectés à une boucle centrale.

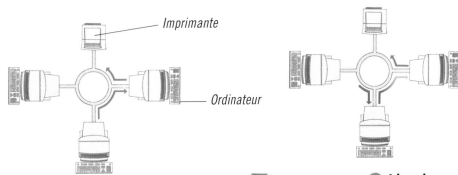

Imprimante

Ordinateur

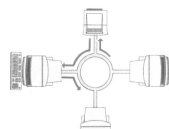

❶ Feu vert
Un jeton (ou token – message signalant que la voie est libre) circule sur la boucle centrale.

❷ Jeton pris
L'ordinateur de gauche prend le jeton car il souhaite envoyer de l'information.

❸ Livraison
L'information est livrée aux ordinateurs de droite et du bas ; la voie est à nouveau libre.

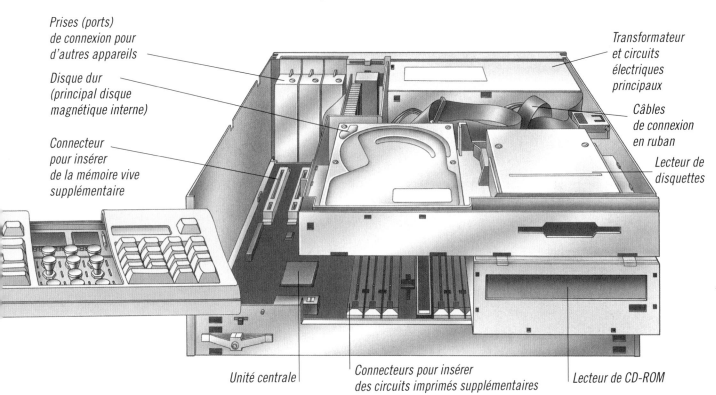

Prises (ports) de connexion pour d'autres appareils

Disque dur (principal disque magnétique interne)

Connecteur pour insérer de la mémoire vive supplémentaire

Transformateur et circuits électriques principaux

Câbles de connexion en ruban

Lecteur de disquettes

Unité centrale

Connecteurs pour insérer des circuits imprimés supplémentaires

Lecteur de CD-ROM

Saisie de données

Le micro-ordinateur moderne est constitué de plusieurs machines qui fonctionnent ensemble. L'ordinateur proprement dit se compose d'une série de circuits imprimés et d'autres composants électroniques. L'information est envoyée dans l'ordinateur via plusieurs dispositifs de saisie comme le clavier, la souris, le scanner ou le microphone. Ceux-ci sont reliés au BIOS (système saisie/restitution de base) qui transmet l'information à l'unité centrale (la puce qui effectue les manipulations), puis la diffuse à partir de celle-ci. L'unité centrale est reliée à la mémoire vive qui stocke le programme, une liste d'instructions.

Restitution de données

Les résultats des calculs ou du traitement effectués par l'ordinateur sont transmis aux dispositifs de restitution comme le moniteur, l'imprimante ou le haut-parleur. Des disques magnétiques de types divers servent de mémoires ; ils stockent l'information restituée par l'ordinateur et la lui renvoient ultérieurement.

4

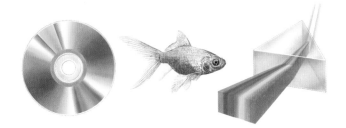

Son
et lumière

Certaines énergies se présentent sous
forme d'ondes, parmi lesquelles
se trouvent les ondes sonores et
lumineuses, de nature complètement
différente. Le son se compose
d'atomes et de molécules en
mouvement, et la lumière est une
combinaison d'électricité et de
magnétisme. Ces deux types d'ondes,
ressentis par l'organisme, servent
à transmettre de l'information.

À propos des ondes

LE SON ET LA LUMIÈRE sont deux formes d'énergie très différentes – le son est produit par quelque chose qui bouge tandis que la lumière est un mélange d'énergie électrique et magnétique. Mais le son et la lumière ont ceci de commun qu'ils se déplacent sous forme d'ondes, à l'image des ondulations qui se propagent à la surface de l'eau ou de celles d'une corde que l'on agite de bas en haut. En sciences, une onde est un changement, une perturbation, ou une fluctuation itinérante qui transmet l'énergie d'un lieu à un autre. Le son se déplace uniquement grâce à des particules de matière ambulantes, comme les atomes ou les molécules constitutifs d'une substance. Ainsi, le son ne peut exister, ou se déplacer dans le vide de l'espace par exemple. La lumière, quant à elle, ne nécessite ni substance, ni matière. Elle existe sous forme de minuscules paquets d'énergie appelés photons. Ceux-ci peuvent se déplacer dans une substance telle que l'air ou l'eau, mais aussi dans le vide.

Crête (point le plus élevé) de la première onde

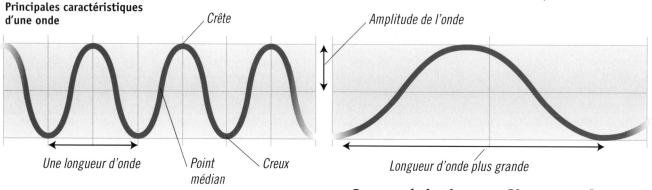

Principales caractéristiques d'une onde

Crête

Amplitude de l'onde

Une longueur d'onde

Point médian

Creux

Longueur d'onde plus grande

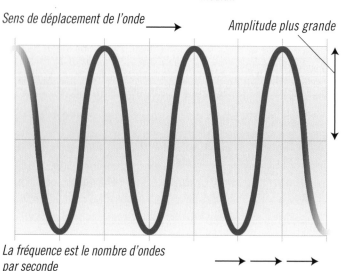

Sens de déplacement de l'onde

Amplitude plus grande

La fréquence est le nombre d'ondes par seconde

Caractéristiques d'une onde

Toutes les ondes présentent certaines caractéristiques. Le point le plus haut est la crête et le point le plus bas est le creux. La hauteur d'une onde, de son milieu à sa crête, est dénommée amplitude. Pour le son, une plus grande amplitude (ondes plus hautes) produit un son plus fort, et pour la lumière, une lumière plus vive. Le nombre d'ondes passant par un point en une seconde est appelé fréquence de l'onde. La distance d'une crête à l'autre (onde complète) est appelée longueur d'onde. Pour les ondes se déplaçant à la même vitesse, plus la longueur d'onde est courte, plus le nombre d'ondes passant près d'un endroit en un temps donné est élevé. Les ondes courtes ont donc des fréquences plus élevées.

Voir également : Les ondes sonores page 112, L'usage des sons page 122, La lumière page 124

Comparables mais différentes

Les ondulations de l'eau sur une mare après un ricochet nous permettent d'imaginer la forme des ondes sonores et lumineuses. Cependant, les dimensions de ces ondes sont différentes. Les ondes lumineuses montent et descendent plusieurs centaines de milliers de fois par seconde, un centimètre comprend des millions de crêtes et de creux. Les ondes sonores sont beaucoup plus grandes. Dans un ronflement faible, chaque onde sonore mesure un mètre ou plus. Les ondes lumineuses se déplacent un million de fois plus vite que les ondes sonores.

Les ondes se dispersent à partir d'une source centrale

Découverte scientifique

James Clerk Maxwell (1831-1879) expliqua par les mathématiques les caractéristiques des ondes. Il étudia les liens entre l'électricité et le magnétisme. Ses calculs ont démontré que les ondes électromagnétiques se déplacent à la vitesse de la lumière. Il suggéra donc l'idée nouvelle pour l'époque mais aujourd'hui acquise, à savoir que la lumière est aussi constituée d'ondes électromagnétiques.

INVISIBLE ET INAUDIBLE

Notre expérience de la vision et de l'audition est affectée par les limites de nos organes sensoriels – les yeux et les oreilles. Il existe des lumières, comme les infrarouges et les ultraviolets, que notre œil ne peut détecter – alors que les yeux de nombreux animaux les voient ; certains voient très bien avec une très faible lumière qui, pour nous, équivaut à la nuit noire. Un chat qui scrute la nuit paraît regarder intensément tandis que nous ne voyons que l'obscurité. Il existe également des sons trop graves ou trop faibles, ou encore trop aigus pour que nos oreilles les enregistrent, quand les dauphins, les chauves-souris et bien d'autres animaux les entendent (et les émettent). Un chien ou un cheval dresse les oreilles en entendant un son si léger que notre oreille ne le capte pas.

Les UV sur les fleurs
Sur les pétales des fleurs, les abeilles voient des lignes uniquement visibles dans la lumière ultraviolette. Elles guident les abeilles jusqu'au miel dans le cœur de la fleur.

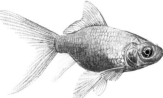

Les IR dans l'eau
Les poissons rouges voient la lumière infrarouge qui est moins filtrée par l'eau que la lumière normale.

Les ultrasons la nuit
Les chauve-souris, dont le rhinolophe, poussent des cris suraigus (ultrasons) avec le nez et la bouche et détectent les échos avec leurs grandes oreilles.

Le dauphin émet des petits cris suraigus

Les ondes sonores

UNE ONDE SONORE commence avec un mouvement, celui d'un corps solide, liquide ou gazeux. Habituellement, c'est un solide. L'objet va et vient - il vibre - il pousse puis attire les particules de la substance qui l'entoure, elle aussi liquide, solide ou gazeuse (mais il s'agit souvent d'air). L'objet en mouvement rapproche les molécules d'air puis les éloigne. Ces molécules repoussent puis attirent les molécules voisines qui font de même et ainsi de suite, transmettant l'onde énergétique. Une onde sonore est donc une série de compressions et d'étirements invisibles qui ondulent dans l'air.

Sons musicaux
Toutes les ondes sonores sont fabriquées de la même façon, en faisant vibrer des objets. Selon la manière dont elles sont combinées, elles peuvent être pénibles, comme le grondement de la circulation, ou musicales et agréables.

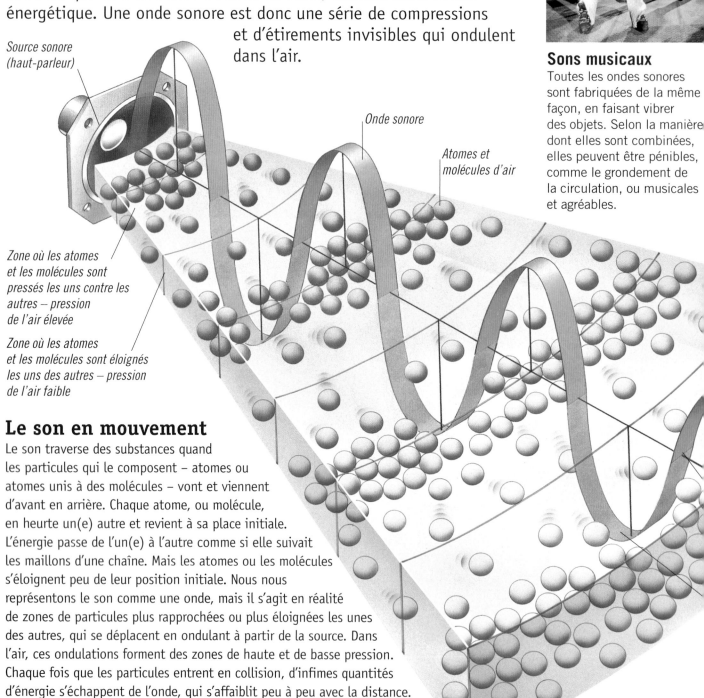

Source sonore (haut-parleur)

Onde sonore

Atomes et molécules d'air

Zone où les atomes et les molécules sont pressés les uns contre les autres – pression de l'air élevée

Zone où les atomes et les molécules sont éloignés les uns des autres – pression de l'air faible

Le son en mouvement
Le son traverse des substances quand les particules qui le composent – atomes ou atomes unis à des molécules – vont et viennent d'avant en arrière. Chaque atome, ou molécule, en heurte un(e) autre et revient à sa place initiale. L'énergie passe de l'un(e) à l'autre comme si elle suivait les maillons d'une chaîne. Mais les atomes ou les molécules s'éloignent peu de leur position initiale. Nous nous représentons le son comme une onde, mais il s'agit en réalité de zones de particules plus rapprochées ou plus éloignées les unes des autres, qui se déplacent en ondulant à partir de la source. Dans l'air, ces ondulations forment des zones de haute et de basse pression. Chaque fois que les particules entrent en collision, d'infimes quantités d'énergie s'échappent de l'onde, qui s'affaiblit peu à peu avec la distance.

Voir également : La lumière page 124, L'espace interstellaire page 196

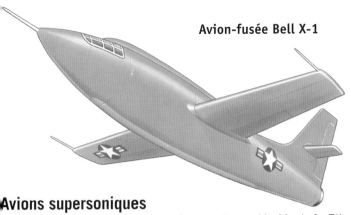

Avion-fusée Bell X-1

Avions supersoniques

La vitesse du son, ou vitesse sonique, est appelée Mach 1. Elle varie avec la pression et la température de l'air mais elle est à peu près de 1 200 km/heure. Tout ce qui se déplace plus vite que le son est qualifié de supersonique (Mach 2 équivaut à deux fois la vitesse du son, et ainsi de suite – certains avions atteignent Mach 3 ou plus). La première personne à dépasser la vitesse du son fut le capitaine Charles « Chuck »Yaeger, qui en 1947 franchit le mur du son à bord d'un avion-fusée, le Bell X-1. Les supersoniques devancent leur propre son qui se disperse derrière eux en une onde de choc que nous entendons au sol comme un bang.

Les sons de l'océan

Le son se déplace dans l'eau à environ 1 430 mètres par seconde – cinq fois plus vite que dans l'air. De nombreux animaux aquatiques communiquent avec les sons. Les appels graves (basse fréquence) des grosses baleines franchissent des centaines de kilomètres dans l'eau. Les baleines à bosse mâles chantent pour attirer les femelles. Chaque animal a son propre chant et le répète pendant des heures avec quelques petites variantes. Les mamans baleines et leurs baleineaux émettent aussi de petits cris stridents.

Les atomes et les molécules plus éloignés de la source sonore vibrent avec moins d'énergie

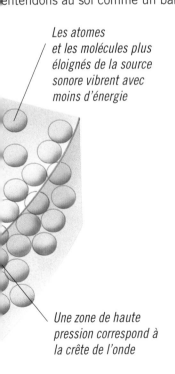

Une zone de haute pression correspond à la crête de l'onde

Une zone de pression normale correspond au milieu de l'onde

Une zone de basse pression correspond au creux de l'onde

L'EFFET DOPPLER

Avez-vous remarqué que le bruit d'un véhicule en accélération (motocyclette, voiture, train ou avion) semble constant quand il se rapproche de vous, puis une fois qu'il vous a dépassé, perd de la hauteur et tombe quelques notes plus bas ? Quand le véhicule s'approche de vous, il franchit une distance de plus en plus courte avant de lancer une nouvelle onde sonore. Ainsi, pour vos oreilles, les ondes sonores sont compressées et le son est plus haut. Quand le véhicule s'éloigne, il franchit une distance de plus en plus longue avant de lancer une nouvelle onde sonore. Les ondes sonores sont plus dispersées et donnent un son plus bas, comme vous le verrez dans les pages suivantes.

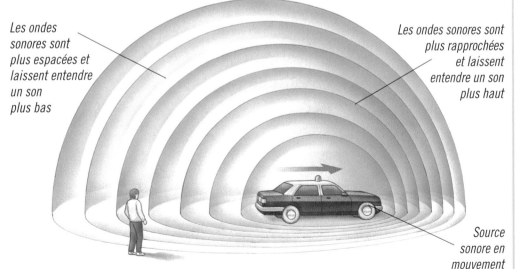

Les ondes sonores sont plus espacées et laissent entendre un son plus bas

Les ondes sonores sont plus rapprochées et laissent entendre un son plus haut

Source sonore en mouvement

L'effet Doppler porte le nom du savant autrichien Christian Doppler qui fut le premier à le découvrir en 1842. Il se remarque particulièrement avec les sons suraigus tels que les sirènes et se produit avec n'importe quelle forme d'ondes, dont les ondes lumineuses.

Sons aigus et sons graves

Découverte scientifique

L'unité de fréquence des ondes, l'hertz, porte le nom du physicien Heinrich Hertz (1857-1894). Cette unité est utilisée pour les ondes sonores et également pour les ondes radio et les ondes lumineuses. En fait, Hertz travailla essentiellement sur les ondes radio. Il fut le premier à produire des ondes radio en laboratoire, mais il mourut avant d'élargir ses recherches et de transformer la radio en un moyen de communication pratique et moderne.

LA HAUTEUR D'UN SON s'apprécie en termes de grave et d'aigu. Dans un orchestre, le roulement profond du tambour se situe dans les graves et le tintement du triangle dans les aigus. La hauteur d'un son dépend du nombre d'allées et venues, ou vibrations, accomplis en une seconde par la source sonore. C'est la même chose que la fréquence – le nombre d'ondes sonores produites chaque seconde. La fréquence d'une onde se mesure en unités appelées hertz (Hz). Par exemple, la note *do* au milieu du clavier d'un piano a une fréquence de 261 Hz. La fréquence est liée à la longueur d'onde, puisque les fréquences les plus hautes ont des ondes plus courtes. La longueur d'onde d'un *do* moyen est égale à 126 cm.

Quels sons entendons-nous ?

Nous percevons de nombreuses fréquences sonores, des notes stridentes d'un chant d'oiseau au ronflement grave de la circulation, mais étant donné la façon dont travaillent nos oreilles nous n'entendons pas tous les sons qui nous entourent. Nos oreilles captent des fréquences situées entre 20 et 20 000 Hz (hertz, vibrations par seconde). Nous percevons des sons inférieurs à 80 Hz, comme des grondements, des bruits sourds ou des roulements. Nous n'entendons pas toujours clairement les fréquences inférieures à 30 Hz, mais si elles sont assez puissantes, nous les percevons sous formes de vibrations dans l'air et le sol. Nos oreilles sont le plus sensibles entre 400 et 4000 Hz (la voix humaine se situe entre 300 et 1 000 Hz). Les sons supérieurs à 5 000 Hz sont des crissements et des sifflements extrêmement aigus. Avec l'âge, les oreilles perdent de leur sensibilité aux aigus. Une personne jeune entend les cris stridents d'une chauve-souris tandis qu'une personne âgée ne les entend pas.

Oreilles animales

Par comparaison avec de nombreux animaux, l'homme est capable d'entendre une vaste gamme de fréquences. Pourtant, certains animaux captent des fréquences trop aiguës pour nos oreilles, les ultrasons.

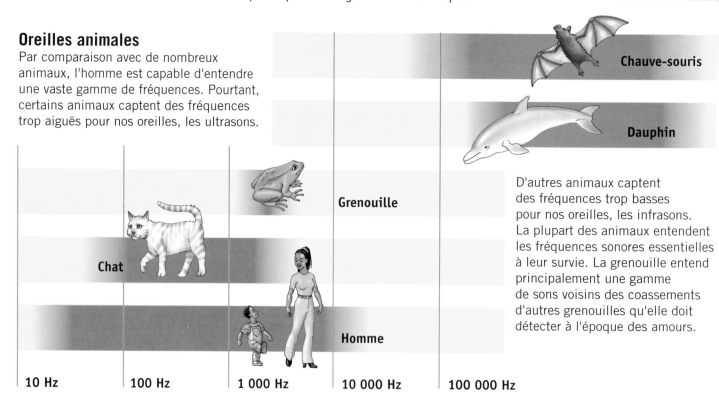

Chauve-souris

Dauphin

Grenouille

Chat

Homme

10 Hz   100 Hz   1 000 Hz   10 000 Hz   100 000 Hz

D'autres animaux captent des fréquences trop basses pour nos oreilles, les infrasons. La plupart des animaux entendent les fréquences sonores essentielles à leur survie. La grenouille entend principalement une gamme de sons voisins des coassements d'autres grenouilles qu'elle doit détecter à l'époque des amours.

Voir également : Solides, liquides et gaz page 26, Les ondes sonores page 112

Notation musicale

Nous entendons les ondes sonores mais ne les voyons pas. De même, les sons ne s'oublient pas avec le temps. C'est pourquoi nous écrivons ou imprimons une version visuelle des sons et des notes musicales, appelée notation musicale. Cela permet de se souvenir d'un air de musique et de conserver la musique à travers les âges. La notation possède des symboles pour indiquer la hauteur (fréquence), la longueur (durée) et la force des sons.

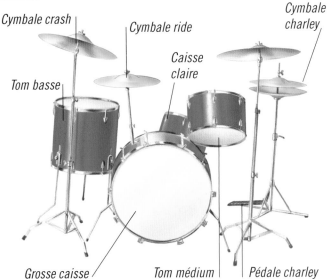

Cymbale crash · Cymbale ride · Cymbale charley · Caisse claire · Tom basse · Grosse caisse · Tom médium · Pédale charley

Instruments de musique

Tout objet produisant des sons de hauteurs différentes est un instrument de musique. Les trois principaux types d'instruments produisent leurs sons de différente manière. Les instruments à corde, comme la guitare et le violon, sont pincés ou frottés ; les percussions, comme les tambours, sont frappés, alors qu'on souffle dans un instrument à vent, comme le trombone.

Les sons des éléphants

Environ deux tiers des sons émis par les éléphants sont trop graves pour être entendus par l'oreille humaine ; ce sont des infrasons. Ils comprennent plus de vingt grondements, suffisamment puissants pour communiquer avec d'autres éléphants éloignés de plus de cinq kilomètres.

Bruits indésirables

Les bruits sont souvent un enchevêtrement d'ondes sonores désagréables provenant d'une musique trop forte, de machines comme les scies ou les perceuses ou de véhicules comme les trains et les avions. Un environnement bruyant empêche de réfléchir, de se détendre ou de dormir, et engendre même du stress ou des maladies. Un son fort et prolongé risque d'endommager l'ouïe, comme on le verra à la page suivante.

Les sons dans les solides, les liquides et les gaz

En général, les sons se déplacent plus loin et plus vite dans les solides que dans les liquides, dans les liquides que dans les gaz (ou dans l'air). Cela vaut surtout pour les sons graves ou de basse fréquence. Dans un gaz, les molécules sont éloignées les unes des autres. Ainsi, une grande partie de l'énergie sonore se perd à pousser les molécules gazeuses pour qu'elles rencontrent d'autres molécules gazeuses. Dans un liquide ou un solide, les molécules sont plus proches et se heurtent plus facilement tout en vibrant grâce à l'énergie sonore ; le son se déplace donc plus rapidement. C'est pourquoi nous ressentons parfois les vibrations d'une puissante source sonore (comme un gros semi-remorque) provenant du sol avant de l'entendre.

Sons forts et sons faibles

UN SON EST FORT parce que les atomes ou les molécules qui les transportent émettent de grandes vibrations représentant beaucoup d'énergie. Un son doux ou feutré produit des vibrations beaucoup plus petites. Le volume d'un son équivaut à la force de ce son quand il atteint l'oreille, tandis que l'intensité d'un son est la quantité d'énergie qui circule dans les ondes sonores. Elle dépend de la fréquence et de l'amplitude (hauteur) de l'onde sonore. Le volume d'un son se perçoit différemment d'un individu à l'autre, mais l'intensité de l'énergie sonore est la même pour tous.

Casques de protection
Les personnes qui travaillent dans des lieux bruyants, comme les usines textiles ou les aéroports, protègent leurs oreilles avec des casques antibruit. Des sons suraigus émis en continu, comme les gémissements, sont très nocifs pour les oreilles.

**Explosion
atomique
200 dB**

**Grognement
de la baleine
bleue
170 dB**

Mesurer le son

L'intensité d'un son se mesure en décibels (dB), ou en bels, du nom de l'inventeur du téléphone, l'Américain Alexander Graham Bell. Le son le plus faible perceptible par l'oreille humaine est égal à 10 dB (froissement des feuilles mortes). Une conversation a une intensité de 60 décibels environ. Un son devient physiquement douloureux à 130 dB. Même dans les sons plus forts transmis par l'air, les atomes et les molécules d'air bougent très peu, de quelques fractions de millimètre.

**Avion
près de
140 dB**

Attention !
Ces panneaux indiquent que des sons très forts peuvent être nocifs pour l'ouïe et causer des lésions permanentes.

**Musique
dangereusement
forte
120 dB**

Limite légale
Dans certains pays, la législation limite le volume sonore dans les lieux publics à 100, 90 ou même 80 dB.

| 200 décibels | 175 décibels | 150 décibels | 125 décibels |

Voir également : Les ondes sonores page 112, Produire et détecter les sons page 118

COMBIEN DE DÉCIBELS ?

Quelques exemples de niveaux de décibels sont cités
dans le graphique ci-dessous. En voici quelques autres :

- ▶ 180 dB   Lancement de fusée à 50 mètres
- ▶ 160 dB   Lancement de fusée à 200 mètres
- ▶ 140 dB   Industrie lourde (aciérie)
- ▶ 110 dB   Marteau piqueur
- ▶ 100 dB   Coup de tonnerre proche
- ▶ 80 dB   Train en accélération
- ▶ 20 dB   Murmure à peine audible
- ▶ 10 dB   Bruissement du vent dans l'herbe haute

L'OREILLE DES ANIMAUX

Certains animaux tels que les lapins et les chevaux ont
un grand lobe d'oreille qu'ils peuvent pivoter ou incliner
pour localiser l'origine d'un son. L'homme est incapable
d'orienter ainsi son oreille, mais si on entend un son, on
peut tourner la tête jusqu'à ce que les ondes sonores
atteignent les deux oreilles en même temps et avec le
même volume. On se trouve alors en face de la source
sonore.

Les insectes tels que les papillons ont des poils sensitifs sur le corps qui captent certaines fréquences sonores dans les airs

Les lapins orientent leurs oreilles vers la source sonore

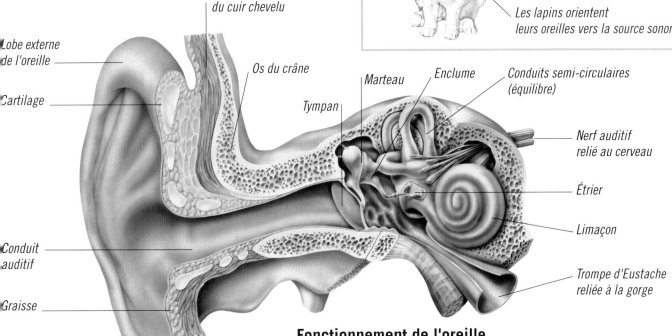

Peau et muscle du cuir chevelu · Lobe externe de l'oreille · Cartilage · Os du crâne · Tympan · Marteau · Enclume · Conduits semi-circulaires (équilibre) · Nerf auditif relié au cerveau · Étrier · Limaçon · Conduit auditif · Graisse · Lobe de l'oreille · Trompe d'Eustache reliée à la gorge

Fonctionnement de l'oreille

L'oreille humaine comprend trois parties principales – l'oreille externe,
l'oreille moyenne et l'oreille interne. L'oreille externe est un entonnoir qui
recueille les sons issus de l'air. Elle mène à un conduit, le conduit auditif,
qui se termine par un tympan souple et circulaire. Les sons font vibrer
le tympan qui fait lui-même vibrer trois petits os dans l'oreille moyenne.
Ces osselets transmettent les vibrations sonores au limaçon dans l'oreille
interne où elles sont converties en signaux nerveux transmis au cerveau.

 Tronçonneuse 100 dB
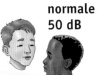 Conversation animée 70 dB
Conversation normale 50 dB
 Chant d'oiseau 30 dB
 Tic-tac d'une montre 10 dB

100 décibels   75 décibels   50 décibels   25 décibels

Produire et détecter les sons

LE MONDE NATUREL EST REMPLI de sons, comme le vent, le bruissement des feuilles, le clapotis des vagues, le chant des oiseaux et le bourdonnement des insectes. Certains sons naturels proviennent aussi de notre corps – la mastication, la déglutition, la toux, les reniflements, la respiration, les battements du cœur et les bulles de gaz qui gargouillent dans l'intestin produisent des sons. Un médecin écoute ces sons avec un stéthoscope afin de vérifier la bonne santé de ses patients et de détecter tout signe de maladie. Outre ces sons naturels, notre monde regorge de sons artificiels issus de machines, d'automobiles, de trains et d'avions. Certains de ces sons sont émis par des objets vibrants comme les marteaux-piqueurs, les perceuses et les moteurs. D'autres sons, comme ceux des radios, des télévisions ou des chaînes hi-fi proviennent d'un appareil servant justement à recréer des sons, le haut-parleur.

Mini haut-parleurs
Les casques à écouteurs comportent un minuscule « haut-parleur » pour chaque oreille. Un tampon de mousse atténue considérablement le bruit ambiant, de sorte que l'on peut se concentrer sur les sons transmis par les écouteurs.

Le microphone

Un microphone est une version artificielle de nos propres oreilles ; il effectue le même travail : convertir l'énergie d'une séquence d'ondes sonores en l'énergie d'une séquence identique de signaux électriques. Il existe plusieurs types de microphones qui fonctionnent de manière différente. Le modèle qui se trouve dans le micro d'un téléphone sera décrit plus loin dans le livre. Un microphone piézoélectrique comprend un petit cristal et utilise l'effet piézoélectrique, expliqué dans un précédent chapitre du livre. Le microphone à bobine magnétique mobile figuré ici fonctionne par électromagnétisme. Les ondes sonores sont converties en vibrations physiques d'un câble dans un champ magnétique. Cette opération produit des signaux électriques dans le câble par induction électromagnétique.

Bonnette

La grille laisse passer les ondes sonores

Diaphragme (pièce vibratoire conique en carton ou en plastique)

Noyau en fer relié au diaphragme

Aimant en forme d'anneau

Noyau en fer à l'intérieur de la bobine

Bobine

Fils connectés à l'amplificateur

Microphone à bobine magnétique mobile

LA PUISSANCE DU SON

▶ La puissance d'un amplificateur dans une chaîne hi-fi se mesure en watts.
▶ Une petite chaîne hi-fi pour une chambre peut avoir une puissance de 10-20 watts.
▶ Une chaîne plus importante pour une pièce plus grande devrait avoir une puissance de 50-100 watts.
▶ La sonorisation d'une petite salle de 100 à 200 personnes nécessite une puissance de 1 000 watts ou 1 kW environ.
▶ La sonorisation d'un immense concert en plein air avec des milliers de spectateurs nécessite une puissance de 50-100 kW.

L'intérieur d'un microphone

Le microphone est une « oreille » électrique. Un noyau en fer, entouré d'une bobine, est fixé à un mince diaphragme conique très souple. Lorsque les ondes sonores frappent le diaphragme, celui-ci vibre, comme le tympan d'une oreille. La bobine vibre aussi et, comme elle est à l'intérieur d'un aimant en forme d'anneau, des signaux électriques sont produits dans le fil.

Voir également : Les machines électroniques page 104, Les ondes sonores page 112

Contrôle du son

Une grande salle telle qu'un gymnase présente des murs, un plafond et un sol plats et durs. Ces surfaces réverbèrent très bien les sons et créent une confusion en produisant des échos, effet très gênant quand on essaie d'écouter de la musique. Les salles de concert sont équipées de surfaces acoustiques comme des moquettes épaisses sur les sols et des tentures au mur et au plafond. Des enceintes et des réflecteurs acoustiques de conception particulière installés autour et au-dessus de la scène n'envoient au public que les sons sélectionnés.

Découverte scientifique

Alexander Graham Bell commença à travailler comme professeur pour les enfants atteints de problèmes d'audition et d'élocution. Il étudia la voix, le langage et les ondes sonores de façon approfondie. À l'époque, la communication à distance s'effectuait avec le télégraphe qui produisait des impulsions électriques codées en Morse puis les transmettait par des lignes électriques. Bell se rendit compte qu'une séquence d'ondes sonores pouvait être convertie en une séquence équivalente de signaux électriques variables. Ceux-ci se déplaceraient dans des câbles, comme pour le télégraphe, et seraient à nouveau convertis en ondes sonores. En 1876, Bell conçut un dispositif capable de réaliser ces opérations, le téléphone. Il fut d'ailleurs le premier à l'utiliser – pour demander de l'aide à son assistant qui était dans la pièce voisine, après avoir renversé de l'acide sur ses vêtements.

Alexander Graham Bell (1847-1922)

Un des premiers téléphones de Bell en 1878

Câbles de connexion avec le haut-parleur

Câbles de connexion venant du microphone

Câbles de connexion venant de l'amplificateur

Haut-parleur reproduisant les aigus (tweeter)

Bobine

Aimant baguette

Bobine reliée au diaphragme

Diaphragme de haut-parleur

Haut-parleur reproduisant les graves (woofer)

L'amplificateur

Les signaux électriques d'un microphone, ou d'un magnétophone à cassettes, d'une platine pour disques vinyle ou compacts sont très courts, tout comme les signaux d'un instrument électrique tel que la guitare ; ils ne sont pas assez puissants pour actionner un haut-parleur. Un amplificateur est un dispositif électronique qui amplifie les signaux (et les rend beaucoup plus puissants). Les boutons de réglage de la tonalité augmentent ou diminuent les différentes fréquences sonores.

À l'intérieur d'un haut-parleur

Le haut-parleur fonctionne à l'inverse d'un microphone. Les signaux électriques de l'amplificateur passent par la bobine et la transforment en électroaimant, créant un champ magnétique variable tout autour. Celui-ci interagit avec le champ magnétique stable de l'aimant permanent. En conséquence, la bobine vibre. Comme elle est reliée au diaphragme du haut-parleur, celui-ci vibre aussi, produisant des ondes sonores.

Le stockage des sons

PENDANT DES SIÈCLES, on a enregistré les sons en écrivant des mots ou des notes. Les technologies actuelles permettent de stocker les sons que nous entendons. On peut convertir les ondes sonores en séquences de taches magnétiques sur une bande, en sillons spiralés sur des disques vinyle ou en microcavités sur des disques compacts. Le stockage et la reproduction des sons consistent à convertir des ondes sonores en signaux électriques qui sont ensuite reconvertis dans leur forme de stockage.

Les sons sur une bande magnétique

Les sons sont convertis en signaux électriques par un microphone ou envoyés sous forme de signaux électriques par une autre source, puis transmis à un électroaimant situé dans la tête de lecture enregistreuse du magnétophone (*voir* ci-dessous). Les signaux produisent un champ magnétique variable qui transforme les particules métalliques présentes sur la bande en minuscules aimants invisibles.

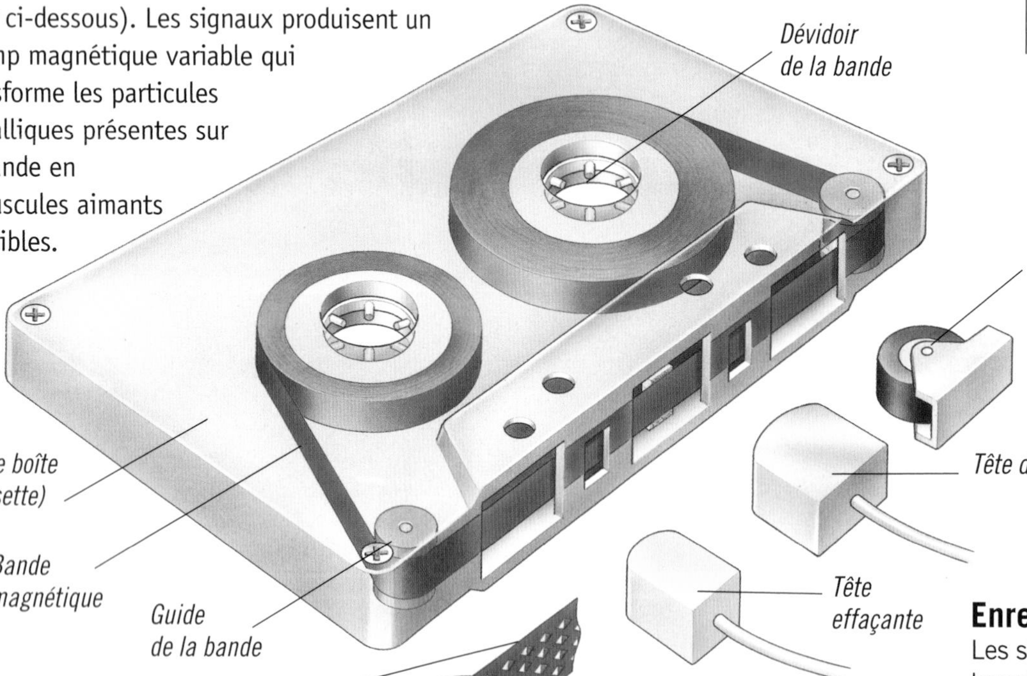

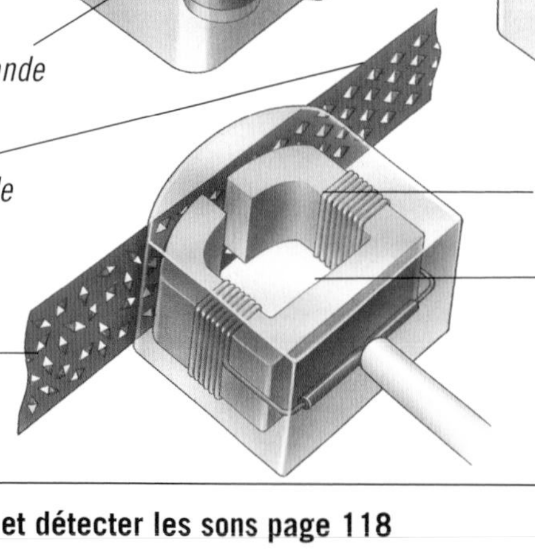

Des cavités microscopiques créent un effet arc-en-ciel sur les disques compacts

Dévidoir de la bande

Galet d'entraînement

Petite boîte (cassette)

Bande magnétique

Guide de la bande

Tête de lecture enregistreuse

Tête effaçante

Bande enregistrée avec séquence codée de taches magnétiques

Bande vierge avec taches magnétiques aléatoires

Bobine

Noyau en fer

Tête de lecture enregistreuse

Enregistrement – Lecture

Les signaux électriques transforment le noyau de fer de la tête de lecture enregistreuse en un électroaimant qui crée de minuscules taches magnétiques sur la bande. Pour lire la bande, la tête détecte la séquence magnétique figurant sur la bande et la reconvertit en signaux électriques.

Voir également : Produire et détecter les sons page 118

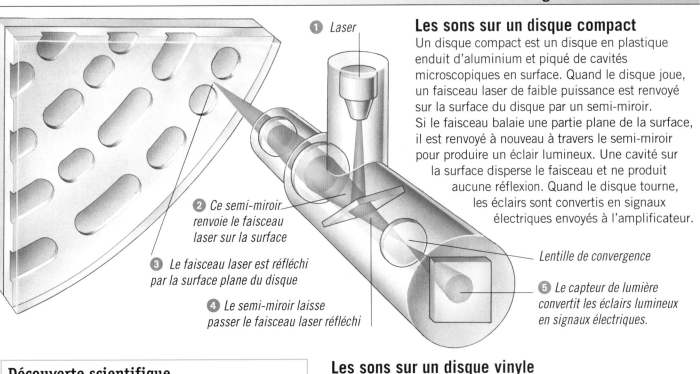

❶ *Laser*

Les sons sur un disque compact

Un disque compact est un disque en plastique enduit d'aluminium et piqué de cavités microscopiques en surface. Quand le disque joue, un faisceau laser de faible puissance est renvoyé sur la surface du disque par un semi-miroir. Si le faisceau balaie une partie plane de la surface, il est renvoyé à nouveau à travers le semi-miroir pour produire un éclair lumineux. Une cavité sur la surface disperse le faisceau et ne produit aucune réflexion. Quand le disque tourne, les éclairs sont convertis en signaux électriques envoyés à l'amplificateur.

❷ *Ce semi-miroir renvoie le faisceau laser sur la surface*

❸ *Le faisceau laser est réfléchi par la surface plane du disque*

❹ *Le semi-miroir laisse passer le faisceau laser réfléchi*

Lentille de convergence

❺ *Le capteur de lumière convertit les éclairs lumineux en signaux électriques.*

Découverte scientifique

En 1877, Thomas Edison (1847-1931) fut la première personne à stocker les sons sous forme physique. Il inventa l'appareil appelé phonographe qui gravait des sillons sur un cylindre en cire pour enregistrer les sons et les diffusait en faisant glisser une aiguille le long des sillons. Le premier enregistrement fut celui d'une comptine prononcée par Edison lui-même.

Les sons sur un disque vinyle

Quand un disque vinyle tourne, le saphir suit un minuscule sillon spiralé en surface. Le dessin spiralé fait vibrer le saphir. Un électroaimant ou un cristal placé au-dessus du saphir dans la tête du microphone convertit les vibrations physiques en signaux électriques destinés à l'amplificateur puis au haut-parleur. Des sillons plus profonds donnent des sons plus forts, et des ondes plus fréquentes ou plus courtes dans les sillons donnent des sons de plus haute fréquence.

Chaque face du disque présente un long sillon en spirale

Saphir

Sillon spiralé en surface du disque vinyle

L'usage des sons

LES SONS SONT INDISPENSABLES. Nous les utilisons pour communiquer, connaître et transmettre des idées, des pensées et des projets, soit face-à-face, soit par téléphone. Les sons musicaux et naturels, comme le chant d'un oiseau, affectent nos émotions ; ils nous rendent gais ou tristes, inquiets ou détendus. De puissantes sirènes nous avertissent d'un danger ; la radio nous divertit et nous informe, alors que la télévision perd beaucoup d'intérêt sans son ! Notre oreille ne perçoit pas les ultrasons mais il est possible de les détecter au microphone et de les montrer sur écran sous forme de graphique. Cela nous permet de « voir » à l'intérieur du corps, sous l'eau ou dans une machine. Les ultrasons servent également à souder les métaux et les plastiques, à fabriquer des circuits électroniques et à nettoyer des composants petits et fragiles.

Le radar du bateau travaille dans l'air

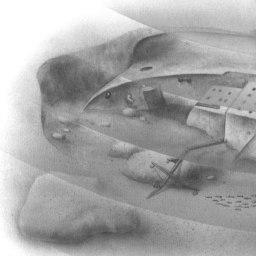

Impulsions descendantes du sonar

Les ondes sonores se déplacent à 1 430 m par seconde

Les ondes sonores se dispersent à partir de la source

La puissance de la parole
Le pouvoir des mots est immense, notamment s'ils sont énoncés avec passion et émotion. Des discours célèbres, comme le plaidoyer de Martin Luther King pour les droits civiques de 1963, « J'ai fait un rêve… » changent le cours de l'histoire.

Tester des matériaux
Les ultrasons peuvent détecter d'infimes défauts dans les métaux, les plastiques et autres matériaux servant à fabriquer des composants ou des pièces, des boulons d'un pont aux ailes d'un avion. Les impulsions d'ultrasons sont réfléchies par des micro-fissures. Le dessin des ultrasons s'inscrit sur un écran.

Communication animale
Les lions qui rugissent, les loups qui hurlent, les chiens qui aboient – voici quelques exemples d'animaux qui communiquent entre eux par l'intermédiaire des sons. Il est parfois possible de connaître la signification d'un son même s'il s'agit d'un animal peu familier. Un grognement ou un sifflement est souvent menaçant.

Voir également : À propos des ondes page 110, Les ondes sonores page 112

Le bateau est équipé d'un sonar : un émetteur et des microphones sous-marins (hydrophones) détectent les échos

Un sonar plus petit détecte les obstacles susceptibles de survenir à l'avant du bateau

Échos des impulsions du sonar

Découverte scientifique

Ernst Mach (1838-1916), philosophe et scientifique s'intéressa aux objectifs de la science, à la nature des théories et des faits ainsi qu'aux résultats des expériences. Il étudia aussi la vue, l'ouïe et les caractéristiques des ondes, établit le rôle de la vitesse du son en aérodynamique et souligna que celle-ci variait avec les changements de densité, de température et de pression atmosphériques. L'unité de vitesse égale à celle du son, utilisée en aviation, porte son nom.

Voir grâce au son

Les bateaux utilisent des sonars pour chercher des objets comme les épaves, les sous-marins, les rochers, les icebergs, les baleines et les bancs de poisson sous l'eau. Le sonar sert également à mesurer la profondeur de l'eau et à établir la carte des fonds marins. Un Sonar (SOund Navigation and Ranging) est un dispositif d'émission d'ultrasons (sons très aigus) sous l'eau. Les ondes sonores rebondissent (se réverbèrent) sur les objets puis sont renvoyés sous formes d'échos. Comme nous savons à quelle vitesse le son se déplace dans l'eau, le chronométrage des échos nous indique la distance à laquelle se trouve l'objet. L'analyse détaillée des échos nous permet de déterminer la nature de l'objet – s'il est gros ou petit, dur ou mou. Le radar fonctionne de façon analogue mais il utilise les ondes radio qui se déplacent dans l'air (les ondes radio ne vont pas loin dans l'eau).

Les ondes d'ultrasons sont réverbérées par des objets – des épaves par exemple – reposant sur les fonds marins

Les sons sur l'écran

Le sonar utilise les ultrasons qui sont beaucoup trop aigus pour nos oreilles. Des microphones convertissent les ultrasons en signaux électriques. Un dispositif électronique convertit ces signaux en sons moins aigus que nous entendons sous forme de cliquetis et que nous voyons sous formes de lignes et de couleurs sur des écrans de visualisation.

La lumière

NOUS VOYONS LA LUMIÈRE et seulement la lumière, nous utilisons la lumière au quotidien et d'une infinité de manières, mais la lumière est difficile à décrire. C'est une forme d'énergie issue de la combinaison de champs électriques et magnétiques. Dans certains cas, elle se propage sous forme d'ondes et présente les caractéristiques propres aux ondes. Dans d'autres cas, elle semble être un faisceau de particules microscopiques ou paquets d'énergie appelés photons. Les scientifiques ont fini par accepter ces deux façons d'appréhender la lumière et parlent de la « dualité ondes-particules » de la lumière. Rien ne se déplace plus vite que la lumière – sa vitesse avoisine les 300 000 kilomètres par seconde.

Lumière invisible

La lumière dont les ondes sont plus courtes que les ondes de la lumière violette est appelée lumière ultraviolette (ou rayons ultraviolets). Elle est invisible, mais une trop grande quantité d'ultraviolets provoque des brûlures et risque d'abîmer les yeux.

Les couleurs de l'arc-en-ciel

Un arc-en-ciel est formé par la lumière du Soleil qui brille à travers les gouttes de pluie. Ces gouttes dispersent la lumière blanche en rayons colorés. Dans un arc-en-ciel, ces couleurs sont le rouge, l'orangé, le jaune, le vert, le bleu, l'indigo et le violet. Elles sont toujours dans le même ordre et forment le spectre de la lumière blanche. Chaque couleur est une lumière de longueur d'onde différente. Les ondes de la lumière rouge sont les plus longues, la lumière orange a des ondes légèrement plus courtes, et ainsi de suite.

Les couleurs du spectre se fondent l'une dans l'autre

Découverte scientifique

Un des premiers savants à étudier la lumière d'un point de vue scientifique fut Alhazen (965-1038). À l'époque, la plupart des gens pensaient que la lumière sortait des yeux et éclairait les objets pour les rendre visibles. Alhazen trouva l'explication correcte : la lumière provenant d'une source lumineuse, comme le Soleil ou une bougie, se réfléchissait sur les objets avant de venir frapper l'œil. Il étudia aussi les lumières colorées, les miroirs et les lentilles. Ses travaux aidèrent les savants qui lui succédèrent à mettre au point le microscope et d'autres appareils optiques basés sur la lumière. Malheureusement pour une personne qui contribua à expliquer la lumière, les lentilles et le fonctionnement de l'œil, il n'existe aucun portrait d'Alhazen.

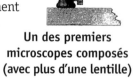

Un des premiers microscopes composés (avec plus d'une lentille)

Clair et flou

Certaines substances laissent passer presque toute la lumière. Ces matériaux clairs comme l'air, les vitres d'une fenêtre ou l'eau sont dits transparents. D'autres substances laissent passer de la lumière, mais les ondes sont dispersées et réverbérées, la vision devient floue. Ces substances translucides comprennent le verre dépoli, la brume, les voilages et le papier calque. Une substance qui ne laisse passer aucune lumière est qualifiée d'opaque.

Voir également : La télévision page 104, À propos des ondes page 110

COULEURS ET FILTRES

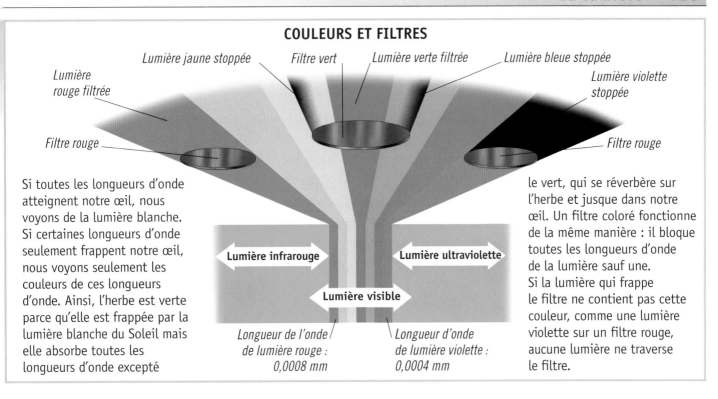

Lumière jaune stoppée

Filtre vert

Lumière verte filtrée

Lumière bleue stoppée

Lumière rouge filtrée

Lumière violette stoppée

Filtre rouge

Filtre rouge

Lumière infrarouge

Lumière ultraviolette

Lumière visible

Longueur de l'onde de lumière rouge : 0,0008 mm

Longueur d'onde de lumière violette : 0,0004 mm

Si toutes les longueurs d'onde atteignent notre œil, nous voyons de la lumière blanche. Si certaines longueurs d'onde seulement frappent notre œil, nous voyons seulement les couleurs de ces longueurs d'onde. Ainsi, l'herbe est verte parce qu'elle est frappée par la lumière blanche du Soleil mais elle absorbe toutes les longueurs d'onde excepté le vert, qui se réverbère sur l'herbe et jusque dans notre œil. Un filtre coloré fonctionne de la même manière : il bloque toutes les longueurs d'onde de la lumière sauf une. Si la lumière qui frappe le filtre ne contient pas cette couleur, comme une lumière violette sur un filtre rouge, aucune lumière ne traverse le filtre.

Mélanger les couleurs

La plupart des couleurs de la lumière s'obtiennent en mélangeant seulement trois couleurs, le rouge, le bleu et le vert. Ce sont les couleurs primaires de la lumière. En les additionnant dans des proportions variables, on crée d'autres couleurs. Le rouge ajouté au vert donne du jaune ; le rouge ajouté au bleu donne du magenta (rose) ; le vert ajouté au bleu donne du cyan (bleu clair). Le jaune, le magenta et le cyan sont les couleurs complémentaires, ou secondaires, de la lumière. Le rouge ajouté au bleu et au vert donne une lumière blanche.

Les points sont trop petits pour être vus séparément sur l'écran

Canon à faisceaux d'électrons verts

Canon à faisceaux d'électrons rouges

Masque à l'intérieur de l'écran

Canon à faisceaux d'électrons bleus

Les points colorés

Un écran de télévision est couvert de milliers de minuscules points colorés appelés points phosphorescents. Ceux-ci brillent lorsqu'ils sont atteints par des faisceaux d'électrons venant de l'intérieur de l'écran, comme on l'a vu précédemment. Ces points sont rouges, verts et bleus (soit les trois couleurs primaires de la lumière), assemblés par groupes de trois appelés pixels. Si le point rouge est le seul à briller, cette petite partie d'écran paraît rouge. Si les points rouges et verts brillent, elle paraît jaune. Si les trois points brillent, elle paraît blanche. L'image de télévision se compose de milliers de zones colorées diverses de ce type.

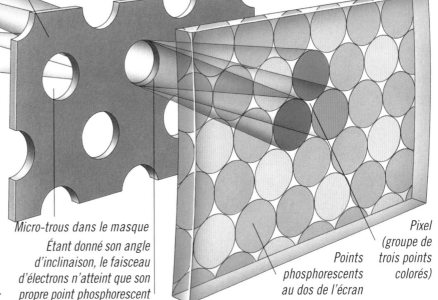

Micro-trous dans le masque
Étant donné son angle d'inclinaison, le faisceau d'électrons n'atteint que son propre point phosphorescent

Points phosphorescents au dos de l'écran

Pixel (groupe de trois points colorés)

Lumière réfléchie

QUAND LA LUMIÈRE FRAPPE certaines surfaces, elle est renvoyée par cette surface, telle une balle contre un mur ; on parle alors de réflexion. La plupart des objets ne renvoient pas leur propre lumière. Nous les voyons parce qu'ils réfléchissent la lumière d'autre chose dans nos yeux. Par exemple, la Lune ne produit pas sa propre lumière. Elle brille parce qu'elle réfléchit la lumière du Soleil. Une surface très lisse et brillante, comme un miroir, réfléchit la majeure partie de la lumière qui l'atteint sans la disperser. Elle produit donc un reflet net et lumineux. Sur une surface rugueuse, la lumière qui est dispersée, ou réfléchie, dans toutes les directions produit des reflets ternes. La couleur des objets dépend aussi des reflets. Un objet blanc réfléchit toutes les couleurs de la lumière blanche qui l'éclaire. Un objet complètement noir ne réfléchit aucune lumière.

Amusants reflets
Un miroir de foire incurvé présente une surface onduleuse, concave à certains endroits et convexe à d'autres.
Il produit des images distordues et amusantes.

REFLETS INCURVÉS

Un miroir incurvé change la forme de son reflet. Un miroir convexe (incurvé vers l'extérieur) rapetisse les choses alors qu'un miroir concave (incurvé vers l'intérieur) les grossit. Les miroirs concaves peuvent également renverser les choses. Les miroirs incurvés ont de nombreux usages ; les rétroviseurs externes d'une voiture sont convexes pour donner une image plus grande. Les miroirs de rasage sont concaves pour donner une image magnifiée. Pour vérifier ces phénomènes, regardez-vous dans les faces convexe et concave d'une cuiller à soupe brillante.

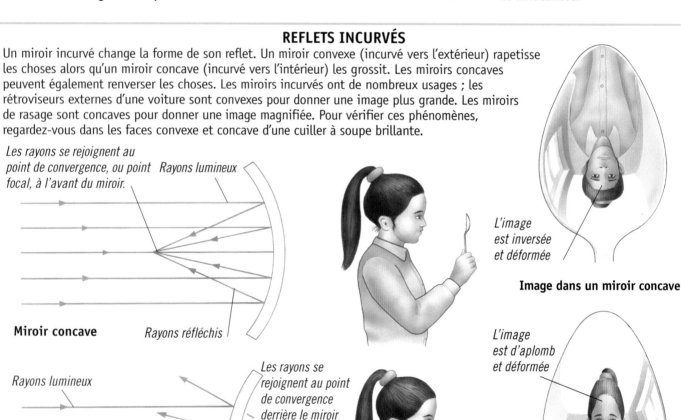

Les rayons se rejoignent au point de convergence, ou point focal, à l'avant du miroir.

Rayons lumineux

Miroir concave   *Rayons réfléchis*

Rayons lumineux

Les rayons se rejoignent au point de convergence derrière le miroir

Miroir convexe   *Rayons réfléchis*

L'image est inversée et déformée

Image dans un miroir concave

L'image est d'aplomb et déformée

Image dans le miroir convexe

Voir également : La lumière page 124, Lumière réfractée page 128

Miroir

Image dans le miroir

La lumière se déplace en ligne droite

Les rayons lumineux de la torche forment un faisceau de lumière incidente

La torche est la source lumineuse

Angle d'incidence entre le faisceau de lumière incidente et la normale

La normale (ligne imaginaire)

Angle de réflexion entre le faisceau lumière réfléchie et la normale

Images inversées

Quand la lumière frappe un miroir plat selon un certain angle (angle d'incidence), elle est réfléchie avec le même angle (angle de réflexion). La loi de la réflexion dit que les deux rayons lumineux ont le même angle mais à l'opposé de la normale au miroir (une ligne imaginaire perpendiculaire au miroir). Un reflet paraît aussi éloigné à l'arrière du miroir que l'objet l'est à l'avant. Il en est ainsi parce que notre cerveau sait que la lumière se déplace en ligne droite et pense que les rayons lumineux viennent en ligne droite de derrière le miroir au lieu d'être renvoyés en biais. L'image dans le miroir est une image virtuelle car elle n'existe pas vraiment ; elle ne produit et ne réfléchit aucune lumière.

La lumière renvoyée par le miroir est de la lumière réfléchie

Scène sur la surface

Voir plus haut

Un périscope utilise deux miroirs, ou deux blocs de verre triangulaire appelés prismes, pour réfléchir deux fois un rayon lumineux. Ce dispositif permet de voir par-dessus un obstacle, des murs ou des individus par exemple. Le périscope extensible d'un sous-marin permet à l'équipage de voir par-dessus la surface de l'eau.

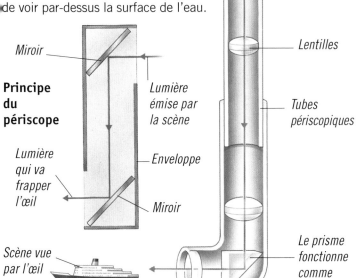

Miroir

Principe du périscope

Lumière qui va frapper l'œil

Scène vue par l'œil

Lumière émise par la scène

Enveloppe

Miroir

Le prisme fonctionne comme un miroir

Lentilles

Tubes périscopiques

Le prisme fonctionne comme un miroir

KALÉIDOSCOPES

Le mot kaléidoscope signifie « beau à regarder ». Un kaléidoscope est un cylindre comprenant trois longs miroirs qui se font face en formant un triangle, et des fragments mobiles de verre coloré au fond. La lumière réfléchie par les différents miroirs crée un grand nombre d'images inversées. Les combinaisons d'images changent au gré des déplacements des fragments de verre.

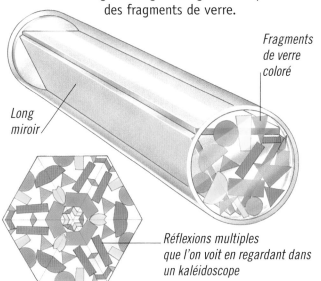

Fragments de verre coloré

Long miroir

Réflexions multiples que l'on voit en regardant dans un kaléidoscope

Lumière réfractée

QUAND LA LUMIÈRE PASSE d'un milieu transparent (tel que l'air) à un autre (tel que le verre), elle semble dévier en franchissant la ligne de séparation entre les deux milieux. Cet effet, la réfraction, est dû à la différence de vitesse de la lumière entre les deux milieux. La lumière se propage très vite – à la « vitesse de la lumière » – à travers l'espace et légèrement moins vite à travers l'air. Quand elle pénètre dans l'eau, elle ralentit et va environ trois fois moins vite que dans l'espace. Dans le verre, elle se propage encore plus lentement. Cette réfraction est utilisée dans des centaines d'appareils, des lentilles de contact aux télescopes géants.

Lumière blanche (mélange de toutes les couleurs)

Le prisme réfracte la lumière

Dispersion de la lumière blanche

Un bloc triangulaire de verre ou de plastique transparent à faces planes est appelé prisme. Quand un rayon de lumière blanche pénètre dans un prisme, il ralentit car la lumière se propage moins rapidement à travers le plastique ou le verre. Mais toutes les couleurs de la lumière blanche ne ralentissent pas de la même façon. Celles aux ondes plus courtes vont plus lentement que celles aux ondes plus longues. Ainsi, les couleurs sont dispersées en un spectre. La lumière rouge, aux ondes les plus longues, ralentit le moins ; elle est donc la moins réfractée.

Prisme en verre transparent

La lumière violette est la plus ralentie donc la plus réfractée

La lumière est réfractée en pénétrant dans le prisme

La lumière est réfractée à nouveau en sortant du prisme

« Prisme » de la goutte de pluie

La lumière rouge est la moins ralentie donc la moins réfractée

Lumière blanche du Soleil

Le prisme de la goutte de pluie

Lors d'une averse, des millions de gouttes de pluie jouent le rôle de minuscules prismes et dispersent la lumière du soleil en son spectre de couleurs pour donner un arc-en-ciel. Celui-ci est visible seulement lorsque le Soleil brille derrière vous, et qu'il a plu bien sûr !

La lumière réfractée produit un arc-en-ciel

Découverte scientifique

Willebrord Snell (1850-1626) fut le premier à étudier la réfraction d'un point de vue scientifique. Il découvrit que chaque substance avait son propre pouvoir de dévier la lumière : cet indice de réfraction est le rapport entre le sinus de l'angle du rayon lumineux qui pénètre dans la substance ou le milieu – angle d'incidence – et l'angle du rayon lumineux une fois qu'il est dans la substance – angle de réfraction.

Voir également : Lumière réfléchie page 126, L'usage de la lumière page 132

LES LENTILLES
Toute pièce de matière transparente aux bords légèrement incurvés est appelée lentille. Une lentille convexe est plus épaisse au milieu que sur les bords ; elle fait converger les rayons lumineux qui la traversent en un point appelé foyer. Elle grossit les objets mais la surface de vision est plus petite. Une lentille concave est plus fine au milieu que sur les bords ; elle fait diverger les rayons qui la traversent et les objets paraissent plus petits.

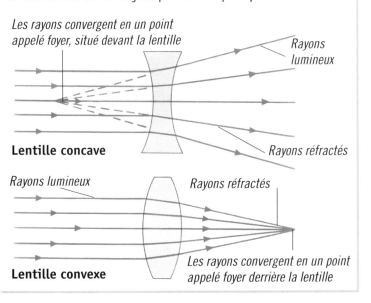

Les rayons convergent en un point appelé foyer, situé devant la lentille

Rayons lumineux

Lentille concave

Rayons réfractés

Rayons lumineux

Rayons réfractés

Lentille convexe

Les rayons convergent en un point appelé foyer derrière la lentille

Réfractions insolites
La réfraction de lumière dans l'eau crée des effets insolites. Une paille plongée dans une boisson paraît coupée en deux. Si la boisson est dans un verre, la réfraction du verre augmente cet effet. La réfraction fait également paraître le fond d'une piscine plus proche qu'il ne l'est en réalité.

Effet déformant
La surface lisse de l'eau agit comme un miroir : elle réfléchit la lumière venant du dessus. Elle réfracte également la lumière du dessous provenant d'objets placés dans l'eau. Les ondulations à la surface de l'eau créent deux types d'effets. Elles déforment les réflexions venant de la surface ainsi que les réfractions.

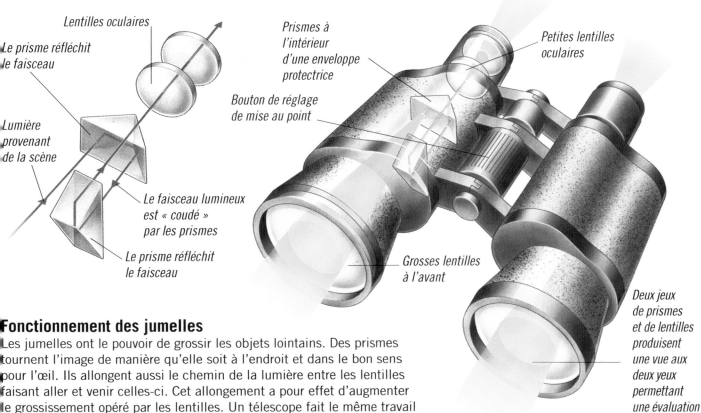

Lentilles oculaires

Le prisme réfléchit le faisceau

Lumière provenant de la scène

Le faisceau lumineux est « coudé » par les prismes

Le prisme réfléchit le faisceau

Prismes à l'intérieur d'une enveloppe protectrice

Bouton de réglage de mise au point

Petites lentilles oculaires

Grosses lentilles à l'avant

Deux jeux de prismes et de lentilles produisent une vue aux deux yeux permettant une évaluation de la distance

Fonctionnement des jumelles
Les jumelles ont le pouvoir de grossir les objets lointains. Des prismes tournent l'image de manière qu'elle soit à l'endroit et dans le bon sens pour l'œil. Ils allongent aussi le chemin de la lumière entre les lentilles faisant aller et venir celles-ci. Cet allongement a pour effet d'augmenter le grossissement opéré par les lentilles. Un télescope fait le même travail que les jumelles, mais comme il a moins de prismes, il est plus long.

Détecter la lumière

NOUS VOYONS GRÂCE à deux grandes sortes de lumière. L'une est la lumière du jour provenant du Soleil (cette étoile est à 150 millions de kilomètres de la Terre mais sa lumière met seulement huit minutes pour nous parvenir car la vitesse de propagation de la lumière est extrêmement élevée), l'autre est la lumière électrique (qui provient notamment d'ampoules à filaments et de tubes fluorescents). Nous voyons quand la lumière issue d'une source lumineuse est réfléchie par d'autres objets et pénètre dans notre œil – organe très complexe et fragile qui détecte les rayons lumineux et nous permet de voir notre environnement en détail et en couleur.

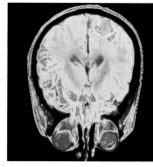

Bien protégé
Les trois quarts arrière de l'œil sont bien protégés à l'intérieur d'une profonde cavité osseuse, l'orbite, à l'intérieur du crâne. Le quart avant est protégé et nettoyé par les paupières.

Fonctionnement de l'œil

L'œil est à peu près de la grosseur d'une balle de golf et renferme une lentille de la taille d'un petit pois. La lumière pénètre dans l'œil par un trou appelé pupille. De l'extérieur, celle-ci ressemble à un point noir au centre de l'œil. Les rayons lumineux traversent la lentille qui les fait converger sur une fine membrane, la rétine, au fond de l'œil. La rétine contient des substances chimiques sensibles à la lumière qui convertissent l'énergie lumineuse en minuscules signaux nerveux électriques. Ceux-ci empruntent le nerf optique pour parvenir au cerveau. Environ les deux tiers des informations stockées dans le cerveau nous sont transmis par les yeux sous forme d'images et de mots.

Inversons l'image !
La lentille de l'œil fonctionne de telle façon qu'elle envoie une image inversée sur la rétine. Mais depuis la naissance et le premier jour où nous avons regardé autour de nous, le cerveau n'a jamais connu autre chose. Ainsi, nous apprenons à voir naturellement.

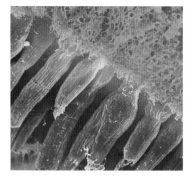

Micro-détecteurs
Dans la rétine, deux types de cellules microscopiques convertissent la lumière en signaux nerveux : sept millions de cônes (bleu-vert ci-dessus) qui fonctionnent quand la lumière est vive et voient les moindres détails et les couleurs, et environ 120 millions de bâtonnets (plus grands et plus bleus) qui voient les gris et fonctionnent bien par faible lumière.

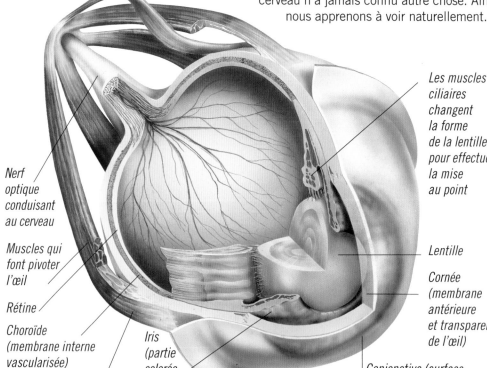

Nerf optique conduisant au cerveau

Muscles qui font pivoter l'œil

Rétine

Choroïde (membrane interne vascularisée)

Sclérotique (blanc de l'œil)

Iris (partie colorée de l'œil)

Les muscles ciliaires changent la forme de la lentille pour effectuer la mise au point

Lentille

Cornée (membrane antérieure et transparente de l'œil)

Conjonctive (surface sensible de l'œil)

Voir également : Lumière réfractée page 128, L'usage de la lumière page 132

Découverte scientifique

Antoine Henri Becquerel
(1852-1908) découvrit
la radioactivité quand il plaça
une substance renfermant
de l'uranium près d'une
plaque en verre enduite
de substances chimiques
photographiques sensibles
à la lumière. La plaque devint
trouble et sombre bien qu'elle
fût enveloppée et qu'il n'y
eût aucune lumière visible.
L'aspect trouble était dû
à la radioactivité dégagée par
l'uranium. Becquerel étudia
également la fluorescence.
Il mit au point une première
lampe fluorescente – même
si les tubes
fluorescents
ne furent
pas mis sur
le marché
avant les
années
1930.

*Le revêtement
en phosphore
transforme
les ultraviolets
en lumière
blanche*

*L'électricité
donne de l'énergie
à l'atome de mercure*

*L'électricité à fort voltage
s'écoule dans le gaz*

*Fiches permettant
de se connecter
à une prise électrique*

*Les ultraviolets arrivent sur
le revêtement en phosphore*

*L'atome de mercure émet
de l'énergie sous forme
de lumière
ultraviolette*

*Vapeur de mercure à l'intérieur
du tube*

Tube en verre

La fluorescence

Dans certaines conditions, les
atomes engrangent une forme d'énergie
invisible et la distribuent sous forme de
lumière visible. C'est la fluorescence. Une lumière
fluorescente est émise par un tube de verre rempli de
vapeur de mercure. Quand l'électricité traverse le gaz, les
atomes de mercure engrangent l'énergie électrique et la
diffusent sous forme de rayons ultraviolets invisibles. Ces rayons
frappent un revêtement en phosphore à l'intérieur du tube ; les
atomes de phosphore les transforment en lumière blanche.

Combustion lumineuse

En brûlant, certaines
substances chimiques
émettent une lumière vive.
On les utilise notamment pour
fabriquer des feux d'artifice.
Les flashs des anciens
appareils photographiques
utilisaient du magnésium.

Au cœur d'un appareil photo

L'appareil photo reflex
utilise les mêmes lentilles
pour viser et prendre
la photo. La lumière pénètre
dans l'appareil photo
à travers l'objectif,
est réfléchie par un miroir
et se réfléchit autour
de l'intérieur d'un prisme
jusqu'à l'œil. Quand on
appuie sur l'obturateur,
le miroir pivote rapidement
vers le haut afin que
la lumière éclaire le film
photosensible.

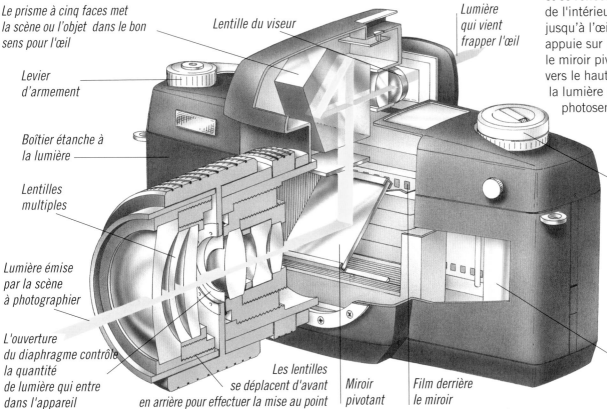

*Le prisme à cinq faces met
la scène ou l'objet dans le bon
sens pour l'œil*

*Levier
d'armement*

*Boîtier étanche à
la lumière*

*Lentilles
multiples*

*Lumière émise
par la scène
à photographier*

*L'ouverture
du diaphragme contrôle
la quantité
de lumière qui entre
dans l'appareil*

Lentille du viseur

*Lumière
qui vient
frapper l'œil*

*Manivelle
de rembobinage
du film*

Bobine de film

*Les lentilles
se déplacent d'avant
en arrière pour effectuer la mise au point*

*Miroir
pivotant*

*Film derrière
le miroir*

L'usage de la lumière

Lumières électriques, microscopes, télescopes, télévisions, appareils photo, panneaux solaires : nous utilisons la lumière quotidiennement et de multiples façons. La nuit, les lumières artificielles jouent un rôle très important. Les instruments optiques utilisent les lentilles et les miroirs pour modifier la dimension des images et les éclaircir. Les éclairs lumineux servent également à envoyer des messages, du plus simple (en allumant et en éteignant une lampe torche) au plus élaboré (des milliers d'éclairs de lumière laser à la seconde transmis par des fibres optiques, véhiculant des informations pour des programmes de télévision, des appels téléphoniques et des communications par ordinateur).

Le microscope

Un microscope optique utilise deux jeux de lentilles pour grossir des centaines de fois de très petits objets. Un microscope composé grossit en deux temps. La lumière réfléchie par un miroir traverse l'objet (qui doit être très fin et partiellement transparent) et arrive dans la puissante lentille de l'objectif ; on obtient ainsi le premier grossissement. La lentille de l'oculaire agrandit cette image comme une loupe.

Lentilles de l'oculaire

Cylindre

Vis de mise au point

Tourelle pivotante

Autres lentilles d'objectif pour différents grossissements

Vis de mise au point fine

Lentilles d'objectif

Objet placé sur une lamelle de verre

Réglage de l'inclinaison

Miroir reflétant la lumière vers l'objet

Support lourd

Découverte scientifique

Antonie van Leeuwenhoek (1632-1723), marchand de tissu hollandais, fut l'un des premiers utilisateurs du microscope. Il fabriqua des centaines de microscopes simples (à une seule lentille), meulant et polissant lui-même les minuscules verres de ses lentilles. Certaines lentilles étaient à peine plus grosses que des grains de riz. Selon les modèles, le pouvoir grossissant variait de 70 à 250 fois. Van Leeuwenhoek observa et dessina des images de microbes comme les bactéries, les cellules vivantes du sang et des liquides corporels.

Grains de pollen de plante vus au microscope

La vision au microscope

Un microscope optique grossit les objets de 1000 à presque 2000 fois ; ensuite, l'image est trop floue pour être utilisée. Un microscope électronique, qui utilise des faisceaux d'électrons et non des rayons de lumière, a un pouvoir grossissant beaucoup plus grand.

Voir également : Les fibres optiques page 102, Usages des ondes électromagnétiques page 138

LES TÉLESCOPES

Les télescopes donnent une vision rapprochée d'objets éloignés, d'un satellite ou d'une station spatiale en orbite autour de la Terre, aux étoiles et galaxies situées à des milliards de kilomètres dans l'espace intersidéral. Les très grosses lentilles ayant tendance à présenter de petits défauts, la plupart des télescopes astronomiques modernes utilisent des miroirs ; on les appelle des télescopes à réflecteur. Les plus grands miroirs mesurent plus de cinq mètres de diamètre.

Dans un télescope à réfracteur, deux lentilles ou jeux de lentilles réfractent (dévient) les rayons lumineux. Une grande lentille à l'avant collecte et focalise la lumière émise par un objet lointain. Une petite lentille, celle de l'oculaire, agrandit l'image et la rend plus visible

Le télescope à réflecteur utilise des miroirs pour réfléchir la lumière. Un grand miroir concave collecte et concentre les rayons lumineux. Un second miroir réfléchit la lumière sur la petite lentille de l'oculaire, sur le côté du télescope, qui agrandit l'image.

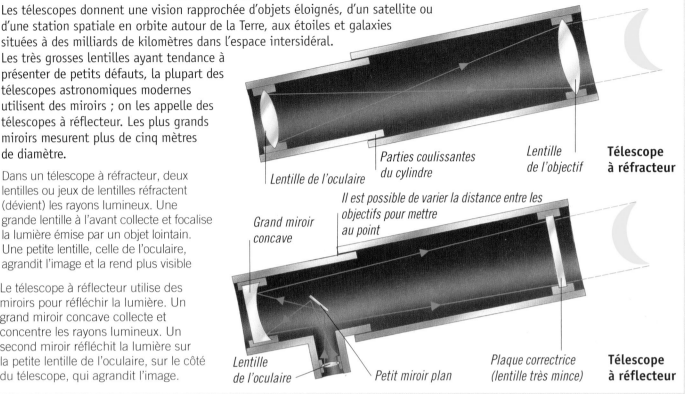

Lentille de l'oculaire | Parties coulissantes du cylindre | Lentille de l'objectif | **Télescope à réfracteur**

Il est possible de varier la distance entre les objectifs pour mettre au point

Grand miroir concave

Lentille de l'oculaire | Petit miroir plan | Plaque correctrice (lentille très mince) | **Télescope à réflecteur**

La lumière nocturne

Sans lumière, la vie nocturne nous semblerait bien différente. On ne pourrait pas se déplacer aussi facilement, dîner au restaurant, travailler le soir à la maison, rendre visite à des amis ou pratiquer des activités de loisir. Les enseignes publicitaires n'éclaireraient pas la ville. Plus sérieusement, les services d'urgence auraient du mal à intervenir lors d'un accident ou d'une catastrophe et les hôpitaux ne pourraient soigner les blessés.

Observer l'espace

Les télescopes qui détectent les rayons lumineux sont appelés télescopes optiques (ci-dessous, à droite). En général, ils sont construits au sommet d'une montagne, bien au-dessus de l'air brumeux et vicié proche du sol. Ils sont aussi situés loin des lumières vives des villes qui masqueraient la lumière pâle des étoiles. D'autres types de télescopes ne détectent pas les ondes lumineuses mais les ondes radio qui émanent naturellement de l'espace. Ils sont équipés de grandes paraboles (ci-dessous, à gauche) et sont appelés radiotélescopes.

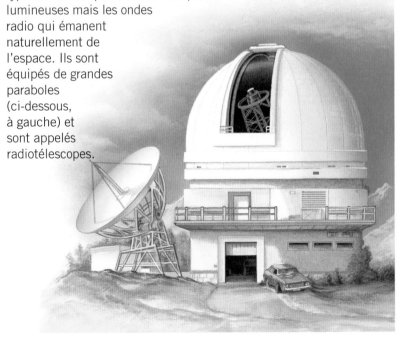

La lumière laser

LA LUMIÈRE ORDINAIRE émise par le Soleil ou une lampe électrique est un mélange de différentes longueurs d'ondes (ou couleurs). En outre, ses ondes se brouillent ; elles montent et descendent de façon totalement désordonnée. À l'inverse, la lumière laser ne contient qu'une seule longueur d'onde (couleur) et ses ondes sont cohérentes, ordonnées – elles montent et descendent en même temps. Le résultat est un faisceau intense d'une seule couleur qui ne se disperse pas ou ne baisse pas comme une lumière ordinaire. La lumière laser est même plus vive que celle du soleil. Elle a tant d'énergie qu'elle peut brûler le métal. Les lasers sont utilisés de mille manières dans l'industrie, la médecine ou la chirurgie...

Lasers industriels
Les lasers de grande longueur d'onde dirigés su une surface produisent un chaleur intense.
Cette chaleur permet de découper des tissus pour fabriquer des vêtements et même des métaux solides comme l'acier, ou de souder des pièces métalliques.

Le tube envoie de l'énergie, sous forme d'éclairs lumineux, dans un milieu actif

Miroir argenté

Milieu actif (dans ce laser, du cristal de rubis)

Comment fonctionne un laser

La lumière laser est produite par un apport d'énergie telle que de la lumière ordinaire ou de l'électricité dans une substance appelée milieu actif. Quand celui-ci reçoit l'énergie, ses atomes émettent une lumière d'une longueur d'onde donnée. Lorsque la lumière d'un atome frappe ses voisins, ceux-ci produisent une lumière identique. Cette lumière, réfléchie par des miroirs spéciaux situés à chaque extrémité du laser, va et vient à l'intérieur de celui-ci. Finalement, elle devient si intense qu'une partie passe à travers l'un des miroirs et forme un faisceau laser.

La lumière rebondit d'un miroir à l'autre

Miroir semi-argenté

Rayon laser

Découverte scientifique

L'ingénieur et physicien Théodore Maiman (1927-) construisit le premier laser opérationnel en 1960. Il produisait une lumière laser par bombardement d'un cristal de rubis avec de la lumière provenant d'un flash (du type de celui des appareils photo). Le dispositif entier ne mesurait que quelques centimètres mais fonctionnait très bien. Maiman prolongea les recherches sur les lasers et les masers (qui utilisent des micro-ondes et non de la lumière) effectuées par Nikolay Basov et Charles H Townes.

Gros et petit

Les lasers industriels très puissants occupent une grande pièce. Les las de petite puissance sont utilisés en médecine pour couper à travers des tissus, notamment en microchirurgi La chaleur du rayon cautérise les vaisseaux sanguins pour réduire les saignements dus à l'incision. Les lasers à semi-conducteurs qui lisen les disques durs des ordinateurs et disques compacts sont de la taille d'un grain de riz.

Voir également : Les fibres optiques page 102, La lumière page 124

Laser et spectacle

Les shows de lumière les plus spectaculaires sont réalisés avec des rayons laser. La couleur de la lumière dépend des éléments chimiques présents dans le milieu actif. Ce milieu peut être un solide tel qu'un cristal, un liquide, voire un gaz tel que l'argon ou le dioxyde de carbone. La lumière laser peut franchir sans se disperser ni s'affaiblir d'énormes distances. Comme la lumière ordinaire, la lumière laser se propage en ligne parfaitement droite. Ainsi, les rayons laser servent de « règles » pour effectuer des relevés topographiques et aligner de grandes constructions.

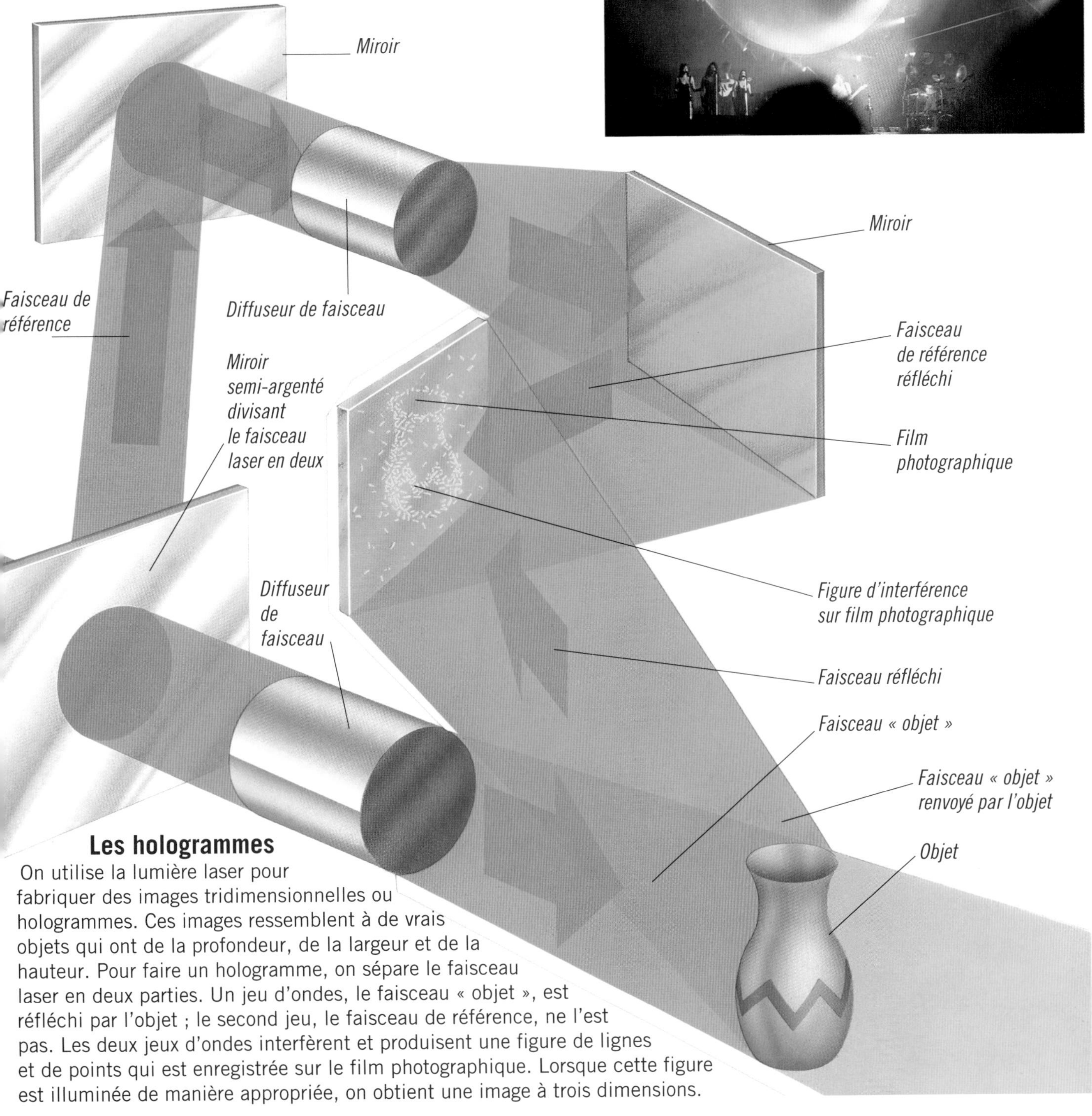

Miroir

Miroir

Faisceau de référence

Diffuseur de faisceau

Faisceau de référence réfléchi

Miroir semi-argenté divisant le faisceau laser en deux

Film photographique

Diffuseur de faisceau

Figure d'interférence sur film photographique

Faisceau réfléchi

Faisceau « objet »

Faisceau « objet » renvoyé par l'objet

Objet

Les hologrammes

On utilise la lumière laser pour fabriquer des images tridimensionnelles ou hologrammes. Ces images ressemblent à de vrais objets qui ont de la profondeur, de la largeur et de la hauteur. Pour faire un hologramme, on sépare le faisceau laser en deux parties. Un jeu d'ondes, le faisceau « objet », est réfléchi par l'objet ; le second jeu, le faisceau de référence, ne l'est pas. Les deux jeux d'ondes interfèrent et produisent une figure de lignes et de points qui est enregistrée sur le film photographique. Lorsque cette figure est illuminée de manière appropriée, on obtient une image à trois dimensions.

Au-delà de la lumière

LA LUMIÈRE SE PRÉSENTE sous forme de rayons électriques et magnétiques combinés, ou ondes électromagnétiques.Il existe un vaste éventail d'ondes électromagnétiques, appelé spectre électromagnétique. Les ondes d'énergie électromagnétique se propagent toutes à la même vitesse et peuvent toutes traverser l'espace. Elles diffèrent en longueur et en fréquence (nombre d'ondes par seconde). Nous ne voyons que la partie lumineuse du spectre électromagnétique mais d'autres ondes restent invisibles. Toutefois, nous sommes capables de les détecter de diverses manières. Par exemple, nous sentons la chaleur des ondes infrarouges.

Voir les ondes électromagnétiques

Notre œil ne voit que la partie lumineuse du spectre électromagnétique. Pour détecter les autres ondes et les convertir en lumière, nous utilisons des appareils électroniques. Cet écran de contrôle du trafic aérien affiche, sous forme de points lumineux, les échos produits par les avions sur le trajet des ondes radio.

À quelle hauteur exactement ?

L'équipement électromagnétique moderne est étonnement complexe et de haute précision. Le radar d'un satellite qui utilise des micro-ondes peut envoyer les ondes jusqu'au sol, recevoir et minuter leurs réflexions et calculer la hauteur du satellite à 10 centimètres près.

Le spectre électromagnétique

Le spectre complet des ondes électromagnétiques est figuré ci-dessous.
Les ondes radio ont la plus grande longueur d'onde et la plus basse fréquence.
Les rayons gamma ont la plus courte longueur d'onde. La plupart de ces ondes existent à l'état naturel sur la Terre ou viennent du Soleil et de l'espace.
Nous avons également trouvé des moyens de produire et d'exploiter les ondes, comme on le verra aux pages suivantes.

Émission de radio

Programme de télévision

Radar à parabole

Four à micro-ondes

Grandes ondes radio
Les plus grandes ondes radio mesurent plusieurs kilomètres d'une crête à la suivante et transmettent essentiellement des émissions de radio.

Ondes radio plus courtes
Utilisées par la radio FM et la télévision (VHF et UHF, Very et Ultra High Frequency), elles mesurent un mètre ou moins.

Ondes radio très courtes
Certains systèmes de télévision et les systèmes radar (voir ci-dessus) utilisent des ondes radio très courtes, d'une dizaine de centimètres seulement.

Micro-ondes
Les micro-ondes sont utilisée dans les fours à micro-ondes et aussi par les radars et les satellites. Elles ne mesurent que quelques centimètres.

Voir également : À propos des ondes page 110, La lumière page 124, Lumière réfléchie page 126

Les images infrarouges

Les photographies infrarouges montrent la chaleur émise par les objets. Leurs couleurs ne sont pas réelles ; elles représentent les types et les proportions d'ondes infrarouges réfléchies par chaque objet. Ces valeurs sont ensuite changées en couleurs visibles par l'œil. Les images infrarouges prises d'avion ou de satellites (ci-contre, à gauche) sont utilisées de diverses manières. L'eau propre et claire paraît noire mais l'eau polluée est plus bleue. Dans les forêts, il est possible de distinguer les jeunes arbres des plus anciens. Dans les régions agricoles, les cultures saines paraissent rouge vif. Une couleur plus terne indique une sécheresse, une maladie ou une invasion d'insectes.

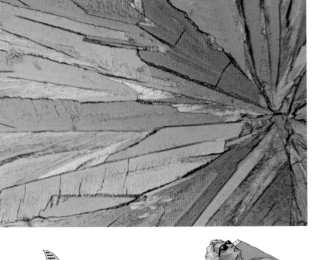

ONDES INSOLITES

▸ Les ondes radio courtes sont réfléchies par les milliards de gouttes de pluie d'un nuage. C'est ainsi que le radar d'un satellite météo produit des images de la couverture nuageuse des régions situées en-dessous.

▸ Les rayons X naturels provenant de l'espace ne pénètrent pas loin dans l'atmosphère terrestre. Ainsi, les télescopes à rayons X doivent être transportés au-dessus de l'atmosphère à bord d'une fusée ou d'un satellite, ou sous un ballon de haute altitude.

▸ Les rayons gamma, très dangereux pour les cellules vivantes, servent à tuer les microbes et à stériliser le matériel médical.

Découverte scientifique

Vers 1894, Guglielmo Marconi (1874-1937) s'intéressa aux « ondes électriques » étudiées par Heinrich Hertz. Marconi décida de construire son propre matériel pour fabriquer et détecter les ondes, puis transmettre des messages. En 1896, il envoya des signaux radio de l'autre côté de son jardin ; en 1899, de l'autre côté de la Manche, en Angleterre, et en 1901, de l'autre côté de l'Atlantique, à Terre-Neuve. La radiodiffusion publique naquit dans les années 1920.

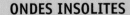

Décryptage

Les rayons X permettent de décrypter des structures atomiques par la technique de la diffraction des rayons X. Les rayons sont diffusés à travers l'objet, puis dispersés ou diffractés (déviés). Ils forment un motif de droites et de courbes sur un film (ou un écran) sensible aux rayons X. Les détails du motif montrent la taille et la forme des atomes et des molécules de la substance, ainsi que la manière dont ils sont disposés. Ce procédé permet de comprendre la structure des alliages métalliques, des médicaments, des plastiques et même des virus.

Les ondes lumineuses visibles forment une bande étroite entre les infrarouges et les ultraviolets

Bronzage aux ultraviolets

Image de l'intérieur du corps obtenue grâce aux rayons X

Infrarouges
Longs d'un millimètre au maximum, ces rayons transportent de la chaleur. Ils sont émis par tout ce qui est chaud, comme le feu, le Soleil ou le corps humain.

Ultraviolets (UV)
Encore plus courts que les ondes lumineuses, les rayons ultraviolets peuvent être nocifs. Ils font rougir la peau (coup de soleil), puis la hâlent (bronzage).

Rayons X
Chaque onde est inférieure à un millionième de millimètre. Les rayons X traversent ou pénètrent des substances molles comme la chair humaine.

Rayons gamma
Ils ont la plus courte longueur d'onde, et donc la plus haute fréquence, avec un million de millions de millions de passages par seconde.

Usages des ondes EM

LES ONDES ÉLECTROMAGNÉTIQUES servent à divers usages. Nos émetteurs radio produisent des ondes radio artificielles qui transmettent des émissions de radio et de télévision sous forme codée en variant la hauteur ou la fréquence des ondes. Les micro-ondes cuisent les aliments et transmettent aussi les communications satellites - elles diffusent de l'information à partir de stations terrestres. Les rayons X permettent d'explorer l'intérieur du corps des hommes et des animaux, mais aussi de contrôler le contenu des bagages dans les aéroports. En détectant et en étudiant les ondes électromagnétiques naturelles qui nous entourent, nous apprenons plus de choses sur notre monde, l'espace et l'Univers.

Four à micro-ondes

Dans un four à micro-ondes, un appareil appelé magnétron produit des micro-ondes c douze centimètres de long qui frappent un ventilateur tournant. Le ventilateur réverbère les ondes venant de toutes les directions sur les aliments. Les ondes pénètrent dans les aliments, heurtent les molécules d'eau, les font vibrer et génèrent ainsi de la chaleur.

Les émetteurs de rayons et les détecteurs tournent

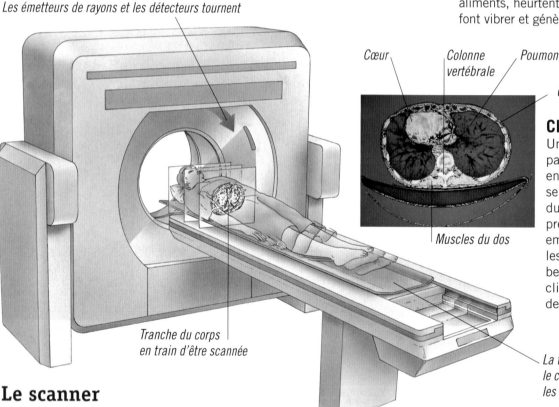

Cœur
Colonne vertébrale
Poumon
Côte

Tranche du corps en train d'être scannée

Muscles du dos

Cliché scanner

Un scanner montre les parties du corps et les tissu en différentes couleurs selon leur densité. Un tissu dur et lourd comme l'os est presque blanc. Les zones emplies de liquide, comme les vaisseaux sanguins, son beaucoup plus sombres. Ce cliché a été pris au niveau de la poitrine.

La table fait glisser le corps à travers les rayons du scanner

Le scanner

Cette forme de scanner médical est un appareil composé d'un système de tomographie et d'un ordinateur qui reconstitue les données obtenues sur un écran. Il utilise des rayons X très faibles qui tournent autour du patient. Les détecteurs détectent la force des rayons quand ils traversent le corps en montrant quelle quantité d'énergie a été absorbée par chaque partie, comme les muscles et les os. Un ordinateur analyse les résultats et reconstitue une série d'images représentant des « tranches » de corps.

Passer un scanner

Passer un scanner est indolor et inoffensif. Le patient est allongé sur une table pendan que les émetteurs de rayons X et les détecteurs tournent autour de lui. La table glisse lentement de façon que les rayons traversent chaque tranche.

Voir également : Au-delà de la lumière 136, L'atmosphère page 152

Les panneaux solaires transforment la lumière en électricité pour l'équipement satellite

Paraboles radio pour recevoir les ondes radio de l'espace et communiquer avec la Terre

Module de commande et systèmes

Volet d'ouverture du diaphragme pour laisser entrer les rayons lumineux

Miroirs et lentilles dans le module du télescope

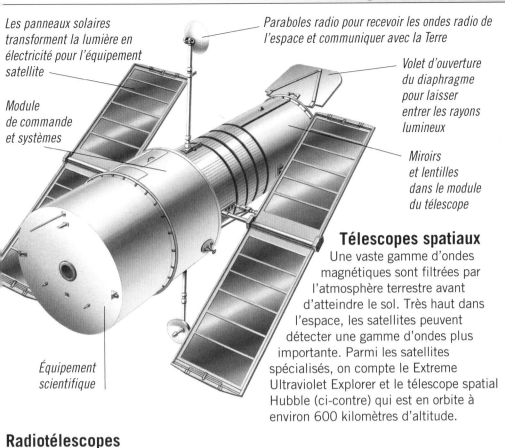

Équipement scientifique

Télescopes spatiaux

Une vaste gamme d'ondes magnétiques sont filtrées par l'atmosphère terrestre avant d'atteindre le sol. Très haut dans l'espace, les satellites peuvent détecter une gamme d'ondes plus importante. Parmi les satellites spécialisés, on compte le Extreme Ultraviolet Explorer et le télescope spatial Hubble (ci-contre) qui est en orbite à environ 600 kilomètres d'altitude.

Radiotélescopes

Le Soleil et les autres étoiles envoient des ondes radio dans l'espace. Pour les détecter sur Terre, les astronomes utilisent des radiotélescopes. Ces énormes paraboles sont dirigées vers le ciel pour collecter et centraliser les ondes. Les radiotélescopes doivent être grands car les ondes radio mesurent plusieurs kilomètres de long. Le plus grand radiotélescope à parabole simple se trouve à Arecibo (Porto Rico). La parabole, construite dans une cavité naturelle au milieu de la jungle, mesure 305 mètres de diamètre. À mesure que la Terre tourne, la parabole tourne aussi pour s'orienter vers une autre partie du ciel. Une autre solution consiste à utiliser une batterie de plusieurs paraboles plus petites reliées par ordinateur. Les paraboles sont espacées de façon à recevoir des fragments de la même onde à différents endroits.

Découverte scientifique

Christiaan Huygens découvrit les anneaux de la planète Saturne et conçut la première horloge à balancier pour connaître l'heure précise. En 1678, il avança une théorie selon laquelle la lumière se déplaçait sous forme d'ondes. Il déclara que ces ondes étaient des vibrations de particules microscopiques qui donnaient une substance mystérieuse, l'éther. À l'époque, beaucoup de gens pensaient que l'éther existait partout, même dans l'espace. La notion d'éther fut finalement réfutée, mais son idée de lumière ondulatoire aida les scientifiques à découvrir la véritable nature de la lumière.

5

La Terre et la vie

Notre planète est une boule rocheuse d'environ 12 800 km de diamètre qui tourne sur elle-même et se déplace à travers l'espace. Sa surface change continuellement d'aspect : de larges masses nuageuses courent au-dessus des terres et des océans, et de temps à autre, tremblements de terre et éruptions volcaniques modifient radicalement ses paysages.

Notre planète

OBSERVÉE DEPUIS L'ESPACE, la Terre apparaît comme
un globe bleuté, tacheté du blanc des masses nuageuses et du
brun ou du vert des terres
et continents. À l'échelle terrestre, notre planète est immense
: elle forme une sphère légèrement aplatie d'environ 12 800
kilomètres de diamètre et 40 000
kilomètres de circonférence. Près des
trois quarts de sa surface sont
constitués
par des océans.

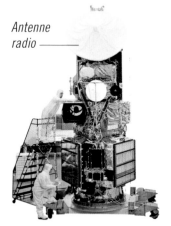

Antenne
radio

Relevés satellites
Chaque mètre carré
terrestre a été photographié
et mesuré par des satellites
tels que *Landsat 7* ou
Spot 4, capables de
discerner des détails
de 10 cm.

Cartographier la Terre
Aujourd'hui, les collines, vallées, rivières
ou lacs figurant à la surface de la Terre sont tous
cartographiés, de même que les fosses
et montagnes situées au fond des océans
(pages 146-147). Sur la carte présentée
ci-contre, obtenue par un système de projection,
les zones polaires apparaissent plus larges
qu'elles ne le sont en réalité. Les mappemondes
sphériques constituent les seules représentations
cartographiques fidèles de notre planète.

PROJECTIONS
Lorsqu'on s'efforce de représenter à plat la surface sphérique de
la Terre, des distorsions sont inévitables. Ce mode de représentation est
appelé une projection. Les diverses méthodes de projection utilisées
produisent des résultats bien distincts, comme le montre la forme
du continent antarctique (en blanc) sur ces deux exemples.
Chaque méthode correspond à un besoin spécifique,
par exemple la présentation détaillée d'une
région ou bien la description d'un voyage
autour du monde.

**Projection
de Lambert**

Projection Wagner VII

Cartes anciennes
Voici environ 4 000 ans, les anciens
Égyptiens dessinèrent des plans
et des cartes rudimentaires afin
de mieux comprendre les caprices
du Nil et de faciliter leurs périples
à travers la mer Méditerranée. Durant
l'Antiquité grecque et romaine,
la cartographie fut établie au rang
de science. Au Moyen Âge, de vastes
portions de notre planète étaient encore
inconnues : on pensait alors que
la Terre était plate et défendue à
ses extrémités par d'immenses cascades et
des hardes d'animaux monstrueux.

Voir également : À l'intérieur de la Terre page 144, La Terre dans l'espace page 174

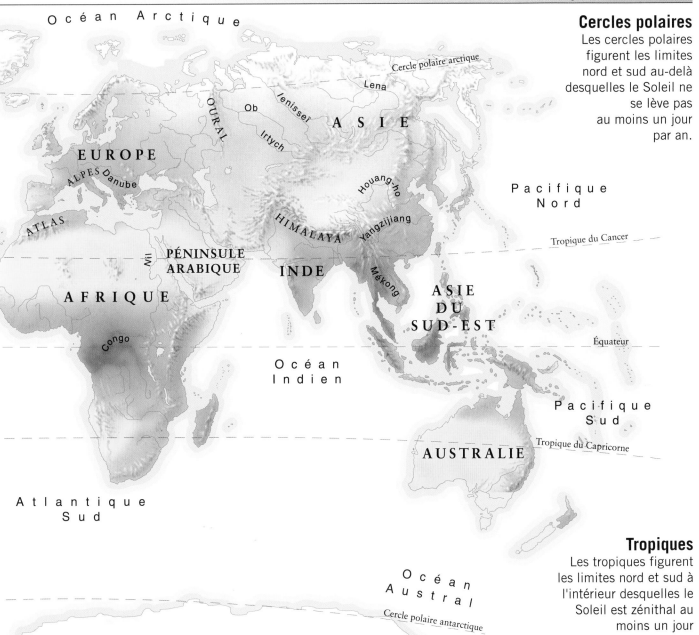

Océan Arctique

Cercle polaire arctique

Lena

Ienisseï

Ob

Irtych

OURAL

ASIE

EUROPE

ALPES Danube

Houang-ho

Pacifique
Nord

ATLAS

Nil

PÉNINSULE
ARABIQUE

HIMALAYA

Yangzijiang

Tropique du Cancer

INDE

AFRIQUE

Mékong

ASIE
DU
SUD-EST

Congo

Équateur

Océan
Indien

Pacifique
Sud

Atlantique
Sud

Tropique du Capricorne

AUSTRALIE

Océan
Austral

Cercle polaire antarctique

Cercles polaires

Les cercles polaires figurent les limites nord et sud au-delà desquelles le Soleil ne se lève pas au moins un jour par an.

Tropiques

Les tropiques figurent les limites nord et sud à l'intérieur desquelles le Soleil est zénithal au moins un jour par an.

Découverte scientifique

L'Écossais James Hutton (1726-1797) fut l'un des premiers à étudier la géologie de façon approfondie. Après avoir observé les effets de l'érosion au flanc des falaises et sur les berges des rivières, il émit l'hypothèse que des phénomènes similaires avaient sans doute sculpté la surface de la Terre sur une période de plusieurs millions d'années. D'abord accueillies avec scepticisme, les idées de Hutton furent finalement acceptées par la communauté scientifique.

À l'intérieur de la Terre

NOTRE PLANÈTE EST FORMÉE d'une succession de couches de matériaux solides, semi-solides et liquides. La Terre affiche un diamètre d'environ 12 800 km, mais l'épaisseur de son enveloppe externe, appelée croûte ou écorce, est de seulement 25 à 35 km à l'endroit des continents, et de seulement 5 à 10 km au fond des océans. À la croûte succèdent le manteau, rencontré à une profondeur de 2 900 km, le noyau externe, épais d'environ 2 200 km et constitué de roches quasi liquides et riches en fer, et le noyau interne dur, d'un diamètre de 2 500 km et formé surtout de fer et de nickel à l'état solide. Si l'on pouvait descendre dans un puits vers le centre de la Terre, la température deviendrait insupportable au bout de quelques dizaines de kilomètres. Au cœur du noyau, elle est de 5 000 °C.

Strates terrestres

L'essentiel du volume de la Terre est formé par le manteau, qui passe d'un état solide à un état quasi liquide à mesure que la profondeur augmente. Il est constitué de roches minérales riches en silice, en fer et en magnésium. Ensemble, la croûte et la partie solide du manteau forment la lithosphère, couche de matière froide et rigide fractionnée en plusieurs plaques gigantesques appelées plaques lithosphériques. Lorsque l'on pénètre dans la croûte terrestre, la température croît de 2 ou 3 °C tous les 90 m.

Noyau interne

Noyau externe

Manteau

La partie non rigide du manteau supérieur forme l'asthénosphère

La partie solide du manteau supérieur et la croûte forment la lithosphère

Croûte océanique

Croûte continentale

Montagnes

Les montagnes sont de vastes blocs rocheux qui surgissent au-dessus du nouveau moyen des terres, et parfois sous la surface des océans. Au droit des massifs montagneux, la croûte solide descend plus profondément vers l'intérieur de la Terre, à la manière de la partie immergée d'une bûche flottant sur l'eau.

Voir également : Notre planète page 142, La Terre dans l'espace page 174

La croûte océanique est jeune
(moins de 200 millions d'années)

L'âge de la croûte
continentale atteint
par endroits
3 000 millions d'années

Manteau et croûte
sont séparés par
la discontinuité
de Mohorovicic

Forages profonds

La plupart des forages effectués pour la recherche
pétrolière ont une profondeur de quelques centaines
de mètres. Le forage sous-marin le plus profond,
réalisé dans l'océan Pacifique, a atteint
2 111 mètres. Sur terre, un forage de
12 260 mètres a été effectué dans la péninsule
de Kola, en Russie. À cette profondeur, à mi-chemin
de la croûte terrestre, la température des roches
atteint déjà 200 °C.

Trous d'épingle

Le creusement du tunnel
sous la Manche constitua
une véritable prouesse
technologique. Les trois galeries
longues de près de 50 km ont été
forées à plusieurs mètres sous le
fond marin, mais ce sont des trous
minuscules à l'échelle de la planète.

Masses en mouvement

EN CONSULTANT UNE CARTE DU MONDE, on s'aperçoit que la côte est de l'Amérique du Sud épouse la forme de la côte ouest de l'Afrique. Si l'on observe la découpe du plateau continental de ces deux continents, l'association est encore plus frappante. De fait, ces deux masses terrestres étaient autrefois emboîtées telles les pièces d'un puzzle. La théorie de la dérive des continents, longtemps regardée comme fantaisiste, est aujourd'hui admise par tous les scientifiques. Sur les fonds marins, les rejets continuels de matières en fusion produisent des phénomènes d'accrétion et poussent les plaques lithosphériques à s'éloigner les unes des autres. En d'autres points, appelées zones de subduction, les plaques se chevauchent, causant la remontée de matière en fusion vers le manteau terrestre.

Les preuves

Plusieurs découvertes ont confirmé la théorie de la dérive des continents. Divers fossiles de Lystrosaurus ont été mis à jour en Afrique, en Antarctique et en Chine, suggérant que ces continents étaient autrefois liés entre eux.

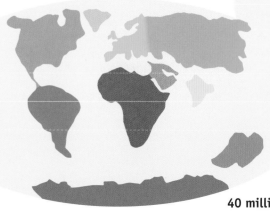

40 millions d'années

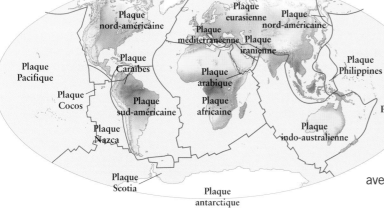

Plaques lithosphériques

L'écorce terrestre et la partie solide du manteau forment la lithosphère, épaisse d'environ 100 km. Cette coquille est loin d'être lisse et uniforme : elle est fragmentée en une douzaine de morceaux incurvés de dimensions gigantesques appelés plaques lithosphériques. Emboîtées les unes dans les autres, les plaques lithosphériques sont constamment en mouvement, et elles transportent avec elles les continents.

Tectonique des plaques

Posées sur le manteau terrestre et soumises à ses variations de température et de pression, les plaques lithosphériques se déplacent et changent de forme selon un modèle appelé la tectonique des plaques. Au fond des mers, le long des dorsales océaniques, des roches en fusion issues du manteau se solidifient et poussent les plaques à s'écarter. Ailleurs, dans les zones de subduction, la rencontre de deux plaques force la remontée de laves vers le manteau.

La fusion de la plaque océanique entraîne une activité volcanique

Voir également : Notre planète page 142, Le cycle des roches page 148

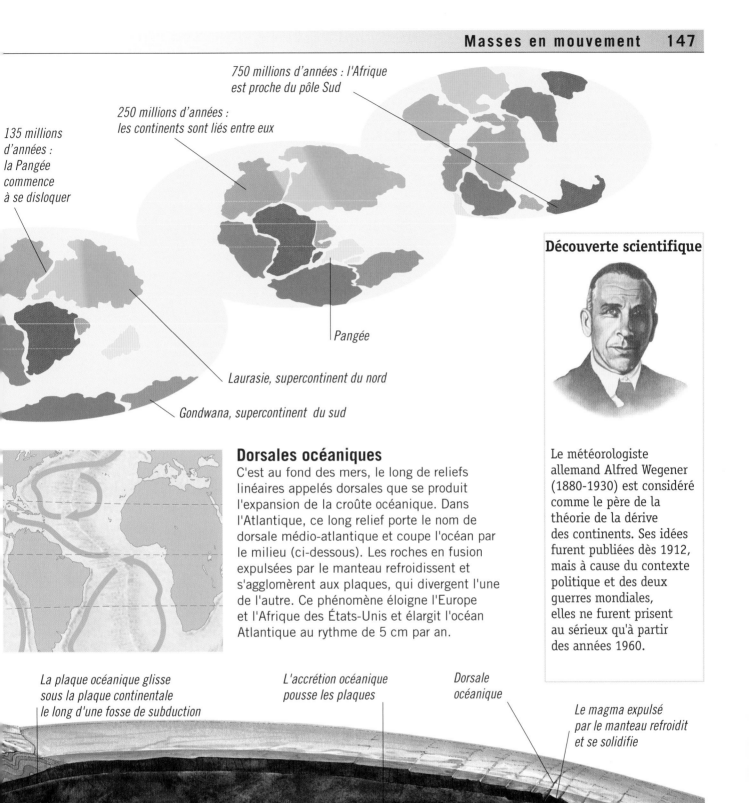

750 millions d'années : l'Afrique est proche du pôle Sud

250 millions d'années : les continents sont liés entre eux

135 millions d'années : la Pangée commence à se disloquer

Pangée

Laurasie, supercontinent du nord

Gondwana, supercontinent du sud

Découverte scientifique

Le météorologiste allemand Alfred Wegener (1880-1930) est considéré comme le père de la théorie de la dérive des continents. Ses idées furent publiées dès 1912, mais à cause du contexte politique et des deux guerres mondiales, elles ne furent prisent au sérieux qu'à partir des années 1960.

Dorsales océaniques

C'est au fond des mers, le long de reliefs linéaires appelés dorsales que se produit l'expansion de la croûte océanique. Dans l'Atlantique, ce long relief porte le nom de dorsale médio-atlantique et coupe l'océan par le milieu (ci-dessous). Les roches en fusion expulsées par le manteau refroidissent et s'agglomèrent aux plaques, qui divergent l'une de l'autre. Ce phénomène éloigne l'Europe et l'Afrique des États-Unis et élargit l'océan Atlantique au rythme de 5 cm par an.

La plaque océanique glisse sous la plaque continentale le long d'une fosse de subduction

L'accrétion océanique pousse les plaques

Dorsale océanique

Le magma expulsé par le manteau refroidit et se solidifie

Le cycle des roches

LES ROCHES DE LA CROÛTE TERRESTRE sont constituées de plusieurs centaines de minéraux divers tels que silice, olivine ou pyroxène, le plus souvent assemblés entre eux. Comme toutes les substances et matières, ces minéraux sont formés d'atomes et de molécules qui se trouvent en quantités finies sur notre planète. Les roches se brisent ou s'érodent sous l'action du vent, des vagues ou des glaciers. Chaleur, pression et modifications chimiques conduisent les particules issues de cette érosion à se combiner à nouveau. Ainsi, les particules minérales subissent une transformation progressive longue de plusieurs millions d'années : c'est le cycle des roches.

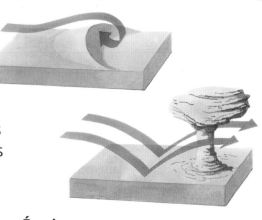

Érosion

La puissance de la nature est bien visible dans les régions désertiques. Le sable porté par le vent forme des dunes en forme de croissant ou bien érode les roches les moins dures pour former des cheminées de fée.

Roches évolutives

Il existe trois grands types de roches. Les roches ignées se forment par refroidissement et solidification de minéraux en fusion, par exemple les laves issues des éruptions volcaniques. Les roches sédimentaires sont constituées de particules minérales issues de l'érosion. Ces particules disposées en de larges couches, notamment sur les fonds marins, sont compressées et cimentées par des réactions chimiques. Les roches métamorphiques naissent lorsque les roches des deux premiers types se modifient sous l'effet de pression et températures extrêmes sans entrer en fusion, par exemple à la base des massifs montagneux.

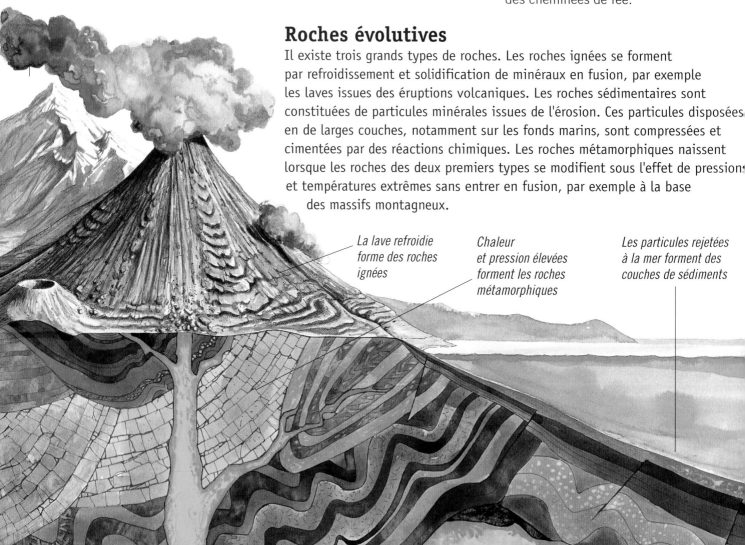

La lave refroidie forme des roches ignées

Chaleur et pression élevées forment les roches métamorphiques

Les particules rejetées à la mer forment des couches de sédiments

Voir également : Notre planète page 142, Masses en mouvement page 146

DURETÉ

Les roches et les minéraux sont classés d'après leur composition chimique et en fonction d'aspects physiques tels que la couleur, la densité, la texture et la dureté. La dureté est déterminée par l'échelle de Mohs : chacun des dix minéraux figurant sur cette échelle marque le minéral qui le précède, mais il est marqué par celui qui le suit.

① **TALC** *(roche tendre)*
② **GYPSE**
③ **CALCITE**
④ **FLUORINE**
⑤ **APATITE**
⑥ **ORTHOSE**
⑦ **QUARTZ**
⑧ **TOPAZE**
⑨ **CORINDON**
⑩ **DIAMANT**
(substance naturelle la plus dure)

Les particules agglomérées forment des roches sédimentaires

Les strates du temps

Les roches sédimentaires sont disposées en strates horizontales, au fond des océans et des lacs, le long des rivières, et même dans les déserts sous forme de grès. Chacune de ces strates représente plusieurs millions d'années. Seules les roches sédimentaires renferment des fossiles, car les vestiges de plantes ou d'animaux sont détruits lors de la formation des roches ignées ou métamorphiques. Au fil du temps, certaines roches sédimentaires sont courbées ou pliées par les mouvement terrestres, d'autres s'érodent sous l'action des éléments.

TYPES ROCHEUX

Il existe des centaines de minéraux distincts. Autrefois, certains étaient utilisés pour des fonctions bien particulières. Granites et basaltes sont des roches ignées, tandis que grès, calcaires et brèches sont des roches sédimentaires. Marbres et schistes comptent parmi les roches métamorphiques. Parce qu'elles se sont accumulées en couches immenses au fond des océans, les roches sédimentaires couvrent les deux tiers de la surface terrestre.

Falaises de calcaire (sédimentaire)

Blocs de granite (ignée)

Éruptions et séismes

LES ÉRUPTIONS VOLCANIQUES et les tremblements de terre comptent parmi les phénomènes naturels les plus terrifiants et les plus imprévisibles. Une éruption volcanique se produit lorsqu'un mélange de gaz et de roches en fusion se trouve expulsé par la cheminée d'un volcan. Les secousses d'un tremblement de terre résultent d'un mouvement soudain de la croûte terrestre. Pour la plupart, éruptions et séismes ont lieu le long des jonctions entre les plaques lithosphériques de la croûte terrestre.

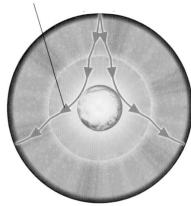

Les ondes P s'enfoncent profondément et ricochent sur le noyau

La terre s'ouvre

Les plaques glissent l'une contre l'autre

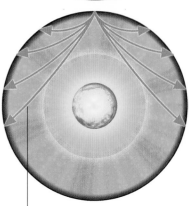

Les ondes S traversent le manteau et se déploient à la surface

Genèse d'un tremblement de terre

Un grand nombre de tremblements de terre résultent de la friction de deux plaques lithosphériques l'une contre l'autre. Durant un certain temps, les roches en frottement se plient et s'étirent, puis elles cèdent tout d'un coup, produisant des ondes de choc – les ondes sismiques – qui se propagent à travers le sol.

RICHTER ET MERCALLI

Il existe plusieurs méthodes pour évaluer la puissance d'un séisme. La plus utilisée est l'échelle de Richter, basée sur l'amplitude des ondes enregistrées par des machines appelées sismographes. Malgré tout, un séisme de magnitude 6 sur l'échelle de Richter aura des effets différents selon le terrain au sein duquel il se produit. Il causera des dommages plus importants si le sol est constitué de sédiments ou de matériaux tendres que s'il est constitué de roches dures. L'échelle de Mercalli (ci-dessous), évalue les séismes selon leurs effets.

Ondes sismiques enregistrées sur un sismographe

2 Faiblement ressenti

6 Ressenti par tous, quelques dégâts

8 Dommages importants

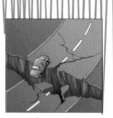

11 Dévastateur, bâtiments effondrés

Ondes sismiques

La plupart des ondes sismiques se propagent à travers le sol à une vitesse vingt fois supérieure à celle du son. Leur puissance est maximale à la source du séisme, appelée hypocentre. Le point de la surface terrestre situé à la verticale de l'hypocentre est appelé épicentre.

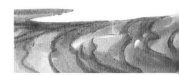

Voir également : Notre planète page 142, Masses en mouvement page 146

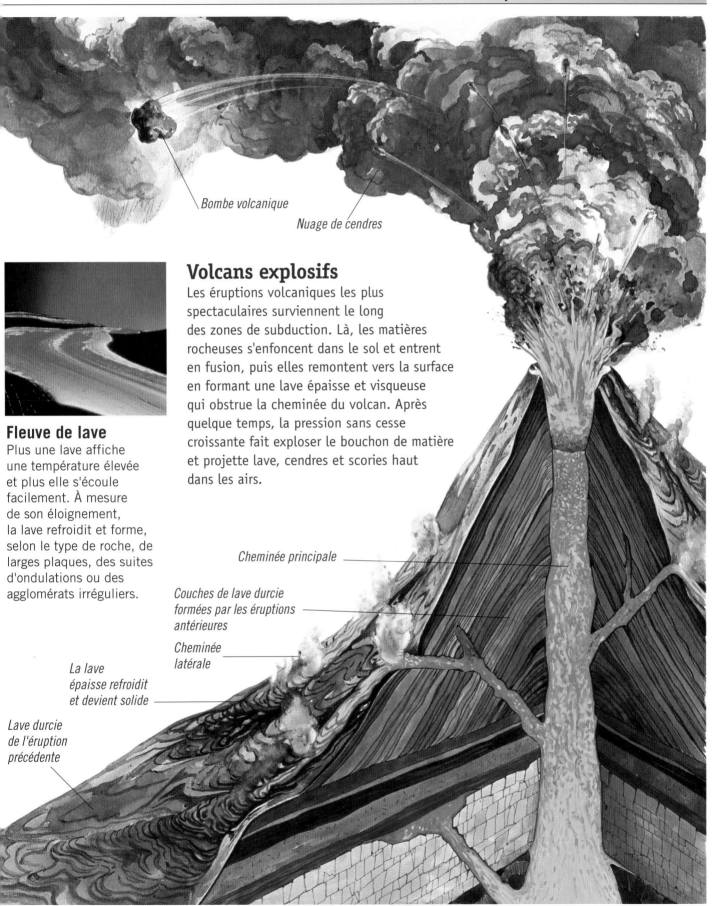

Bombe volcanique

Nuage de cendres

Volcans explosifs

Les éruptions volcaniques les plus
spectaculaires surviennent le long
des zones de subduction. Là, les matières
rocheuses s'enfoncent dans le sol et entrent
en fusion, puis elles remontent vers la surface
en formant une lave épaisse et visqueuse
qui obstrue la cheminée du volcan. Après
quelque temps, la pression sans cesse
croissante fait exploser le bouchon de matière
et projette lave, cendres et scories haut
dans les airs.

Fleuve de lave

Plus une lave affiche
une température élevée
et plus elle s'écoule
facilement. À mesure
de son éloignement,
la lave refroidit et forme,
selon le type de roche, de
larges plaques, des suites
d'ondulations ou des
agglomérats irréguliers.

Cheminée principale

Couches de lave durcie
formées par les éruptions
antérieures

Cheminée
latérale

La lave
épaisse refroidit
et devient solide

Lave durcie
de l'éruption
précédente

L'atmosphère

NOTRE PLANÈTE EST ENTOURÉE d'une couche de gaz appelée
atmosphère. Elle s'étend sur près de 1 000 km
de hauteur avant de se fondre dans le vide spatial,
représentant, en proportion, à peine plus que la peau
d'une orange. Sans l'atmosphère, la Terre serait dénuée
de vie : elle produit l'air que nous respirons et l'eau que
nous buvons, régule la température, et nous protège
contre les météorites et les rayonnements solaires
les plus dangereux.

Structure verticale

Les scientifiques divisent l'atmosphère en plusieurs strates
successives. Nous vivons dans la troposphère, strate la plus basse,
qui s'étend en moyenne sur 12 km et représente les trois quarts de
la masse atmosphérique totale. La troposphère est essentiellement
chauffée par les réflexions du sol terrestre, et en son sein,
la densité de l'air et la température diminuent à mesure que
l'altitude augmente.

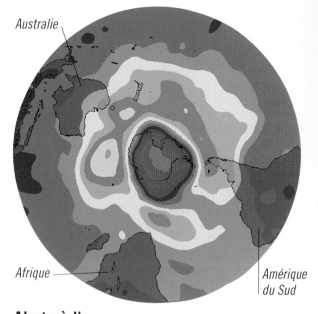

Australie

Afrique

Amérique
du Sud

Alerte à l'ozone

Au sein de la stratosphère, un gaz appelé ozone s'étend en
une fine couche régulière qui nous protège contre les rayons
ultraviolets émis par le Soleil. Cette couche est aujourd'hui
attaquée par les chlorofluorocarbones (CFC), gaz encore
récemment utilisés dans les réfrigérateurs et les bombes
aérosol : au printemps, un trou d'ozone se forme au-dessus du
pôle Nord ou du pôle Sud (en rouge), et ces trous persistent
un peu plus chaque année.

Aurore polaire

Les météorites
(étoiles filantes)
se consument
dans la mésosphère

Ballon-
sonde

Les nuages nacrés, seuls
nuages stratosphériques,
sont très rares

La plupart des phénomènes
météorologiques
se produisent au sein
de la troposphère

Voir également : Notre planète page 142, Temps et climats page 154

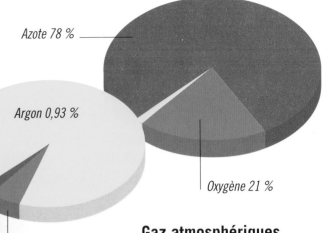

Azote 78 %

Argon 0,93 %

Oxygène 21 %

Dioxyde de carbone
0,03 %

Néon, hélium
et autres gaz 0,04 %

Gaz atmosphériques

À eux seuls, azote (78 %)
et oxygène (21 %) composent
plus de 99 % de l'atmosphère
terrestre. Argon, dioxyde
de carbone et vapeur d'eau
forment la quantité restante,
ainsi que plusieurs gaz à l'état
de traces, dont l'hélium
et l'ozone.

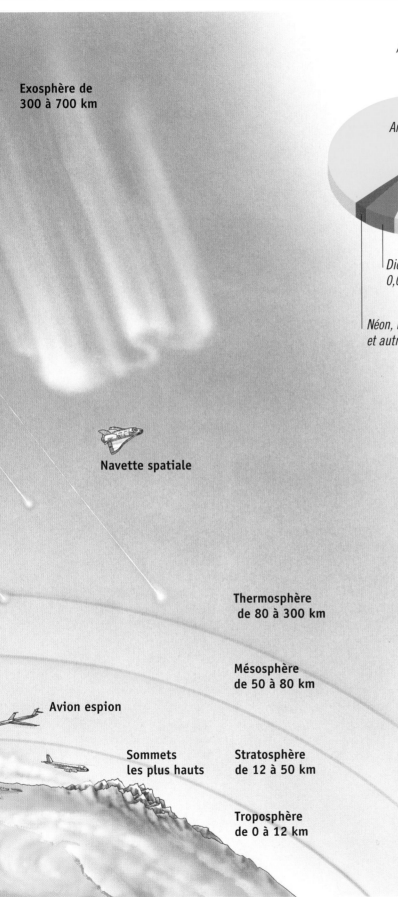

**Exosphère de
300 à 700 km**

Navette spatiale

**Thermosphère
de 80 à 300 km**

**Mésosphère
de 50 à 80 km**

Avion espion

**Sommets
les plus hauts**

**Stratosphère
de 12 à 50 km**

**Troposphère
de 0 à 12 km**

Sous pression

La densité de l'air et la pression
atmosphérique diminuent à mesure
que l'altitude augmente, et au sein de la
stratosphère, elles deviennent trop faibles
pour permettre à l'homme de survivre.
Lorsque l'on atteint une telle altitude – à bord
d'un avion ou d'un ballon – une cabine
pressurisée est nécessaire. De même, la
plupart des alpinistes à l'assaut des sommets
de l'Himalaya portent un masque respiratoire :
à 8 000 m d'altitude, la quantité d'oxygène
ne diminue qu'à faible proportion, mais
suffisamment pour rendre la respiration
très difficile.

Temps et climats

LE TEMPS NAÎT DES MODIFICATIONS QUOTIDIENNES intervenant au sein
de l'atmosphère. Soleil, nuages, vent, pluie ou neige influent
sur notre vie de tous les jours, qu'il s'agisse d'organiser
un pique-nique ou de piloter un avion. On appelle climat l'ensemble
des conditions météorologiques affectant une région sur une longue
période. Les climats conditionnent la survie des espèces végétales
et animales, et ils déterminent ce qu'il est possible de cultiver
à chaque saison.

Climat global

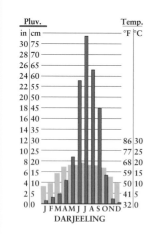

La chaleur solaire ne se répartit pas uniformément
sur les terres et les océans. Dans les régions tropicales,
le soleil frappe presque à la verticale et la chaleur est
plus élevée que dans les régions tempérées. Lorsqu'une
masse d'air chaud s'élève, elle est remplacée par de l'air
plus frais sous l'effet d'un courant horizontal appelé vent.
Au sein de la troposphère, les courants horizontaux sont beaucoup
plus rapides que les courants verticaux, et la rotondité de la Terre a également
une influence sur ces phénomènes. De ces différents facteurs résulte l'émergence
de vents dominants selon un cycle annuel, dont les alizés, qui jouèrent un rôle
déterminant à l'époque de la marine marchande à voile.

TEMPÉRATURES ET PRÉCIPITATIONS

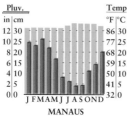

DARJEELING

Ces tableaux indiquent les températures et hauteurs
de précipitation moyennes dans plusieurs villes et sites
du monde représentant divers climats. Seattle, sur la côte
Nord-Ouest des États-Unis, jouit d'un climat maritime tempéré,
avec étés chauds et secs et hivers doux et humides. Darjeeling,
en Inde, connaît un climat de mousson dominé par une saison
de pluies très abondantes. À Manaus, au Brésil, le climat est
équatorial, et les températures varient très peu tout au long
de l'année. Le Cap, en Afrique du Sud, et Melbourne, en
Australie, affichent des températures similaires, mais Melbourne
connaît des précipitations plus régulières. Au cap Zhelanya, en
Arctique, le sol est gelé tout au long de l'année.

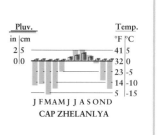

CAP ZHELANLYA

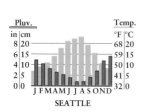

SEATTLE

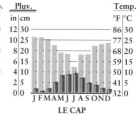

MANAUS

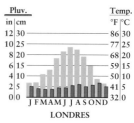

LE CAP

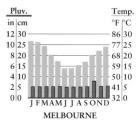

LONDRES

MELBOURNE

Voir également : Notre planète page 142, L'atmosphère page 152

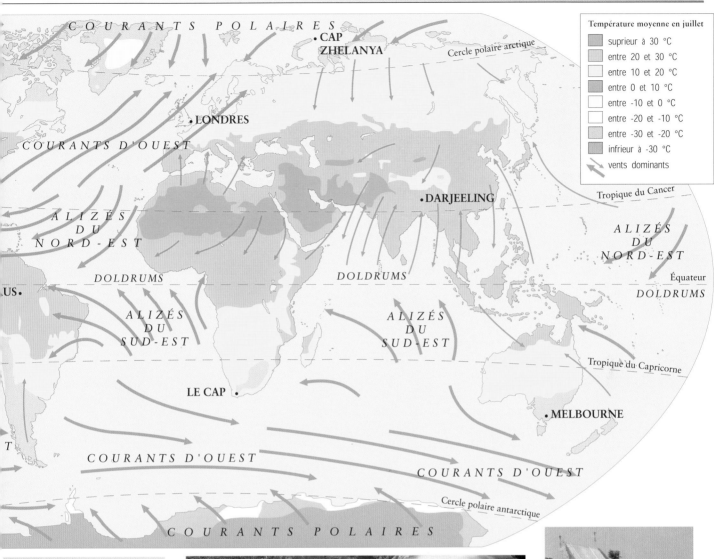

COURANTS POLAIRES
• CAP ZHELANYA
Cercle polaire arctique
• LONDRES
COURANTS D'OUEST
ALIZÉS DU NORD-EST
US •
DOLDRUMS
ALIZÉS DU SUD-EST
LE CAP •
COURANTS D'OUEST
T
COURANTS POLAIRES

• DARJEELING
DOLDRUMS
ALIZÉS DU SUD-EST
• MELBOURNE

Tropique du Cancer
ALIZÉS DU NORD-EST
Équateur
DOLDRUMS
Tropique du Capricorne
COURANTS D'OUEST
Cercle polaire antarctique

Température moyenne en juillet	
	suprieur à 30 °C
	entre 20 et 30 °C
	entre 10 et 20 °C
	entre 0 et 10 °C
	entre -10 et 0 °C
	entre -20 et -10 °C
	entre -30 et -20 °C
	infrieur à -30 °C
	vents dominants

Sécheresse
Les régions désertiques de notre planète reçoivent moins de 250 mm de précipitations par an. Pluie, brouillard, grêle, rosée, neige et grésil sont des précipitations. L'eau étant indispensable aux organismes vivants, les déserts sont presque vides d'espèces animales ou végétales.

Cyclone
Un cyclone est une immense perturbation tropicale de forme discoïde à l'intérieur de laquelle les vents peuvent souffler jusqu'à 250 km/h. Au centre du système se trouve une zone de calme appelée « œil ». Cette photo satellite montre un cyclone approchant les côtes de Floride.

Inondations
Après une période de pluies abondantes, fleuves et rivières ne peuvent plus contenir les excédents d'eau et débordent de leur lit, créant des inondations. Dans certaines régions, le réchauffement global cause une augmentation des précipitations.

Les montagnes

QUELQUES-UNS DES PLUS HAUTS SOMMETS du monde sont des volcans isolés rehaussés par des éruptions successives, à l'image du Kilimandjaro, en Afrique. Cependant, la plupart des montagnes sont regroupées au sein de chaînes nées des mouvements de la croûte terrestre et qui s'étendent sur des centaines ou des milliers de kilomètres. Certaines massifs proviennent de la résurgence de reliefs anciens sous l'effet d'énormes tremblements de terre, d'autres, telles l'Himalaya ou les Andes, sont des chaînes plissées qui ont été créées par la rencontre de plaques tectoniques.

Les vallées
Au fil des millénaires, cours d'eau et glaciers ont creusé la roche des montagnes et formé des vallées. Les vallées fluviales affichent un profil en V (ci-dessus), tandis que les vallées glaciaires ont un profil en U caractéristiqu (en haut).

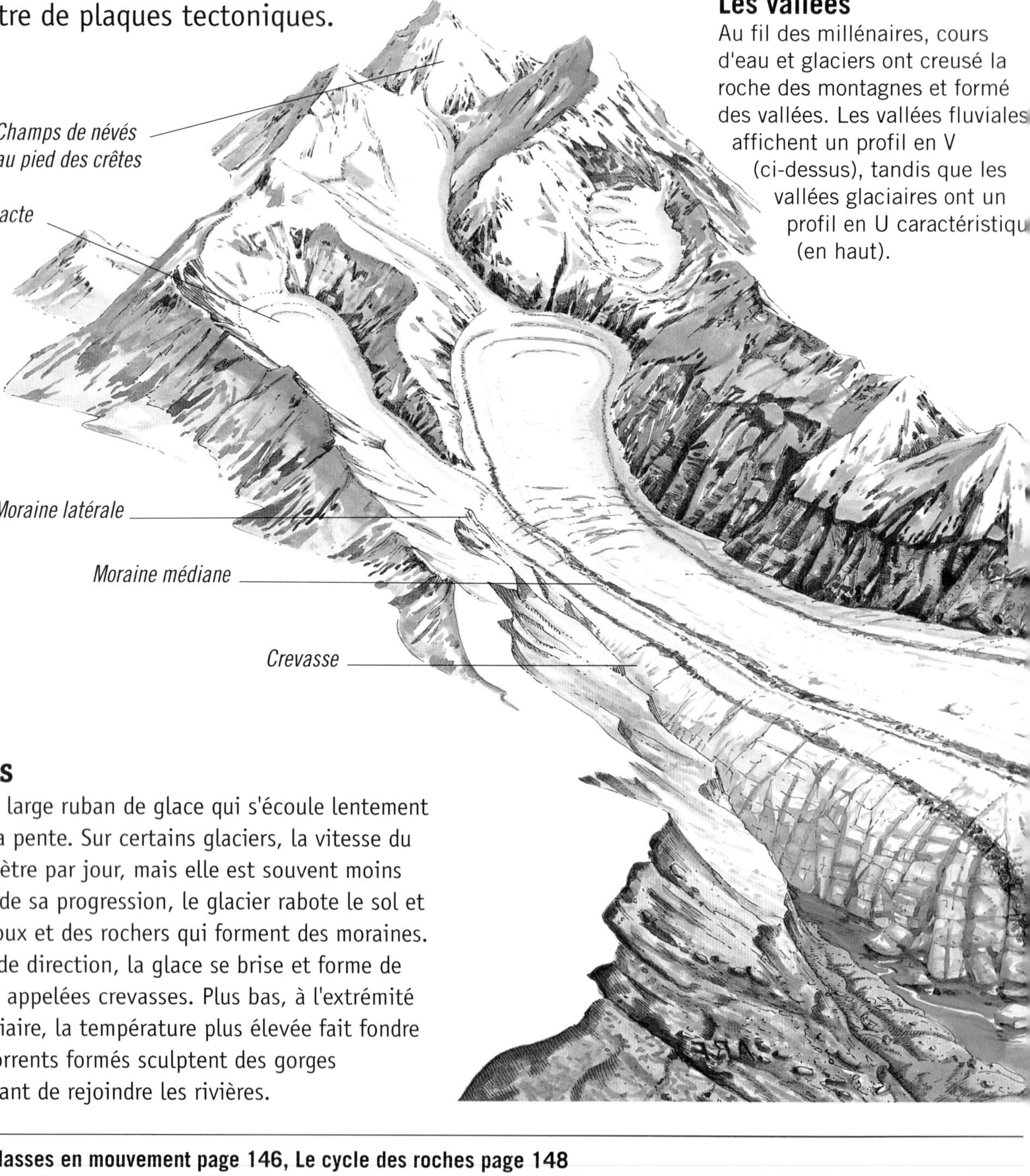

Champs de névés
au pied des crêtes

Neige dure et compacte

Moraine latérale

Moraine médiane

Crevasse

Les glaciers
Un glacier est un large ruban de glace qui s'écoule lentement dans le sens de la pente. Sur certains glaciers, la vitesse du flux atteint un mètre par jour, mais elle est souvent moins élevée. Au cours de sa progression, le glacier rabote le sol et capture des cailloux et des rochers qui forment des moraines. Lorsqu'il change de direction, la glace se brise et forme de longues fractures appelées crevasses. Plus bas, à l'extrémité de la langue glaciaire, la température plus élevée fait fondre la glace, et les torrents formés sculptent des gorges spectaculaires avant de rejoindre les rivières.

Voir également : Masses en mouvement page 146, Le cycle des roches page 148

Montagnes jeunes

Les Alpes et l'Himalaya sont des montagnes jeunes : leurs sommets escarpés n'ont pas encore été érodés par la glace, la neige et le vent. De fait, les montagnes de l'Himalaya continuent de s'élever au rythme de 2 cm par an.

Montagnes anciennes

Les Vosges et le massif américain des Appalaches sont des exemples de montagnes anciennes, aux sommets arrondis par l'érosion. Le massif des Appalaches est vieux d'environ 300 millions d'années. Son point culminant est le mont Mitchell, qui s'élève à 2 037 m.

CHAÎNES PLISSÉES

Qu'elles soient issues de sédiments du fond marin ou de plateaux volcaniques, la plupart des masses rocheuses sont disposées en strates. La rencontre de plaques tectoniques conduit ces strates à former des plissements rocheux. Certains de ces plissements sont gigantesques, et les crêtes successives sont parfois distantes de plusieurs centaines de kilomètres.

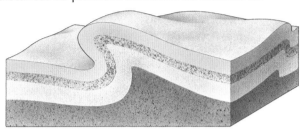

Formation d'un pli déversé

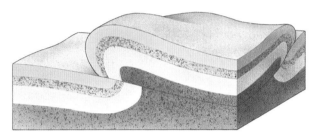

Le pli se brise le long du plan axial

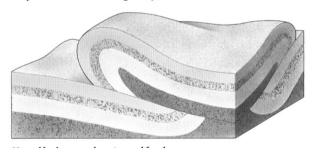

Un pli chevauchant se développe

Structure massive

Lorsque la croûte terrestre se met en mouvement, les forces générées suffisent parfois au soulèvement d'immenses masses rocheuses aux sommets aplatis. C'est ainsi que s'est formé, en Allemagne, le massif de la Forêt-Noire.

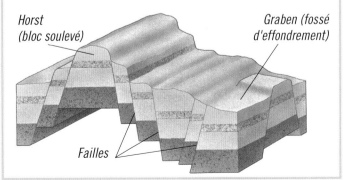

Horst (bloc soulevé)

Graben (fossé d'effondrement)

Failles

Rivières et lacs

ENVIRON 1,3 MILLIARD DE MÈTRES CUBE D'EAU sont présents à la surface de la Terre, et plus de 97 % de cette quantité composent les mers et les océans. Glaciers et calottes polaires en forment environ 2,2 %, et lacs et rivières, qui jouent un rôle essentiel pour la vie terrestre, moins de 1 %. L'eau douce se renouvelle sans cesse : elle s'évapore à la surface des terres et des océans, se condense pour former des nuages, tombe sous forme de pluie ou de neige, puis suit le cours des rivières et des torrents pour rejoindre à nouveau les océans.

À sec
Certaines rivières ne s'écoulent qu'après la venue de pluies saisonnières abondantes. Le reste de l'année, l'eau est absente et leur lit demeure asséché. Les rivières pérennes (qui coulent tout au long de l'année) sont en partie alimentées par les eaux d'infiltration.

Les deltas
La plupart des fleuves transportent de grandes quantités de sédiments tels que sable et limons. À l'approche de la mer ou de l'océan, le flux est ralenti et ces cours d'eau perdent leur faculté de transport : les sédiments se déposent et forment un vaste éventail appelé delta. Au fil du temps, le delta s'élargit et le fleuve se divise en plusieurs bras.

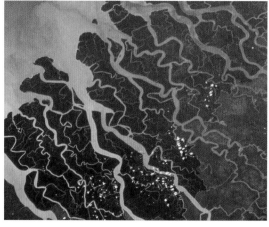

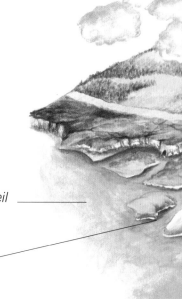

L'eau s'évapore sous l'action du soleil

Eau douce et eau salée se mélangent au sein de l'estuaire

Marais et mangroves
Dans les régions plates et de faible altitude, les eaux ne n'écoulent pas facilement. Parfois, elles forment un marais, ensemble de mares et de terres instables colonisé par une végétation aquatique. Dans sa partie côtière, au Botswana, le fleuve Okavongo se divise en plusieurs dizaines de bras dont les argiles et limons forment un vaste delta. Marais et deltas occupent près d'un sixième des terres de la planète et offre une grande richesse animale et végétale.

Le cycle de l'eau
Le soleil induit une évaporation d'eau à la surface des mers, des océans, des lacs et des rivières. Arbres et plantes rejettent également de l'eau par évapotranspiration. La vapeur d'eau produite s'élève dans l'atmosphère, se condense au contact de l'air plus froid et forme des nuages. Les nuages les plus gros libèrent de l'eau sous forme de pluie ou de neige. Une petite quantité de cette eau est absorbée par les plantes, mais la plus grande partie aboutit dans les rivières et les fleuves avant de rejoindre lacs, mers et océans.

Voir également : L'eau page 32, Le cycle des roches page 148

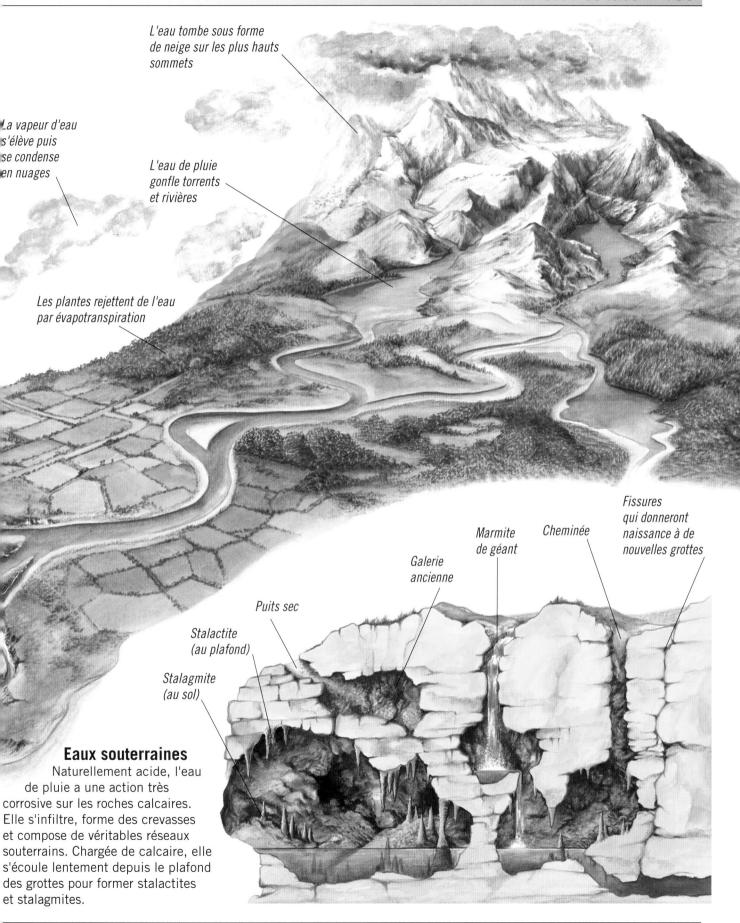

L'eau tombe sous forme de neige sur les plus hauts sommets

La vapeur d'eau s'élève puis se condense en nuages

L'eau de pluie gonfle torrents et rivières

Les plantes rejettent de l'eau par évapotranspiration

Fissures qui donneront naissance à de nouvelles grottes

Cheminée

Marmite de géant

Galerie ancienne

Puits sec

Stalactite (au plafond)

Stalagmite (au sol)

Eaux souterraines

Naturellement acide, l'eau de pluie a une action très corrosive sur les roches calcaires. Elle s'infiltre, forme des crevasses et compose de véritables réseaux souterrains. Chargée de calcaire, elle s'écoule lentement depuis le plafond des grottes pour former stalactites et stalagmites.

Les côtes

FACE À LA MER OU À L'OCÉAN, les côtes ne restent jamais figées :
elles se modifient d'heure en heure et de jour en jour sous l'effet
incessant des vagues et des marées. La chaleur, le froid, le vent
et la pluie sont des attaquants infatigables. Le long des côtes
rocheuses, falaises abruptes et terres effondrées témoignent
de l'incroyable puissance corrosive des vagues. Plus résistantes,
les roches les plus dures forment de fières avancées, tandis que
les matières plus friables cèdent, permettant la formation d'anses
et de larges baies. Sur les côtes peu élevées, et lorsque l'eau est peu
profonde, les vagues déposent des sédiments et édifient de vastes
structures de sable et de galets, montrant que la terre,
elle aussi, peut avancer.

Roches résistantes
Les roches dures, tel le
granite, résistent mieux aux
vagues. Au pied de la falaise
s'est formée une plate-forme
d'abrasion.

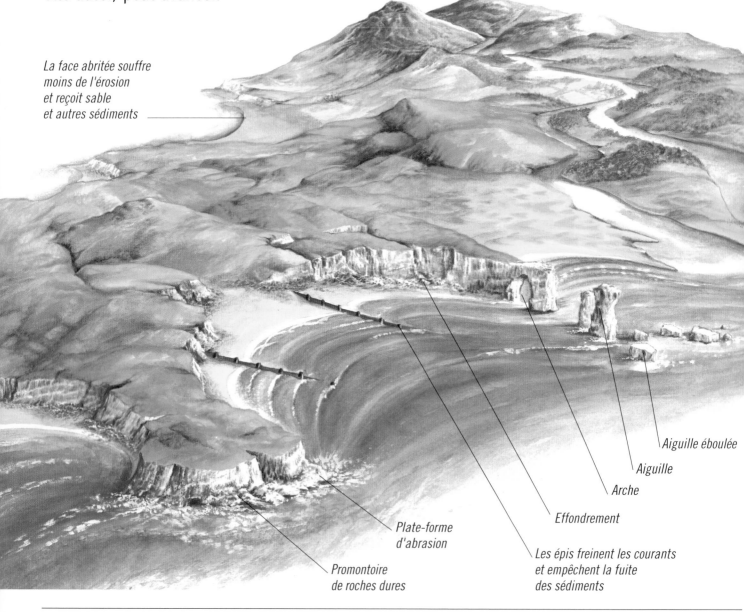

*La face abritée souffre
moins de l'érosion
et reçoit sable
et autres sédiments*

Aiguille éboulée

Aiguille

Arche

Effondrement

*Plate-forme
d'abrasion*

*Les épis freinent les courants
et empêchent la fuite
des sédiments*

*Promontoire
de roches dures*

Voir également : Masses en mouvement page 146, Le cycle des roches page 148

Sanctuaires

Les côtes rocheuses constituent un habitat de choix pour des espèces marines tels que coraux, algues, éponges ou balanes. À leur tour, ces organismes incrustants servent d'abri à des petits poissons et à des crustacés. Sur les rivages sableux, la plupart des animaux marins sont enfouis et ne sortent de leur repère qu'à marée montante.

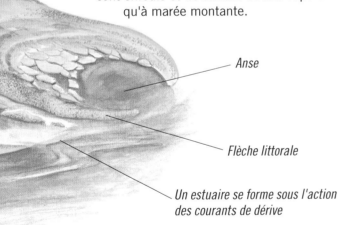

Anse

Flèche littorale

Un estuaire se forme sous l'action des courants de dérive

Profils côtiers

Les côtes varient beaucoup en forme et caractère, mais elles peuvent être réparties en trois types principaux. Une territoire formé de structures rocheuses massives produit une côte marquée de hautes falaises. L'érosion de ces falaises produit des aiguilles isolées et des plates-formes d'abrasion. Un territoire peu élevé et constitué de sédiments donne naissance à une côte agrémentée de vastes plages. Lorsque les vagues frappent la côte selon une direction non frontale, de longues structures appelées barres sableuses se forment en travers des baies et des estuaires.

LES MARÉES

Les marées sont causées par les forces d'attraction du Soleil et de la Lune sur les océans, mais la Lune joue le rôle le plus important. Alors que la Terre tourne sur elle-même, les protubérances liquides causées par l'attraction lunaire causent tantôt l'abaissement du niveau de la mer – la marée basse –, tantôt son élévation – la marée haute. Douze heures environ s'écoulent entre deux marées hautes.

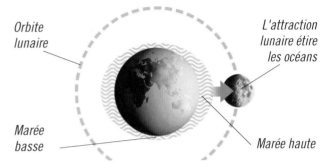

Orbite lunaire

L'attraction lunaire étire les océans

Marée basse

Marée haute

L'attraction lunaire étire les masses liquides terrestres. Les faces proche et opposée à la Lune connaissent une marée haute.

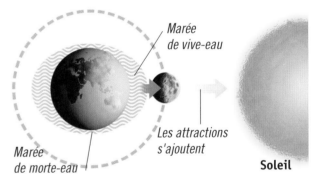

Marée de vive-eau

Marée de morte-eau

Les attractions s'ajoutent

Soleil

Les marées de vive-eau ont une forte amplitude, car Soleil et Lune sont alignés et leurs attractions s'ajoutent.

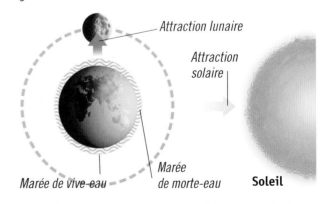

Attraction lunaire

Attraction solaire

Marée de vive-eau

Marée de morte-eau

Soleil

Les marées de morte-eau ont une faible amplitude, car Soleil et Lune sont disposés à angle droit et leurs attractions se contrarient.

Mers et océans

LES TROIS QUARTS DE LA SURFACE terrestre sont occupés par une immense étendue liquide constituée de cinq océans : Atlantique, Pacifique, Indien, Austral et Arctique. Ces océans sont constamment agités de mouvements par le vent, le soleil, les marées et les courants. Le vent forme les vagues et pousse les courants marins sur plusieurs milliers de kilomètres. Les rayons solaires, aidés par les variations chimiques de l'eau, agitent les océans jusqu'aux plus grandes profondeurs.

Glace flottante
À proximité des pôles, de larges masses de glace flottent sur l'eau. Parfois, de gros blocs se détachent sous l'effet des vagues et forment des icebergs. La partie visible d'un iceberg ne constitue qu'un neuvième de son volume.

Dérive nord-atlantique

Courant du Labrador

Cercle polaire arctique

Dérive nord-pacifique

Oyashio

Tropique du Cancer

Kuroshio

Courant nord-équatorial

Équateur

Courant de mousson de nord-est

Courant est-austalien

Tropique du Capricorne

Courant ouest-australien

Courant circumpolaire antarctique

Cercle polaire antarctique

Fleuves maritimes

Les plus grands cours d'eau du monde ne sont pas les fleuves, mais plutôt les courants marins. Souvent larges de dizaines de kilomètres et profonds de plusieurs centaines de mètres, ils déplacent d'immenses quantités d'eau sous les influences combinées du vent, des reliefs marins et de la rotation de la Terre. Les principaux courants sont répartis de part et d'autre de l'équateur, où il forment d'immenses boucles appelées tourbillons. Gonflés par de nombreux courants secondaires, ces tourbillons progressent dans le sens des aiguilles d'une montre au sein de l'hémisphère Nord et dans le sens inverse des aiguilles d'une montre au sein de l'hémisphère Sud.

Reliefs sous-marins

Les océans sont bordés par d'étroites franges côtières où la profondeur de l'eau ne dépasse pas 130 m. Au-delà de ces formations appelées plateaux continentaux, le sol marin plonge brusquement pour former les bassins océaniques, ténébreux et d'une profondeur le plus souvent supérieure à 2 000 m. Au milieu de l'Atlantique, les remontées de matière en fusion depuis l'intérieur de la Terre construisent un relief linéaire appelé dorsale océanique.

Croûte continentale

Voir également : Masses en mouvement page 146, Temps et climats page 154

Découverte scientifique

Peu de scientifiques ont fait autant pour la compréhension des océans que le Français Jacques Cousteau (1910-1997). En 1943, il contribua au développement des bouteilles de plongée, qui permettent de nager sous l'eau durant une période prolongée sans liaison physique avec la surface. Par ses livres et ses documentaires, Cousteau fit également découvrir à un large public les créatures marines les plus stupéfiantes.

Explorer les profondeurs

En 1964, un petit engin d'exploration sous-marine fut construit pour la marine américaine. Grâce à son épaisse coque en titane, l'Alvin pouvait descendre à une profondeur de 4 000 m – contre 300 m pour un sous-marin traditionnel – sans craindre de dommages liés à la pression. Depuis lors, l'Alvin a été rejoint par d'autres engins encore plus performants, dont le *Nautile*.

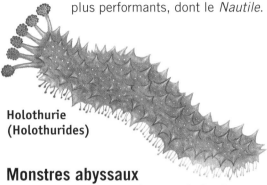

Holothurie (Holothurides)

Monstres abyssaux

Nombre des créatures des grands fonds ont une apparence étrange. De la taille d'un bras, les holothuries déambulent dans les eaux ténébreuses et s'y nourrissent par filtrage.

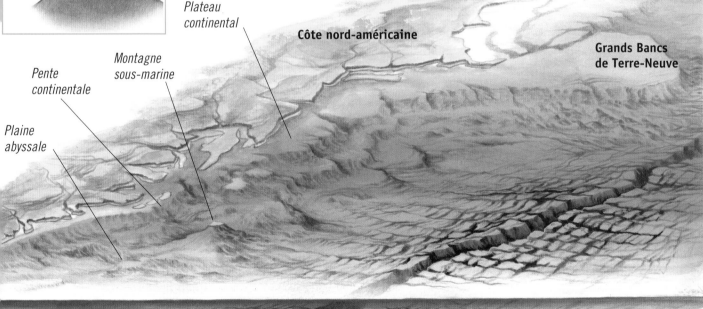

Plateau continental

Côte nord-américaine

Grands Bancs de Terre-Neuve

Montagne sous-marine

Pente continentale

Plaine abyssale

Croûte océanique   Roches en fusion   Dorsale médio-atlantique   Le sol marin s'éloigne de la dorsale

La vie terrestre

LA VIE SUR NOTRE PLANÈTE se concentre entre les couches basses de l'atmosphère et les sols marins les plus profonds. Au sein de cette zone, il existe une incroyable diversité d'êtres vivants. L'ensemble des organismes terrestres – animaux, végétaux et autres – est appelé biosphère. La biosphère est étroitement liée au monde non vivant par le biais de l'eau, de l'air, de la terre et des minéraux.

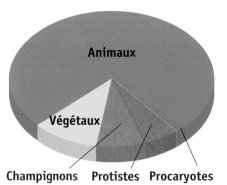

Animaux

Végétaux

Champignons   Protistes   Procaryotes

Innombrables espèces

Les êtres vivants sont classés en cinq larges groupes appelés règnes, et chaque être vivant particulier, par exemple un tigre ou un chêne, représente une espèce. Avec ses cinq millions d'espèces, le règne animal est de loin le plus riche. Autrefois, on ne distinguait que les règnes animal et végétal. Seules les principales divisions de chaque règne sont présentées ici.

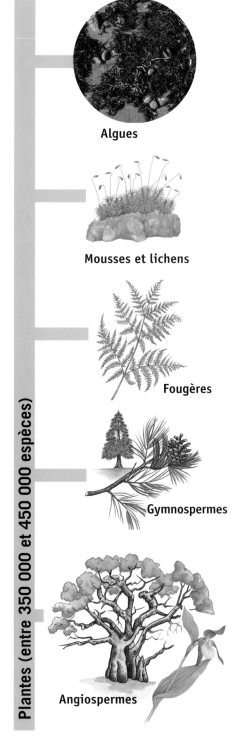

Algues

Mousses et lichens

Fougères

Gymnospermes

Angiospermes

Plantes (entre 350 000 et 450 000 espèces)

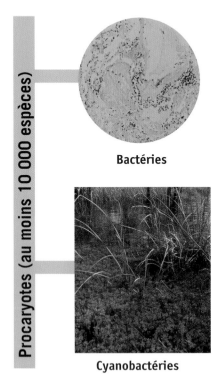

Bactéries

Cyanobactéries

Procaryotes (au moins 10 000 espèces)

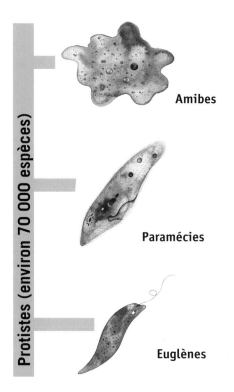

Amibes

Paramécies

Euglènes

Protistes (environ 70 000 espèces)

Les procaryotes

Ce sont des organismes microscopiques constituées d'une cellule unique anucléée. Les cyanobactéries (algues bleues) forment les dépôts à la surface des étangs.

Les protistes

Ces organismes microscopiques sont formés d'une cellule unique nucléée. Certains s'apparentent aux animaux, telles les amibes, d'autres aux plantes, ainsi les euglènes.

Les plantes

Une plante est un organisme qui assure sa croissance en utilisant l'énergie lumineuse du soleil selon un processus appelé photosynthèse. La reproduction des plantes s'effectue le plus souvent par émission de spores ou de fleurs.

Voir également : L'évolution page 166, Animaux préhistoriques page 168

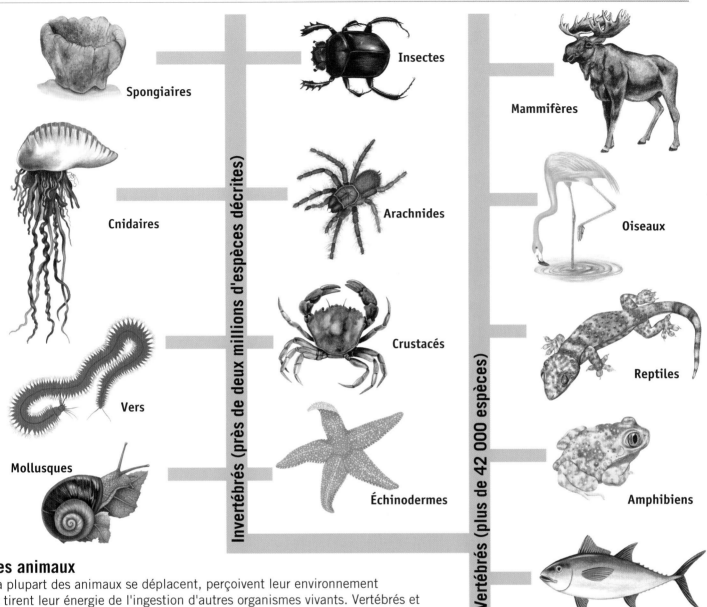

Spongiaires

Insectes

Mammifères

Cnidaires

Arachnides

Oiseaux

Crustacés

Reptiles

Vers

Échinodermes

Amphibiens

Mollusques

Poissons

Invertébrés (près de deux millions d'espèces décrites)

Vertébrés (plus de 42 000 espèces)

Les animaux

La plupart des animaux se déplacent, perçoivent leur environnement et tirent leur énergie de l'ingestion d'autres organismes vivants. Vertébrés et invertébrés constituent les deux principaux groupes d'animaux.

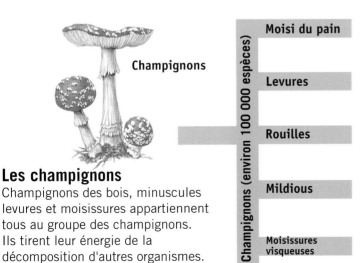

Champignons

Moisi du pain

Levures

Rouilles

Mildious

Moisissures visqueuses

Champignons (environ 100 000 espèces)

Les champignons

Champignons des bois, minuscules levures et moisissures appartiennent tous au groupe des champignons. Ils tirent leur énergie de la décomposition d'autres organismes.

Découverte scientifique

Le philosophe grec Aristote (384-322 av. J.-C.) fut également un grand naturaliste. Il consacra beaucoup de temps à l'observation des animaux et des plantes sur les rivages de la Méditerranée. Après avoir disséqué divers animaux, il suggéra de classer les organismes en fonction de leurs différences et de leurs similitudes. Il fut l'un des premiers à s'intéresser à l'évolution : les organismes demeurent-ils figés dans leur état ou subissent-ils des changements dans le temps ? Aujourd'hui, l'idée d'une évolution des espèces est acceptée par tous les scientifiques.

L'évolution

Tout au long de sa très longue histoire, la Terre a connu une alternance de réchauffements et de périodes froides appelées glaciations. Les êtres vivants ont été contraints de s'adapter pour survivre aux modifications de leur environnement. Les fossiles montrent que des millions d'espèces animales et végétales peuplaient autrefois notre planète. Nombre d'entre elles ont disparu à cause des changements climatiques ou de la sélection naturelle. Certaines, tels les requins et les crocodiles, demeurent presque inchangées depuis des millions d'années.

Griffes à l'extrémité des ailes

Dents

Queue vertébrée

Premier oiseau

Les similitudes entre les fossiles de petits dinosaures et celui de l'archéoptéryx, oiseau primitif, suggèrent que les oiseaux descendent des reptiles. Pourtant, l'archéoptéryx affiche des traits absents chez les oiseaux modernes, et son évolution demeure mystérieuse.

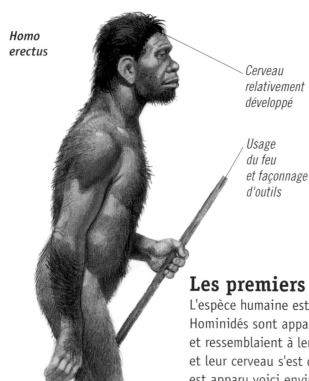

Homo erectus

Cerveau relativement développé

Usage du feu et façonnage d'outils

Posture érigée

Pédoncule à la base de la nageoire

Fossiles vivants

Les poissons à nageoires pédonculées ont sans doute donné naissance aux premiers animaux terrestres. Les scientifiques estimaient qu'ils avaient disparu voici environ 100 millions d'années, mais un spécimen, appelé cœlacanthe, fut pêché dans l'océan Indien en 1938. Depuis lors, d'autres cœlacanthes ont été découverts et étudiés.

Les premiers humains

L'espèce humaine est plus jeune que la plupart des espèces animales : les premiers Hominidés sont apparus il y a environ quatre millions d'années. Ils étaient petits et ressemblaient à leurs ancêtres les grands singes. Graduellement, ils ont grandi et leur cerveau s'est développé. Homo sapiens, premier homme véritable, est apparu voici environ 200 000 ans.

Les Équidés

De nombreux fossiles ont permis de retracer l'origine du cheval. Son ancêtre vivait dans les bois voici plusieurs millions d'années. Avec l'émergence des prairies, il développa des pattes plus longues et mieux adaptées à la course. Le cheval moderne, *Equus*, est d'abord apparu en Amérique du Nord.

Hyracotherium (il y a 40 millions d'années)

Mesohippus (il y a 30 millions d'années)

Voir également : Notre planète page 142, La vie terrestre page 164

Découverte scientifique

Le naturaliste britannique Charles Darwin (1809-1882) fut l'un des premiers à défendre la théorie de l'évolution. Sur une période de plusieurs millions d'années, les espèces modifient leur apparence afin de mieux s'adapter à leur environnement, et la sélection naturelle élimine les espèces les plus faibles. À l'intérieur d'une espèce, la descendance est assurée par les individus les plus forts.

COMMENT SE FORMENT LES FOSSILES ?

Les fossiles sont des vestiges de plantes ou d'animaux qui ont été préservés pendant plusieurs millions d'années. Ils se présentent le plus souvent sous forme de parties dures telles que dents, os, carapace ou écorce ou encore de traces comme des empreintes ou des fèces. Lorsqu'une créature meurt, les parties molles de son corps disparaissent (1). Sur un fond marin, les parties dures sont rapidement recouvertes de sédiments (2). Après plusieurs millions d'années, les mutations chimiques et la pression transforment les sédiments en roches (3). Les vestiges enfouis sont à leur tour minéralisés, mais leurs formes sont préservées. Plus tard, les phénomènes d'érosion exposent les fossiles à la surface (4).

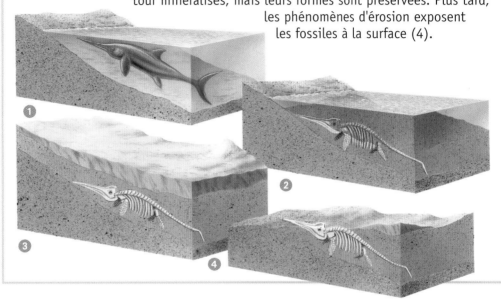

L'homme des glaces

Les vestiges de plantes, d'animaux ou d'êtres humains permettent d'apprécier les modifications intervenues depuis les temps préhistoriques. Ötzi, l'homme des glaces, mourut dans les Alpes il y a plus de 5 000 ans. Son corps pris par la glace et parfaitement préservé fut découvert en 1991. Il portait des chaussures fourrées d'herbe, un large pagne, une ceinture et un bonnet en peau d'ours. À ses côtés, furent trouvés une hachette à manche en bois d'if et à tête de cuivre, un petit poignard, un arc, un carquois et des flèches.

Merychippus (il y a 25 millions d'années)   *Pliohippus (il y a 5 millions d'années)*   *Equus (le cheval moderne)*

Animaux préhistoriques

DURANT PLUSIEURS MILLIARDS D'ANNÉES, les seuls habitants de la Terre furent des organismes microscopiques constitués d'une seule cellule. Voici environ 700 millions d'années, méduses, éponges et autres animaux primitifs au corps entièrement mou apparurent au sein des océans. Environ 200 millions d'années plus tard, les premiers animaux dotés de parties solides telles que coquille ou os étaient nés. À partir du Cambrien (-540 à -505 Ma), les fossiles plus nombreux nous éclairent mieux sur l'évolution. Certains animaux, par exemple requins et crocodiles, ont vécu durant une très longue période et jusqu'à aujourd'hui, d'autres ont rapidement disparu, victimes des changements climatiques.

Temps géologiques

L'âge de la Terre est d'environ 4,6 milliards d'années. Son histoire est divisée en deux grandes époques géologiques appelées éons. La première époque, qui couvre quatre milliards d'années, est appelée Cryptosoïque et correspond au Précambrien. Il existe peu de fossiles s'y rapportant. La deuxième époque, appelée Phanérozoïque, commença voici environ 540 millions d'années. Elle est divisée en quatre ères, elles-mêmes fragmentées en périodes longues de deux à quatre-vingts millions d'années.

Fossiles

Il s'agit le plus souvent de parties dures minéralisées – os, coquilles, dents, écorce – et prisonnières d'une gangue rocheuse.

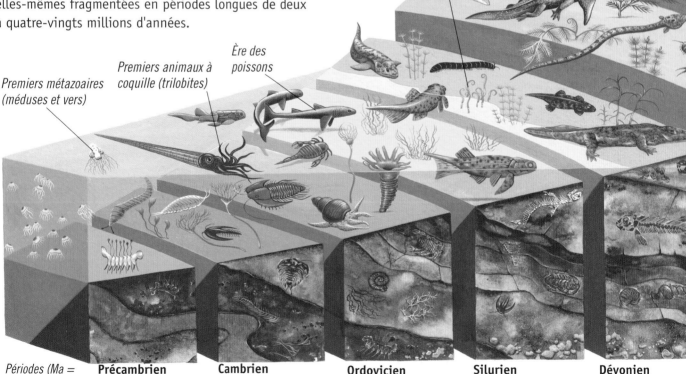

Premiers hominidés vers - 2 Ma

Extinction des dinosaures vers - 65 Ma

Ère des dinosaures

Premiers animaux terrestres (insectes, amphibiens), premières plantes

Ère des poissons

Premiers animaux à coquille (trilobites)

Premiers métazoaires (méduses et vers)

| *Périodes (Ma = millions d'années)* | **Précambrien** (jusqu'à - 540 Ma) | **Cambrien** (- 540 à - 505 Ma) | **Ordovicien** (- 505 à - 433 Ma) | **Silurien** (- 433 à - 410 Ma) | **Dévonien** (- 410 à - 360 Ma) |

Voir également : Le cycle des roches page 148, L'évolution page 166

Extinctions massives

L'étude des fossiles montre que la Terre a connu plusieurs périodes au cours desquelles un grand nombre d'espèces ont disparu. Dinosaures et ptérosaures se sont éteints à la fin du Crétacé, mais l'extinction massive survenue à la fin du Permien fut encore plus spectaculaire : près de quatre-vingts pour cent des espèces furent effacées de la surface de la Terre.

*Ichtyostega,
animal terrestre primitif*

*Âge des mammifères
et des oiseaux*

*Oiseaux
de grande taille*

*Nombreux animaux laineux
durant les glaciations*

Carbonifère
(– 360 à – 286 Ma)

Permien
(– 286 à – 245 Ma)

Trias
(– 245 à – 202 Ma)

Jurassique
(– 202 à – 144 Ma)

Crétacé
(– 144 à – 65 Ma)

Tertiaire
(de – 65 Ma à auj.)

La Terre en danger

LES ACTIVITÉS HUMAINES causent à notre planète des dangers irréparables et la mettent en danger. Chaque jour, nous pillons toujours plus ses ressources, mettant atmosphère, plantes et animaux en danger. Les gaz d'échappement et les fumées d'usine empoisonnent l'air, les rivières sont polluées par les résidus chimiques de l'industrie et de l'agriculture, et les grandes forêts amazoniennes disparaissent.

Terres submergées

Le réchauffement global pourrait élever les températures moyennes de 4 °C d'ici le milieu du XXIe siècle. La plus grande partie des glaces polaires fondraient, causant de terribles inondations sur les terres les plus basses et noyant un grand nombre de cités côtières.

Atmosphère perturbée

La couche d'ozone nous protège contre les rayonnements solaires ultraviolets, et sa dégradation est l'un des problèmes qui affectent aujourd'hui l'atmosphère terrestre. L'effet de serre est un phénomène plus ancien, mais il s'accentue lui aussi de jour en jour.

Le Soleil émet des radiations énergétiques sous forme de chaleur et de lumière

La couche d'ozone emprisonne ou renvoie la plupart des rayons ultraviolets

La partie dégradée de la couche d'ozone laisse passer davantage de rayons ultraviolets

Voir également : L'atmosphère page 152, Temps et climats page 154

Eaux empoisonnées

L'or est un métal précieux qui peut apporter une richesse rapide aux prospecteurs. Dans certaines régions de l'Amazonie, l'eau des rivières contient des particules d'or que les prospecteurs prélèvent par association avec du mercure. Hélas, le mercure, très toxique, est capable de tuer toute vie aquatique sur plusieurs centaines de kilomètres.

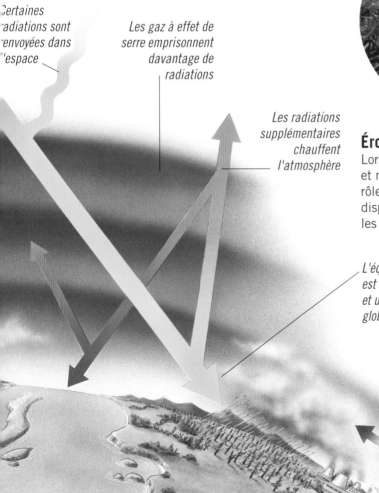

Certaines radiations sont renvoyées dans l'espace

Les gaz à effet de serre emprisonnent davantage de radiations

Les radiations supplémentaires chauffent l'atmosphère

L'équilibre naturel est menacé et un réchauffement global s'installe

Érosion des sols

Lorsqu'un sol est cultivé de façon intense, ses minéraux et nutriments s'épuisent. Les plantes ne jouent plus leur rôle fixateur et la terre végétale devient friable : elle disparaît sous l'action du vent ou est emportée par les fortes pluies.

Effet de serre

L'atmosphère reçoit diverses radiations en provenance du Soleil. Certaines sont absorbées par les gaz atmosphériques et produisent de la chaleur, maintenant une température adaptée à la vie terrestre. Aujourd'hui, les gaz produits par les activités humaines, dont méthane et dioxyde de carbone, accroissent dangereusement ce phénomène.

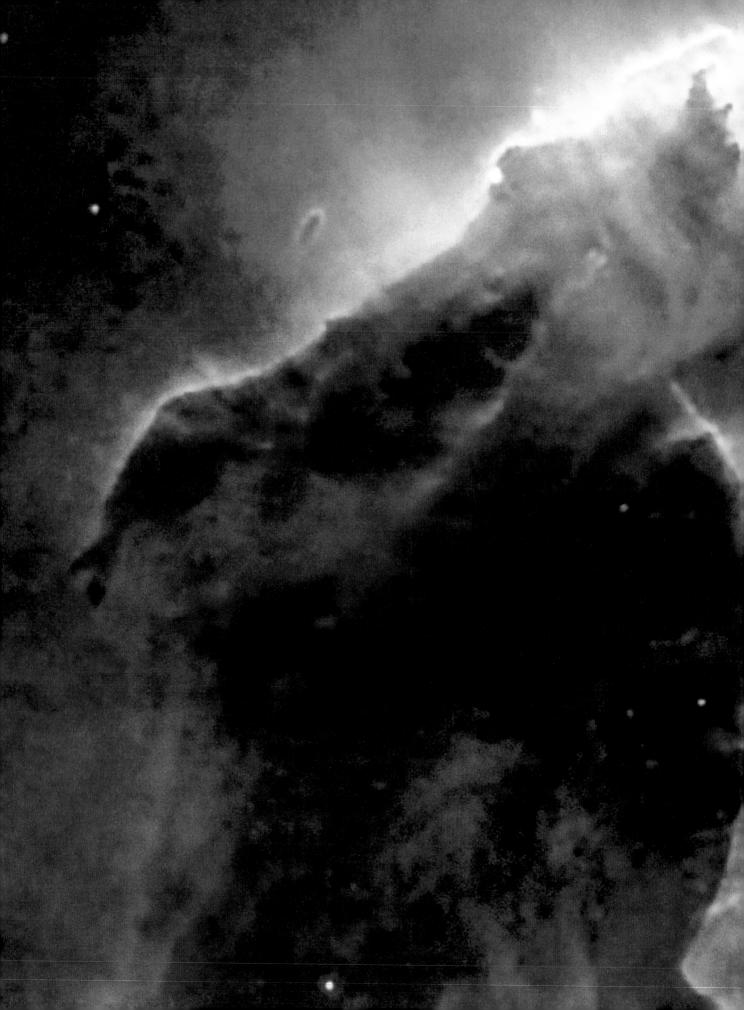

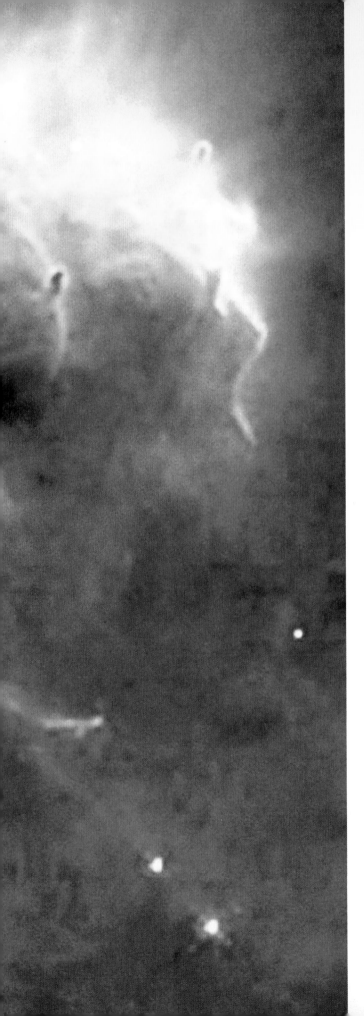

6

Espace
et temps

Au-delà de notre planète, l'espace est un monde à la fois étrange et merveilleux. Des étoiles naissent et d'autres explosent, de vastes amas stellaires appelés galaxies s'éloignent les uns des autres, les lignes droites sont courbes et le temps s'écoule plus vite ou plus lentement que sur Terre. Certains phénomènes spatiaux demeurent inexpliqués.

La Terre dans l'espace

AUTREFOIS, on pensait que la Terre était plate et qu'elle formait le centre de l'Univers. Bientôt, les hommes de science découvrirent que notre planète a la forme d'un globe et qu'elle tourne autour du Soleil, notre étoile. Observés depuis la Terre, Soleil et étoiles semblent voyager dans le ciel, mais c'est une illusion causée par les mouvements propres de notre planète. Seuls les déplacements de la Lune, qui tourne autour de la Terre, sont réels.

Découverte scientifique

Le Polonais Nicolas Copernic (1473-1543) étudia la médecine et le droit avant de s'intéresser à l'astronomie. Il suggéra que la théorie géocentrique (Terre au centre de l'Univers), largement acceptée à cette époque, était contredite par l'observation astronomique et proposa la théorie héliocentrique (Terre et autres planètes tournant autour du Soleil). Bien que violemment combattue, cette idée marqua le début d'une nouvelle ère pour la science.

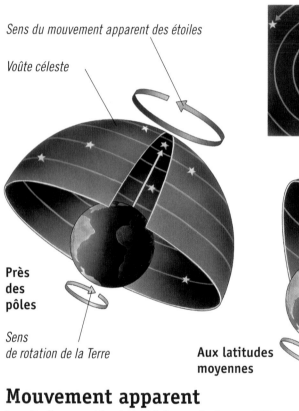

Sens du mouvement apparent des étoiles

Voûte céleste

Étoile Polaire

Les étoiles proches du pôle céleste décrivent des cercles très serrés

Près des pôles

Sens de rotation de la Terre

Aux latitudes moyennes

Les étoiles proches du pôle décrivent des arcs plus serrés

Les étoiles proches de l'équateur décrivent des arcs plus larges

Près de l'équateur

Les étoiles semblent se déplacer en ligne droite

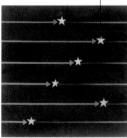

Mouvement apparent

Les étoiles semblent se déplacer de façon différente dans le ciel selon l'endroit où l'on se trouve sur Terre. Loin au nord et au sud, à proximité des pôles géographiques, elles décrivent des trajectoires circulaires. Au pôle Nord, l'étoile Polaire se trouve alignée avec l'axe de rotation de la Terre et semble immobile. Aux latitudes moyennes, les arcs de cercle décrits par les étoiles sont plus serrés pour celles situées en direction du pôle et plus larges pour celles situées vers l'équateur. À l'équateur, les étoiles semblent se déplacer en ligne droite selon des directions parallèles. En fait, les étoiles sont quasi immobiles : c'est la rotation de la Terre qui induit leurs mouvements dans le ciel.

Voir également : Notre planète page 142, Explorer le cosmos page 176

LES PLANÈTES EN CHIFFRES

Planète	Distance par rapport au Soleil (millions de kilomètres)	Diamètre (millions de kilomètres)	Durée du jour (jours terrestres)	Durée de l'année (jours ou années terrestres)	Nombre de lunes
Mercure	58	4 878	58 j 15 h	88 jours	0
Vénus	108	12 104	243 jours	224,7 jours	0
Terre	149,6	12 756	24 heures	365 j 6 h	1
Mars	228	6 794	24 h 37 min	687 jours	2

Ceinture d'astéroïdes entre Mars et Jupiter (ceinture de Kuiper)

Planète	Distance	Diamètre	Durée du jour	Durée de l'année	Nombre de lunes
Jupiter	778	142 795	9 h 53 min	11 ans 314 j	+ de 50
Saturne	1 427	120 660	10 h 25 min	29 ans 167 j	+ de 35
Uranus	2 875	51 100	17 h 12 min	84 ans 7 j	+ de 20
Neptune	4 497	49 600	16 heures	164 ans 280 j	+ de 10
Pluton	5 900	2 200	6 j 9 h	247 ans 249 j	1

UNE STATION SPATIALE

La station Mir fut placée en orbite terrestre par l'Union soviétique en 1986. La partie principale de la station mesurait 17 mètres de long et 4 mètres de large. Elle affichait six pièces d'amarrage – deux de plus que *Saliout 7*, à qui elle succéda – et deux compartiments réservés aux séjours de longue durée. Le module scientifique *Kvant 1* fut ajouté en 1987. De nombreux astronautes ont séjourné dans la station *Mir*, certains plus d'un an. Elle était desservie par les vaisseaux automatiques *Progress*. Durant les années 1990, la station *Mir* connut plusieurs incidents, dont une collision avec un vaisseau de service. Elle fut désorbitée en 2001.

Découverte scientifique

L'ingénieur américain Robert Goddard (1882-1945) conçut la première fusée à ergols liquides, qui s'éleva, en 1926, à 56 mètres. Goddard poursuivit ses expériences avec des modèles de plus en plus puissants, jetant les bases de l'exploration spatiale.

Lever de Terre

En mai 1969, les astronautes américains d'*Apollo X* furent les premiers à découvrir la Terre depuis un autre monde. Alors qu'ils orbitaient la Lune en préparation de la mission *Apollo XI*, la Terre apparut au-dessus de l'horizon lunaire. La Terre n'a pas de luminosité propre : elle tire son éclat de la lumière solaire.

Explorer l'espace

L'AVENTURE SPATIALE commença le 4 octobre 1957
avec le lancement par l'Union soviétique du satellite
Spoutnik 1, sphère métallique de 84 kg et 58 cm de
diamètre équipée de deux émetteurs radio. Le monde
entier fut stupéfait. Aujourd'hui, les missions spatiales
sont quasi hebdomadaires : les lanceurs s'arrachent
à la pesanteur terrestre et libèrent leur chargement, parfois
en partance pour les confins du cosmos.

Les lanceurs

Les lanceurs, ou fusées, sont les engins de propulsion les plus puissants connus
à ce jour. Pour se placer en orbite terrestre, un lanceur doit atteindre une vitesse
minimale de 7,9 km/s : c'est la première vitesse cosmique. La vitesse imprimée au corps
en orbite compense alors l'attraction terrestre. Pour échapper à l'attraction terrestre
et poursuivre sa route au sein du système solaire,
le lanceur doit atteindre la deuxième vitesse
cosmique, ou vitesse de libération,
qui est de 11,2 km/s.

8 min 50 s
L'énorme réservoir
extérieur est largué.
Les moteurs principaux
sont coupés et les
moteurs de manœuvre
placent l'orbiteur en
orbite terrestre
à une altitude voisine
de 120 km.

8 min
Propulsé par ses
moteurs-fusées,
l'orbiteur est
proche
de la vitesse
de satellisation.

2 min 12 s
Les propulseurs
sont largués.
Ils seront récupérés
dans l'océan.

Voir également : Notre planète page 142

Opérationnel

L'orbiteur révèle
le contenu de sa soute,
le plus souvent une sonde
ou un satellite. La navette
spatiale américaine peut
emmener trente tonnes de
charge utile dans l'espace.
L'orbiteur est capable
de capturer un satellite en
orbite et de le ramener sur
Terre pour des réparations
ou des modifications.

ALUNISSAGES

Le programme Apollo avait pour objectif l'envoi d'hommes sur la Lune.
Le 20 juillet 1969, l'Américain Neil Armstrong, astronaute d'*Apollo XI*, posa le pied
sur le sol de notre satellite. Cinq autres missions lunaires, la dernière effectuée
par *Apollo XVII*, permirent la réalisation d'expériences
et le prélèvement d'échantillons de sol. La prochaine
planète visitée par l'homme pourrait être Mars,
vers 2020. Le voyage durerait environ neuf mois
dans chaque sens.

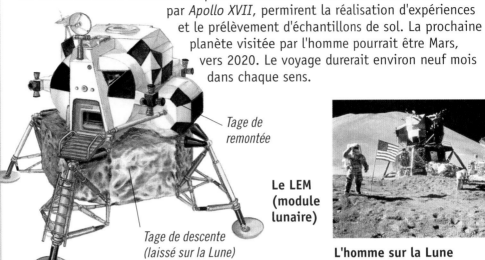

Tage de
remontée

Tage de descente
(laissé sur la Lune)

**Le LEM
(module
lunaire)**

L'homme sur la Lune

Navette spatiale

La navette spatiale américaine se compose
de l'orbiteur, sorte d'avion spatial doté de
trois moteurs-fusées, d'un réservoir extérieur
contenant oxygène et hydrogène liquides,
et de deux propulseurs à poudre chargés
d'apporter une poussée supplémentaire dans
la phase initiale de lancement. L'ensemble
pèse environ 2 000 tonnes.

Sortie dans l'espace

Lors de ses activités
extravéhiculaires,
l'astronaute porte
une combinaison
pressurisée qui le
protège contre les
principaux dangers
du vide spatial :
températures
extrêmes, radiations
et micrométéorites.

MMU (fauteuil à réaction)

Réservoir
extérieur

Propulseur
à poudre

Orbiteur

Découverte scientifique

En son temps, le Russe Konstantine
Tsiolkovski (1857-1935)
annonça nombre
des développements
de la conquête spatiale.
Il avait prévu le
fonctionnement des
moteurs-fusées dans
le vide spatial (ce dont
beaucoup doutaient),
les stations orbitales
et les satellites artificiels.

Autour du Soleil

UN SATELLITE EST UN CORPS qui tourne autour d'un autre corps. La Terre possède un satellite naturel – la Lune – et de très nombreux satellites artificiels, voués à diverses missions scientifiques – cartographie, communications, météorologie – ou militaires. La Terre elle-même est un satellite du Soleil, autour duquel elle tourne. La rotation de notre planète sur elle-même produit l'alternance du jour et de la nuit, et sa révolution autour du Soleil est responsable du cycle des saisons.

Automne dans l'hémisphère Nord, printemps dans l'hémisphère Sud

Soleil

Un voyage d'un an

Le Soleil semble traverser le ciel d'est en ouest, mais ce mouvement est dû à la rotation terrestre : notre planète tourne sur elle-même autour d'un axe imaginaire passant par ses deux pôles géographiques, et chaque rotation dure vingt-quatre heures. Dans le même temps, la Terre tourne autour du Soleil à la vitesse de 30 km/s, et chaque révolution représente une année terrestre. L'axe de rotation de la Terre n'est pas perpendiculaire à son plan de révolution, de sorte que chacun des deux pôles ne reçoit le Soleil que six mois par an. Lorsque le pôle Nord connaît son ensoleillement maximal, c'est le début de l'été dans l'hémisphère Nord.

Hiver dans l'hémisphère Nord, été dans l'hémisphère Sud

Orbite de la Terre autour du So...

Découverte scientifique

Le mathématicien et astronome allemand Johannes Kepler (1571-1630) soutint les théories héliocentriques de Copernic (selon lesquelles la Terre et les autres planètes tournent autour du Soleil). Se servant des trois lois expérimentales qui portent son nom, Kepler calcula de façon précise les orbites de la Terre et des autres planètes connues à cette époque.

Les saisons

L'équateur de la Terre est incliné de 23° 26' par rapport à son plan de révolution. Ce phénomène, associé à la course de notre planète autour du Soleil, est responsable des saisons. Aux équinoxes de printemps et d'automne (mars et septembre), le Soleil se trouve dans le plan de l'équateur et tous les points du globe connaissent une même durée d'ensoleillement. Au solstice de juin, le Soleil est à son point le plus élevé dans l'hémisphère Nord, et à son point le plus bas dans l'hémisphère Sud. Au solstice de décembre, il est à son point le plus bas dans l'hémisphère Nord, et à son point le plus élevé dans l'hémisphère Sud.

Soleil d'hiver

En hiver, la durée d'ensoleillement est plus courte qu'en été et le Soleil se trouve plus bas dans le ciel. Les rayons solaires traversent l'atmosphère à un angle plus incliné et perdent de leur puissance : ils sont faiblement chauffants, de sorte que les températures baissent. À l'inverse, dans l'autre hémisphère, la durée d'ensoleillement est plus longue et le Soleil se trouve plus haut dans le ciel : c'est l'été et les températures montent.

Voir également : Notre planète page 142, L'atmosphère page 152

Axe de rotation
de la Terre

**Été dans
l'hémisphère Nord,
hiver dans
l'hémisphère Sud**

*Nuit
sur la face
non éclairée
de la Terre*

*Jour sur la
face éclairée
de la Terre*

**Printemps dans
l'hémisphère Nord,
automne dans
l'hémisphère Sud**

Les phases de la Lune

La Lune tourne autour de la Terre à une distance moyenne de 384 000 km. Durant son orbite elliptique elle se trouve à 356 000 km de la Terre à son point le plus proche et à 407 000 km de celle-ci à son point le plus éloigné. Chaque orbite lunaire correspond à une période de 27,3 jours terrestres appelée mois sidéral lorsqu'on se réfère aux étoiles, mais cette période de révolution s'allonge à 29,5 jours lorsque l'on tient compte du mouvement propre de la Terre par rapport au Soleil : c'est le mois synodique. Comme les planètes, la Lune n'a pas de luminosité propre : elle tire son éclat de la lumière solaire. La portion de Lune visible depuis la Terre détermine une phase lunaire, et les phases lunaires se répètent à chaque mois synodique.

La Terre vue depuis l'espace

Les satellites artificiels ont des orbites différents selon leur mission. La plupart des satellites d'observation terrestre orbitent notre planète à une altitude comprise entre 500 et 1 000 km, voire moins lorsque leur orbite est elliptique. Certains satellites de communication orbitent notre planète directement au-dessus de l'équateur à une altitude de 35 800 km. À cette distance, chaque révolution dure 24 h, soit la durée exacte d'une rotation terrestre, de sorte que le satellite semble suspendu à la même place dans le ciel. L'avantage de tels satellites, appelés satellites géostationnaires, est qu'ils peuvent être utilisés en réseau et servir de relais pour le contrôle de satellites à défilement.

Premier croissant   Premier quartier   Gibbeuse   Pleine Lune   Gibbeuse   Dernier quartier   Dernier croissant

Terre et magnétisme

LA TERRE AGIT comme un gigantesque aimant et les ondes qu'elle produit affectent tous les matériaux magnétiques se trouvant à sa portée. De fait, c'est un peu comme si notre planète contenait une immense barre de fer dont les deux extrémités seraient les pôles magnétiques. Les pôles magnétiques sont différents des pôles géographiques, qui définissent l'axe de rotation de la Terre, mais ils en sont relativement proches. Sous l'effet du champ magnétique terrestre, appelé magnétosphère, tout objet métallique libre, aiguille d'une boussole ou particule chargée contenue dans un atome, s'aligne sur les pôles magnétiques. C'est par ce principe que fonctionne une boussole, dont l'aiguille pointe toujours vers le nord magnétique dans l'hémisphère Nord.

Aurores polaires

Les aurores boréales et australes surviennent lorsque des particules de haute énergie en provenance du Soleil sont prises dans le champ magnétique qui s'étend au-dessus des pôles terrestres.

Les aurores polaires sont de spectaculaires rideaux de couleurs qui illuminent la nuit

Découverte scientifique

L'Américain James Van Allen (n. 1914) établit la présence de la magnétosphère à partir d'informations transmises par les premiers engins spatiaux. Il expliqua que la Terre était entourée de ceintures de radiations créées par les particules solaires. Sur la face de la Terre exposée au Soleil, la magnétosphère est épaisse d'environ 60 000 km. Sur la face non exposée, elle s'étire en une queue longue d'environ 250 000 km.

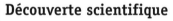
Ceintures de Van Allen

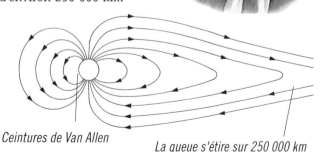
La queue s'étire sur 250 000 km

NAVIGATION AU COMPAS

Les navigateurs d'autrefois se référaient à un compas magnétique pour se diriger au milieu des océans. La précision d'un compas peut être affectée par des variations locales – appelées anomalies magnétiques – dues à des concentrations de matériaux riches en fer dans la croûte terrestre. En outre, à l'approche des pôles, les lignes de champ frappent la Terre selon une direction quasi verticale, ce qui cause souvent une rotation continue de l'aiguille alors qu'elle cherche à s'aligner sur le champ magnétique.

Voir également : Le magnétisme et ses mystères page 92, Notre planète page 142

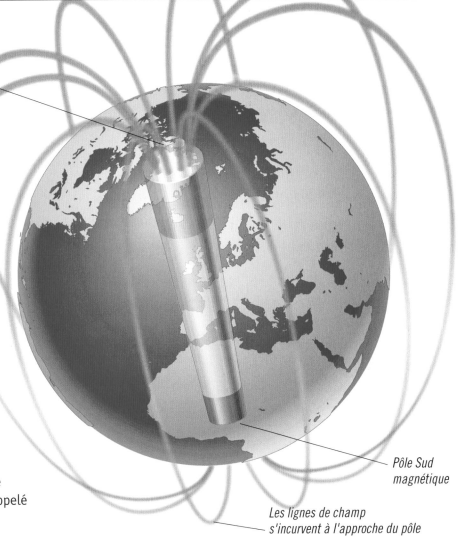

Aux abords des pôles magnétiques, les lignes de champ frappent le sol verticalement

Ondes magnétiques invisibles

Les champs magnétiques s'étendent jusque dans l'espace

Au niveau de l'équateur, les lignes de champ sont parallèles à la surface terrestre

Pôle Sud magnétique

Les lignes de champ s'incurvent à l'approche du pôle

Champ magnétique

Un vaste champ magnétique entoure notre planète, comme si celle-ci contenait un gigantesque aimant. Ce champ magnétique ne concerne pas uniquement les objets situés sur le sol terrestre : il s'étend par-delà l'atmosphère et rencontre les particules chargées envoyées par le Soleil. Cet immense cocon magnétique au centre duquel se trouve la Terre est appelé la magnétosphère (*voir* page opposée).

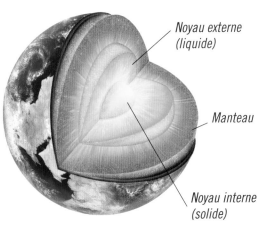

Noyau externe (liquide)

Manteau

Noyau interne (solide)

La géodynamo

Le noyau ferreux terrestre agit comme une dynamo. Sous les effets de la température extrême et de la rotation terrestre, le noyau externe liquide est agité, créant de puissants courants électriques qui donnent naissance, par électromagnétisme, à la magnétosphère.

Pôle Nord géographique

Pôle Nord magnétique

Pôles magnétiques

À l'heure actuelle, le pôle Nord magnétique se situe dans l'Arctique canadien, à plusieurs centaines de kilomètres du pôle Nord géographique. De même que le pôle Sud magnétique, il se déplace continuellement. Une inversion des pôles magnétiques se produit tous les 200 000 ans.

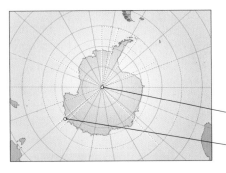

Pôle Sud géographique

Pôle Sud magnétique

Les planètes telluriques

MERCURE, VÉNUS, LA TERRE ET MARS, les quatre planètes les plus proches du Soleil, sont appelées les planètes telluriques. Elle ont en commun d'être rocheuses et de posséder une croûte solide. Mercure et Mars sont presque dépourvues d'atmosphère, alors que Vénus est entourée d'une épaisse enveloppe gazeuse. Les température au sol varient de + 460 °C sur Vénus à - 200 °C sur Mercure.

LE SATELLITE TERRESTRE

La plupart des planètes solaires comptent plusieurs satellites, mais la Terre n'en possède qu'un : la Lune. Son diamètre est environ quatre fois moindre que celui de la Terre, et sa masse quatre-vingts fois moindre que la masse terrestre. La surface de la Lune est recouverte de cratères.

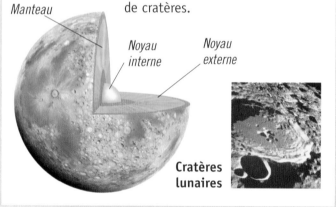

Manteau

Noyau interne

Noyau externe

Cratères lunaires

La Terre

Observée depuis l'espace, notre planète est celle qui offre le plus de variations de surface : les masses nuageuses courent au-dessus des océans et des continents pour former des motifs blancs, bleus, bruns et verts qui changent quotidiennement. À notre connaissance, la Terre est la seule planète du système solaire abritant la vie, mais certains satellites naturels, par exemple le saturnien Titan, sont des candidats possibles.

La calotte polaire s'élargit en hiver

Mars

Mars est surnommée la planète rouge à cause de la poussière rougeâtre, riche en oxydes de fer, qui recouvre sa surface. Les paysages martiens englobent de larges failles et cratères et des volcans très anciens, dont Olympus Mons (25 000 m), plus haut sommet du système solaire. Mars affiche des températures diurnes comparables à celles de la Terre, mais son atmosphère est si ténue que les températures nocturnes atteignent -130 °C. De récentes études effectuées sur des météorites martiens suggèrent que des formes de vie microscopiques ont peuplé la planète rouge et qu'il y existe sans doute des nappes d'eau souterraines.

Voir également : Notre planète page 142, La Terre dans l'espace page 174

Vénus

Vénus est la planète la plus proche
de la Terre. Elle est enveloppée par une
épaisse atmosphère composée à 97 %
de dioxyde de carbone et au sein de
laquelle se forment des nuages d'acide
sulfurique. Cette enveloppe gazeuse est
si dense que la pression au sol est
quatre-vingt douze fois supérieure
à la pression terrestre ! À cause de
l'effet de serre, la température au sol
atteint 470 °C, ce qui fait de Vénus
la planète solaire la plus chaude. Vénus
affiche des dimensions comparables
à celles de la Terre et sa masse est égale
à 0,8 masse terrestre.

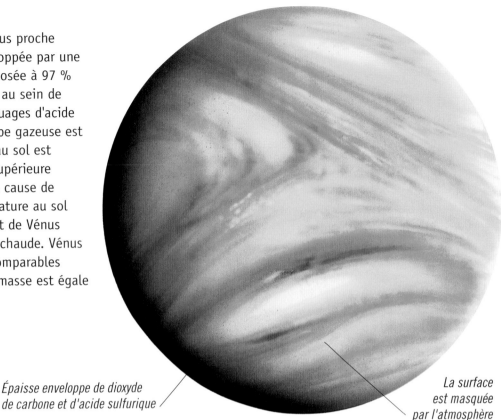

*Mers et océans
sont bleu foncé*

*Épaisse enveloppe de dioxyde
de carbone et d'acide sulfurique*

*La surface
est masquée
par l'atmosphère*

*Atmosphère ténue
de vapeurs
de sodium*

*Cratères
d'impact*

Mercure

La sonde américaine Mariner 10 a révélé que la
surface de Mercure ressemble beaucoup à celle
de la Lune. Dépourvue d'atmosphère, Mercure
est souvent frappée par des météorites.
La température au sol atteint 430 °C le jour
et - 180 °C la nuit : c'est l'amplitude thermique
la plus élevée pour les planètes solaires.

DIMENSIONS DES PLANÈTES

Les dimensions des quatre planètes telluriques sont bien plus faibles
que celles des planètes géantes. Mercure est la plus petite, avec
un diamètre de 4 878 km et une masse de 0,056 masse terrestre.

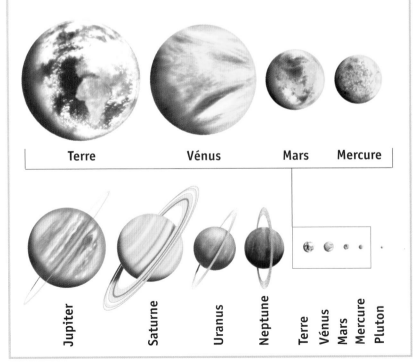

Terre   Vénus   Mars   Mercure

Jupiter   Saturne   Uranus   Neptune   Terre Vénus Mars Mercure Pluton

Comètes et astéroïdes

DES MILLIERS DE CORPS de petite taille orbitent le Soleil
en même temps que les planètes et leurs satellites :
ce sont les astéroïdes. Certains sont des microplanètes
d'un diamètre de plusieurs centaines de kilomètres, et la
plupart circulent au sein d'une large bande, ou ceinture,
située entre Mars et Jupiter. Il arrive que des corps rocheux
s'approchent de la Terre et pénètrent dans son atmosphère.
Heureusement, la grande majorité de ces corps se
consument avant d'atteindre le sol, donnant naissance
aux météores et aux étoiles filantes.

Comète de Hale-Bopp
En 1995, une comète très brillante
fut observée près de Jupiter par les
Américains Alan Hale et Thomas Bopp.
Comme il se doit, elle fut nommée
en référence à ses découvreurs.
Son observation depuis la Terre atteignit
sa phase la plus spectaculaire en 1997,
et le télescope spatial Hubble montra que
son noyau mesurait près de 40 kilomètres
de diamètre.

Anatomie d'une comète

Le noyau d'une comète est constituée d'un amas
solide de glace et de poussières. Lorsqu'une
comète s'approche du Soleil, son noyau
commence à fondre : il donne naissance à
une queue d'ions et à une queue de poussières
parfois longues de plusieurs millions de
kilomètres. Sous l'effet du vent solaire, la queue
d'ions s'étire toujours en une direction opposée
à celle du Soleil. Lorsqu'une comète s'éloigne
du Soleil, la queue d'ions est orientée dans la
direction de sa progression.

Noyau

Tête

Queue

MAUVAIS PRÉSAGE

Autrefois, on associait le passage d'une
comète à des événements tragiques.

▶ Un ouvrage chinois vieux de 2 400 ans
répertorie 27 types de comètes
et les désastres qui leur sont associés.

▶ Le premier passage de la comète de Halley, en
l'an 66, fut plus tard associé à la prise
de Jérusalem par les Romains.

▶ Après son passage en 1835, la comète de
Halley fut rendue responsable du massacre de
Fort Alamo et des guerres en Amérique latine.

Voir également : La Terre dans l'espace page 174, Les planètes telluriques page 182

Cratères et météorites

Les comètes décrivent de longues orbites elliptiques autour du Soleil. Certaines proviennent de l'espace lointain et ne sont visibles qu'une fois par siècle. Lorsque la Terre traverse l'essaim de particules créé par une comète, il se produit une pluie d'étoiles filantes. De temps à autre, le noyau d'une comète se brise et forme plusieurs météorites. Certains météorites possèdent une masse suffisante pour frapper le sol terrestre et y imprimer un large cratère : la chute d'un météorite serait à l'origine de l'extinction des dinosaures.

Découverte scientifique

L'astronome américain Fred Whipple (1906-) suggéra le premier que le noyau des comètes se composait d'un mélange de glace, de poussières et de gaz – qu'il nomma boule de neige sale – et que ces composants étaient à l'origine de la formation de la fameuse « chevelure ». Les idées de Whipple furent confirmées en 1986.

Certains astéroïdes ont la taille d'un gros rocher

SIGNES DE VIE ?

En 1997, certains scientifiques annoncèrent que la vie sur Mars était possible alors même qu'aucun engin spatial ne se trouvait à proximité de la planète rouge. De fait, l'analyse d'un petit météorite identifié comme un fragment de sol martien avait montré des structures correspondant à des formes de vie microscopiques. Ces organismes sont-ils encore présents sur la planète rouge ?

Le diamètre d'un astéroïde peut atteindre plusieurs kilomètres

Zone dangereuse

Un engin spatial voyageant entre Mars et Jupiter doit traverser la ceinture d'astéroïdes, au risque d'être frappé de plein fouet par un de ces corps célestes.

Au pays des géantes

JUPITER, SATURNE, URANUS ET NEPTUNE, les quatre planètes géantes du système solaire, sont très différentes des planètes telluriques par leurs dimensions – le diamètre de Jupiter équivaut à plus de onze diamètres terrestres – et par leur structure – elles possèdent un noyau rocheux mais sont essentiellement constituées de gaz. En outre, elles ont une densité très faible, à tel point que Saturne pourrait flotter dans l'eau... si on trouvait un récipient suffisamment grand pour la contenir. Ces planètes sont également très froides. Pluton, plus petite planète solaire, est un astre à part, égaré au pays des géantes.

Les anneaux ne mesurent que 1 à 2 km d'épaisseur

Anneaux ténus   La Grande Tache rouge   Satellite naturel

Renflement équatorial lié à la vitesse de rotation

Jupiter

Jupiter est la plus grosse et la plus massive des planètes solaires. Son temps de rotation est si court – moins de dix heures – qu'elle présente un renflement au niveau de l'équateur. Jupiter est essentiellement composée d'hélium et d'hydrogène, ce dernier rendu liquide puis solide à l'approche du noyau rocheux. À sa surface, on observe un gigantesque tourbillon – la Grande Tache Rouge – qui s'étend sur près de 40 000 km.

Sondes spatiales

Les planètes géantes ont été visitées par diverses sondes d'exploration. *Voyager 2* a survolé Saturne, Uranus et Neptune, tandis que *Cassini-Huygens* devrait atteindre Saturne en juillet 2004 : *Cassini* orbitera la planète et la sonde *Huygens* se posera sur son satellite Titan.

Charon

Pluton

Pluton

Pluton est la plus petite des planètes solaires. Elle est si éloignée du Soleil que depuis sa surface, celui-ci apparaît à peine plus gros qu'une autre étoile. Avec son satellite Charon, de dimensions environ deux fois moindres, Pluton forme un système double dans lequel les deux astres montrent toujours la même face. Pluton est si petite et si atypique que certains scientifiques hésitent à lui accorder le statut de planète.

Voir également : La Terre dans l'espace page 174, Les planètes telluriques page 182

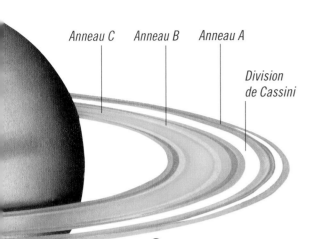

Anneau C   Anneau B   Anneau A

Division
de Cassini

Anneaux ténus

la Grande
Tache Sombre

Saturne

Presque aussi grosse que Jupiter, Saturne
est principalement composée d'hydrogène
et d'hélium. Ses multiples anneaux sont constitués
de milliards de petits blocs de glace et de poussière,
à peine plus gros qu'une balle de tennis, qui tournent
sans fin autour de la planète.

Neptune

Neptune est plus petite qu'Uranus mais tout aussi froide
que cette dernière. Son noyau rocheux est entouré par
une couche de méthane et d'ammoniac liquides épaisse
de plusieurs milliers de kilomètres. Au-dessus, une dense
atmosphère constituée d'hélium et d'hydrogène donne
naissance à des vents capables de souffler à plus de
2 000 km/h. Depuis l'espace, Neptune affiche une couleur
bleue prédominante.

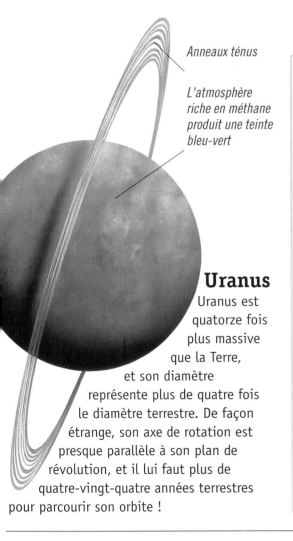

Anneaux ténus

L'atmosphère
riche en méthane
produit une teinte
bleu-vert

Uranus

Uranus est
quatorze fois
plus massive
que la Terre,
et son diamètre
représente plus de quatre fois
le diamètre terrestre. De façon
étrange, son axe de rotation est
presque parallèle à son plan de
révolution, et il lui faut plus de
quatre-vingt-quatre années terrestres
pour parcourir son orbite !

DIMENSIONS DES PLANÈTES

Les planètes géantes affichent toutes un système d'anneaux, mais
celui de Saturne est le plus fameux. Elles possèdent également de très
nombreux satellites naturels : Ganymède, lune de Jupiter, et Titan,
lune de Saturne, sont tous les deux plus gros que la planète Mercure.

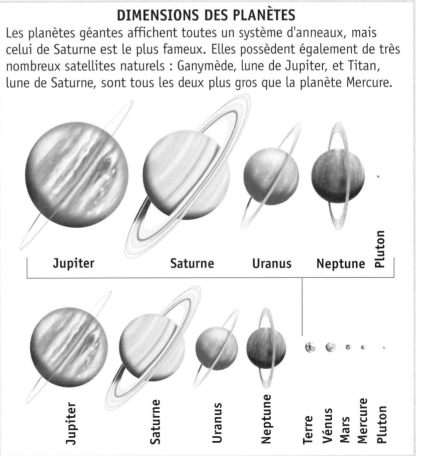

Jupiter   Saturne   Uranus   Neptune   Pluton

Jupiter   Saturne   Uranus   Neptune   Terre Vénus Mars Mercure Pluton

Le Soleil

Notre étoile est une gigantesque boule de gaz
incandescents composée pour les trois quarts
d'hydrogène et pour un quart d'hélium.
Les dimensions du Soleil sont telles – il est
plus de 1,3 million de fois plus volumineux
et 333 420 fois plus massif que la Terre
– que la pression en son centre est immense,
générant des températures voisines de
15 millions de degrés Celsius. Ces conditions
donnent naissance à des réactions nucléaires
qui elles-mêmes engendrent de puissants
dégagements d'énergie rayonnante.

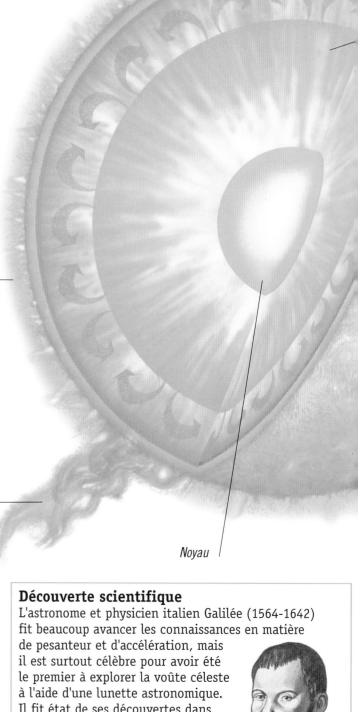

Couronne ——————

Chromosphère ——————

Couches solaires

À la surface du Soleil, appelée photosphère, la température
atteint 5 500 °C. La photosphère est constellée de taches
brillantes, les granules, qui traduisent les turbulences
de la zone convective sous-jacente. L'atmosphère solaire
est formée par la chromosphère et par la couronne, région
la plus externe, et les protubérances solaires sont
de gigantesques langues d'hydrogène qui s'étirent
parfois sur près de 100 000 km.

Protubérance solaire ——————

Noyau

Astre tout puissant

Les radiations émises par le Soleil nous apportent
directement chaleur et lumière, mais elles sont
également à l'origine de sources d'énergie telles
que pétrole et charbon, qui ont été formés par
la décomposition d'organismes ou de plantes.

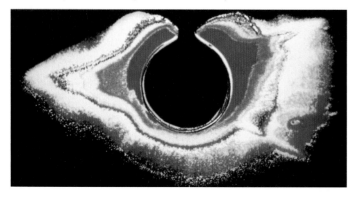

Découverte scientifique

L'astronome et physicien italien Galilée (1564-1642)
fit beaucoup avancer les connaissances en matière
de pesanteur et d'accélération, mais
il est surtout célèbre pour avoir été
le premier à explorer la voûte céleste
à l'aide d'une lunette astronomique.
Il fit état de ses découvertes dans
l'ouvrage *Sidereus Nuncius*
(*Le Messager sidéral*), publié en 1610.
Il découvrit les reliefs lunaires, les
taches solaires et les principales
lunes de Jupiter.

Voir également : La Terre dans l'espace page 174, Les étoiles page 190

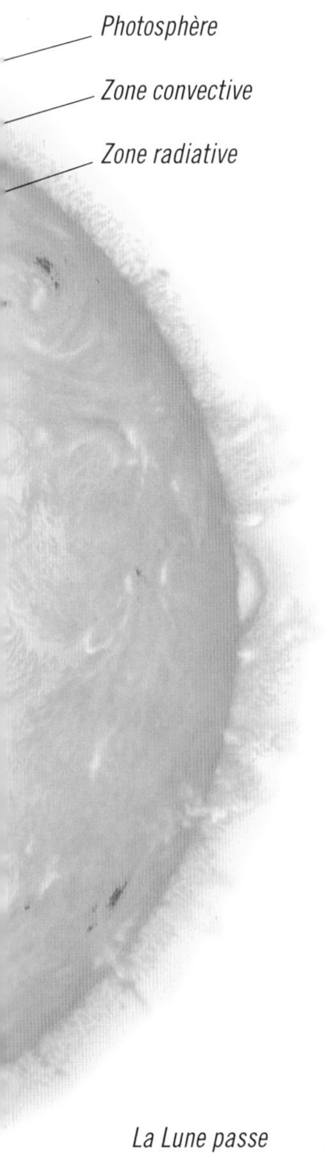

Photosphère

Zone convective

Zone radiative

SOHO
Bien qu'il soit relativement proche de la Terre et observable depuis celle-ci, le Soleil n'a pas encore livré tous ses secrets aux scientifiques. Le 9 décembre 1995, la NASA lança la sonde SOHO (SOlar and Heliospheric Observatory) et la plaça en orbite autour de l'un des points d'équilibre entre les forces gravitationnelles du Soleil et de la Terre. SOHO observe le Soleil en continu et envoie les informations collectées vers la Terre par le biais d'une antenne radio.

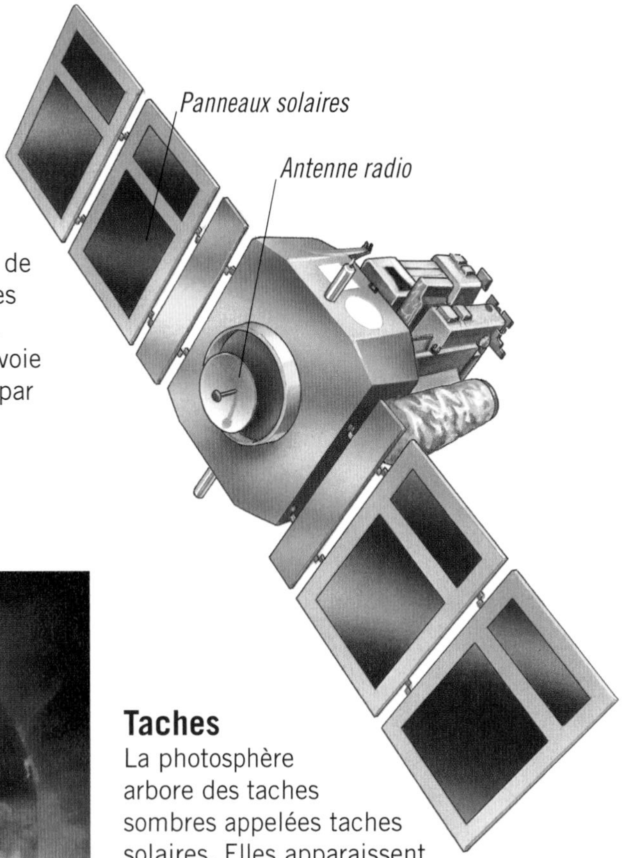

Panneaux solaires

Antenne radio

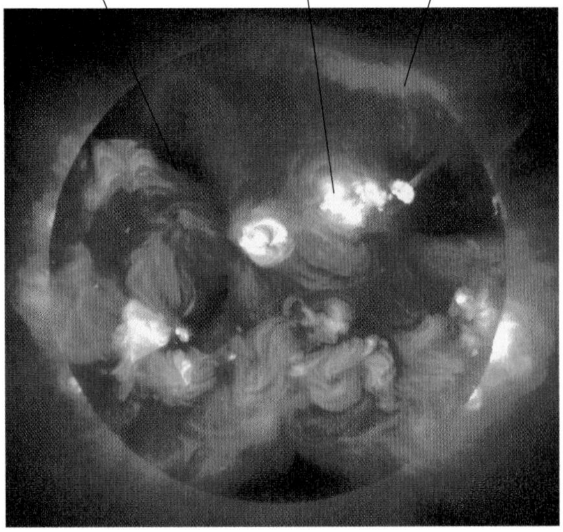

Tache   Proéminence solaire   Granules

Taches
La photosphère arbore des taches sombres appelées taches solaires. Elles apparaissent le plus souvent par groupes et se déplacent à la surface de notre étoile. Leur nombre semble culminer tous les onze ans. Certains pensent que ces taches influent sur le climat terrestre.

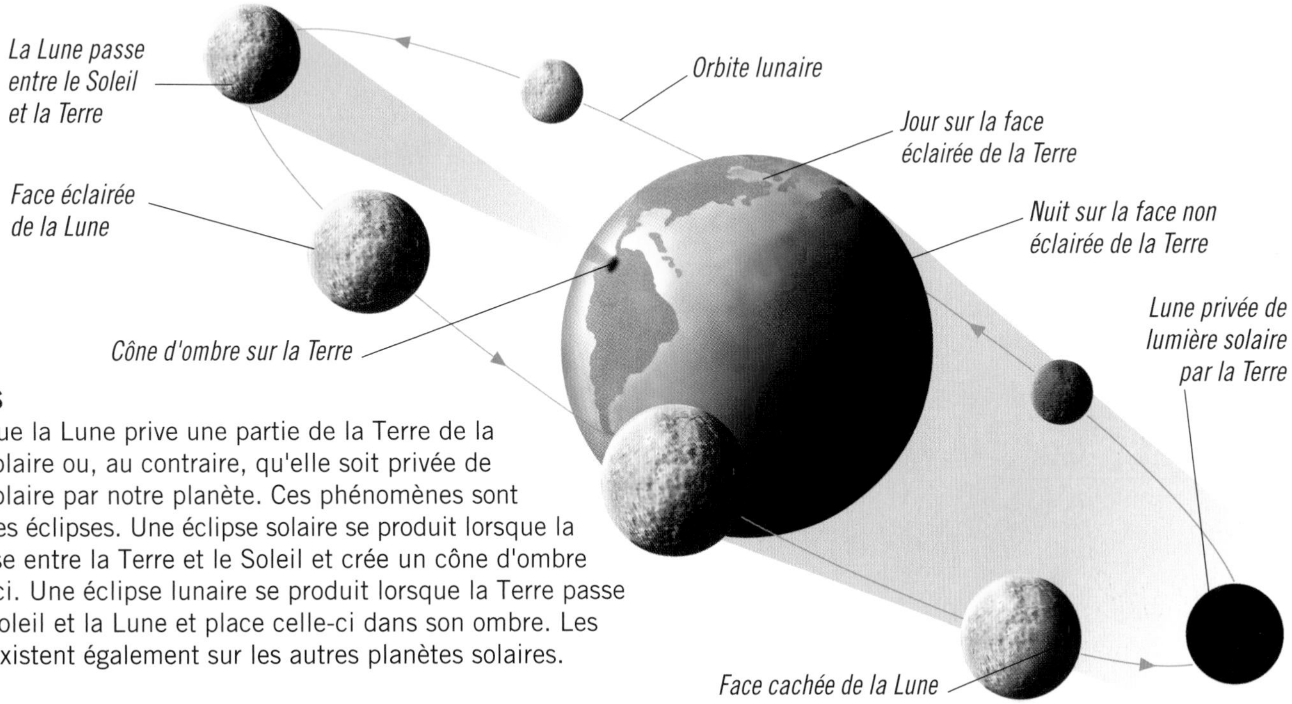

La Lune passe entre le Soleil et la Terre

Orbite lunaire

Jour sur la face éclairée de la Terre

Face éclairée de la Lune

Nuit sur la face non éclairée de la Terre

Cône d'ombre sur la Terre

Lune privée de lumière solaire par la Terre

Éclipses
Il arrive que la Lune prive une partie de la Terre de la lumière solaire ou, au contraire, qu'elle soit privée de lumière solaire par notre planète. Ces phénomènes sont appelés des éclipses. Une éclipse solaire se produit lorsque la Lune passe entre la Terre et le Soleil et crée un cône d'ombre sur celle-ci. Une éclipse lunaire se produit lorsque la Terre passe entre le Soleil et la Lune et place celle-ci dans son ombre. Les éclipses existent également sur les autres planètes solaires.

Face cachée de la Lune

Les étoiles

LES MILLIERS D'ÉTOILES qui composent la voûte céleste ne sont rien en comparaison du nombre d'étoiles dans l'Univers. L'espace contient des milliards de boules de gaz incandescents semblables au Soleil. De fait, les dimensions de notre Soleil sont plutôt inférieures à la moyenne : certaines étoiles supergéantes sont mille fois plus grosses que lui ! Il existe aussi des étoiles naines, plus petites que la Terre, des étoiles à neutrons (ou pulsars), d'un diamètre de quelques kilomètres, et des étoiles qui explosent en fin de vie, les supernovas.

COULEURS DES ÉTOILES

Les étoiles sont très éloignées, mais les scientifiques retirent de nombreuses informations de leur couleur.

▶ Plus une étoile est blanche, plus elle est chaude et lumineuse.

▶ Plus une étoile est rouge, moins elle est chaude et lumineuse.

▶ Donc, les étoiles rouges très lumineuses sont proches, et les étoiles blanches faiblement lumineuses sont très éloignées.

▶ La photosphère d'une étoile blanche atteint 25 000 °C.

▶ La photosphère d'une étoile jaune atteint 6 000 °C.

▶ La photosphère d'une étoile rouge orangé atteint 3 500 °C.

Découverte scientifique

L'astronome anglais Edmund Halley (1656-1742) fut un scientifique très prolifique. Il établit une carte des vents atmosphériques, estima les dimensions d'un atome, découvrit l'origine magnétique des aurores polaires et traça la première carte précise du ciel austral. Vers la fin de sa vie, il étudia les comètes et calcula l'orbite de celle qui porte son nom.

Naissance

Une étoile se forme par la contraction d'un vaste nuage de gaz et de poussières appelé nébuleuse.

Préparation

La contraction provoque une élévation de température, mais pas encore de rayonnement.

Brillance

Lorsque la température atteint dix millions de degrés Celsius, une réaction thermonucléaire s'installe. Les gaz deviennent incandescents et provoquent un rayonnement.

Stabilité

Chez une étoile de moyenne grandeur, l'expansion est compensée par la gravité. L'étoile garde un volume constant et brille de façon régulière pendant plusieurs millions d'années.

La vie des étoiles

Des étoiles naissent, se forment et meurent partout dans l'Univers. Les divers types d'étoiles correspondent à différents stades de vie de ces astres. Les étoiles géantes et supergéantes, certaines mille fois plus grosses que le Soleil, ont le plus souvent une vie courte et spectaculaire : elles brillent avec un grande intensité pendant moins de dix millions d'années puis s'effondrent sur elles-mêmes jusqu'à former un trou noir. Les étoiles moyennes, tel le Soleil, brillent environ dix milliards d'années avant d'exploser ou de se transformer en naine blanche.

La réaction nucléaire provoque un rayonnement lumineux

Le noyau stellaire brûle l'hydrogène, puis l'hélium

Voir également : Le Soleil page 188, Les galaxies page 192, L'espace lointain page 194

Ciel nocturne

La rotation de la Terre fait se déplacer les étoiles dans le ciel, et sa révolution fait que différentes étoiles apparaissent selon les saisons. En fait, la plupart des étoiles ont un mouvement propre très faible.

Géante rouge

À mesure que l'hydrogène s'épuise, le cœur de l'étoile se contracte et son enveloppe refroidit et se dilate. L'étoile prend la forme d'une géante rouge.

Effondrement

En fin de vie, une étoile peu massive s'effondre sur elle-même et se transforme en naine blanche, tandis qu'une étoile massive explose.

Les restes d'une supernova se contractent pour former un pulsar

Naine blanche

Trou noir

Supernova

L'effondrement d'une étoile très massive prend la forme d'une énorme explosion nucléaire appelée supernova. Durant plusieurs semaines, le phénomène produit un éclat plusieurs millions de fois supérieur à celui d'une étoile.

Fin de vie

Certaines supernovas donnent naissance à un pulsar, étoile à neutrons qui tourne très rapidement sur elle-même. Les étoiles peu massives (plus petites que notre Soleil) refroidissent et se contractent pour former une naine blanche. Elles continuent de briller et de se contracter jusqu'à former un point de densité infinie : un trou noir.

L'étoile enfle et se transforme en supergéante

L'étoile s'effondre brusquement sur elle-même

Les galaxies

JUSQU'AU DÉBUT DU XXᴱ SIÈCLE, les astronomes pensaient que toutes les étoiles, dont notre Soleil, étaient regroupées au sein d'un unique ensemble de forme discoïde appelé Galaxie. À partir des années 1920, ces idées furent plusieurs fois révisées, et l'on sait aujourd'hui qu'il existe des millions de galaxies dans l'Univers. Notre galaxie s'étend sur près de 100 000 années-lumière et contient plus de cent milliards d'étoiles. Certaines nuits, sa tranche nous apparaît dans le ciel sous la forme d'une longue bande laiteuse, la Voie lactée.

La Voie lactée

La Voie lactée est une longue bande de lumière très pâle qui se forme parfois dans le ciel nocturne. Il est presque impossible d'y discerner des étoiles à l'œil nu et son aspect évoque une traînée laiteuse. Le mot galaxie lui-même provient du mot grec *galaktos*, qui désigne le lait.

Notre galaxie

Les galaxies ne sont pas également réparties dans l'Univers : elles sont regroupées en amas de six à plusieurs milliers d'unités. Notre galaxie fait partie d'un amas d'une trentaine d'unités appelé Groupe local. Les autres amas galactiques sont si éloignés qu'ils sont pratiquement invisibles. À l'intérieur du Groupe local, les scientifiques ont identifiés plusieurs types de galaxies. Notre galaxie est une galaxie spirale, comme la galaxie d'Andromède.

Le système solaire se situe à peu près à cet endroit

Les bras s'affinent à leur extrémité

Voir également : Le Soleil page 188, Les étoiles page 190, L'espace lointain page 194

Découverte scientifique

Organiste de formation, l'Anglais d'origine allemande William Herschel (1738-1822) éprouvait une telle passion pour l'astronomie qu'il construisit plusieurs télescopes dans sa maison de Bath, en Angleterre. En 1781, il découvrit une nouvelle planète solaire qu'il voulut nommer George en l'honneur du roi d'Angleterre George V. Il ne fut pas écouté et on attribua à la nouvelle planète le nom d'Uranus.

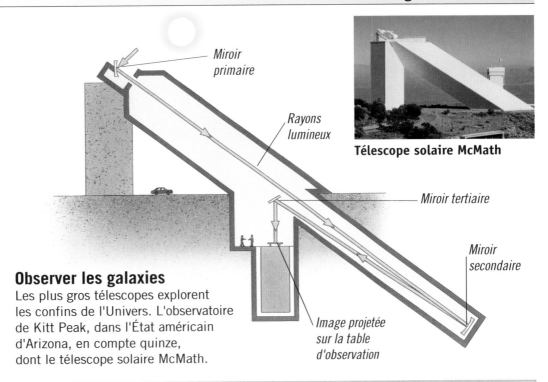

Miroir primaire
Rayons lumineux
Miroir tertiaire
Miroir secondaire
Image projetée sur la table d'observation

Télescope solaire McMath

Observer les galaxies

Les plus gros télescopes explorent les confins de l'Univers. L'observatoire de Kitt Peak, dans l'État américain d'Arizona, en compte quinze, dont le télescope solaire McMath.

TYPES DE GALAXIE

Les scientifiques distinguent plusieurs types de galaxies, principalement en fonction de leur forme. Les galaxies ne sont pas immobiles et il arrive qu'elles entrent en collision. Lorsqu'un tel événement se produit, les deux galaxies échangent de longues traînées de gaz et d'étoiles. Les radiogalaxies sont des galaxies de faibles dimensions qui émettent de puissantes ondes radio et électromagnétiques.

Espace intergalactique

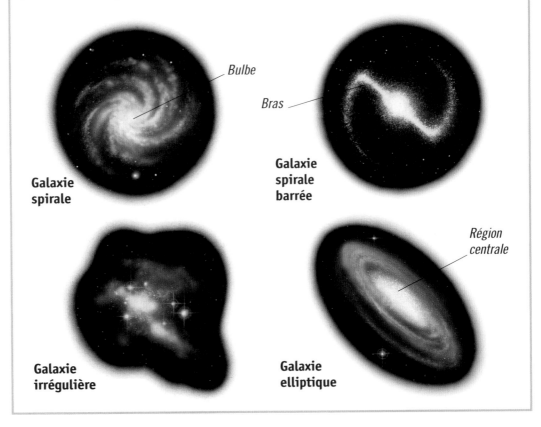

Bulbe
Bras
Galaxie spirale
Galaxie spirale barrée
Galaxie irrégulière
Galaxie elliptique
Région centrale

L'espace lointain

ÉTOILES ET GALAXIES émettent en continu de très nombreuses radiations. Certaines sont lumineuses, d'autres ont une longueur d'onde trop faible ou trop élevée pour être perçues par l'œil humain. Pour étudier ces radiations invisibles – rayons X, rayons gamma ou ondes radios – les astronomes utilisent des télescopes spécifiques. Ils ont permis la découverte de certains des objets cosmiques les plus étranges, dont pulsars, quasars et trous noirs, qui défient les principes acceptés de la physique et suggèrent de nouveaux modes de pensée.

Radiotélescopes

Un radiotélescope capte les ondes radio de faible intensité provenant de l'espace lointain. Pour cela, il a besoin d'une antenne parabolique de grande dimensions. À ce jour, la parabole la plus large est celle du télescope d'Arecibo, à Porto Rico (États-Unis) : son diamètre est de 305 mètres.

Pépinières d'étoiles

Les nébuleuses sont de vastes nuages de gaz et de poussières qui brillent sous l'effet des radiations émises par les étoiles proches. La nébuleuse de l'Aigle présente plusieurs « doigts » d'où s'échappent de petites poches gazeuses qui renferment chacune une jeune étoile en formation. Cette photographie de la nébuleuse de l'Aigle, distante d'environ 7 000 années-lumière, a été prise en 1995 par le télescope spatial Hubble.

Centre
du trou noir

Un vaste
tourbillon emporte
matière et énergie
vers le centre
du trou noir

Matière et énergie
sont aspirées
vers le trou noir

Trous noirs

Après l'explosion en supernova d'une étoile très massive, le noyau de celle-ci se contracte jusqu'à former un point de volume nul et de densité infinie appelé trou noir. Sa gravité est telle qu'il avale tout ce qui l'entoure, y compris la lumière. Le diamètre d'un trou noir formé par une étoile quatre fois plus massive que le Soleil est voisin de 20 kilomètres.

Voir également : Les galaxies page 192, L'Univers page 196

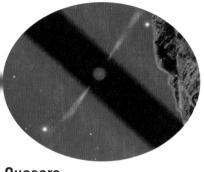

Quasars

Les quasars arborent des dimensions comparables à celles de notre système solaire, mais leur intensité lumineuse équivaut à celle de cent galaxies. On pense aujourd'hui que les quasars doivent leur fantastique énergie à la présence d'un trou noir. Ce sont les objets les plus lointains qu'il nous est possible de détecter : certains se situent à environ douze milliards d'années-lumière.

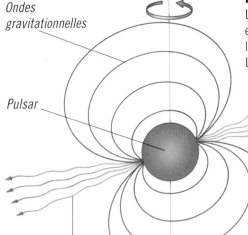

Ondes gravitationnelles

Pulsar

Ondes radio

Axe de rotation

Pulsars

Les pulsars sont de petites étoiles qui envoient de puissantes ondes radio vers la Terre à la manière de phares. Les astronomes attribuèrent aux premiers pulsars détectés le surnom de « petits hommes verts » en référence à une possible origine non naturelle. De fait, un pulsar est une étoile à neutrons très massive, d'un diamètre voisin d'une dizaine de kilomètres, qui tourne sur elle-même avec une extrême rapidité. Une cuillerée à café de matière prélevée dans un pulsar pèserait environ dix milliards de tonnes sur la Terre !

Découverte scientifique

Atteint d'une maladie neurologique, le cosmologiste anglais Stephen Hawking ne peut parler ou se déplacer normalement. Il est pourtant mondialement connu pour ses idées sur l'espace-temps, et il a participé à de nombreuses émissions de télévision. Hawking a confirmé l'existence des trous noirs, dont beaucoup soupçonnaient l'existence. Son ouvrage *Une Brève Histoire du temps* s'est vendu à des millions d'exemplaires dans le monde entier. L'une des théories de Hawking est qu'il existerait des univers parallèles formant un Super-Univers.

L'Univers

Nᴜʟ ɴᴇ ᴄᴏɴɴᴀîᴛ les dimensions de notre Univers. Certains scientifiques pensent qu'il possède des limites qu'il nous est impossible de détecter, d'autres qu'il s'étend de façon infinie, d'autres encore qu'il forme une gigantesque structure sphérique, ou bien qu'il englobe des portes vers des univers parallèles. Une chose est sûre : l'Univers est en expansion. Les galaxies ne cessent de l'éloigner les unes des autres dans toutes les directions. Autrefois, on ramenait l'Univers à tout ce qui existe, mais aujourd'hui les cosmologistes le définissent comme englobant à la fois l'espace, le temps et la matière.

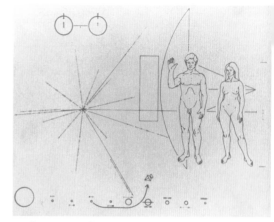

Vaisseau pionnier
L'homme n'a pas dépassé la Lune, mais un grand nombre d'engins spatiaux ont exploré l'espace proche, apportant de précieuses informations sur les autres planètes solaires. En 1989, la sonde américaine *Voyager 2* (lancée en 1977) révéla six nouvelles lunes de la planète Neptune. Aujourd'hui, elle a dépassé le système solaire et s'enfonce dans l'espace lointain. Comme sa compagne *Voyager 1*, elle contient un disque en cuivre doré portant les dessins d'un couple humain et du système solaire et des enregistrements de voix et de musique. Ce message sera-t-il jamais trouvé ?

Échelle universelle
Il est facile de se figurer une distance à une échelle locale, par exemple le nombre de kilomètres séparant deux villes. Dans l'espace, c'est une autre histoire : les distances sont si énormes que les scientifiques sont contraints de les chiffrer en années de lumière (ou années-lumière). Une année de lumière est la distance parcourue par une onde lumineuse en l'espace d'un an, soit 9 460 000 000 000 km. Les quasars détectés les plus éloignés de la Terre se situent à plusieurs milliards d'années-lumière !

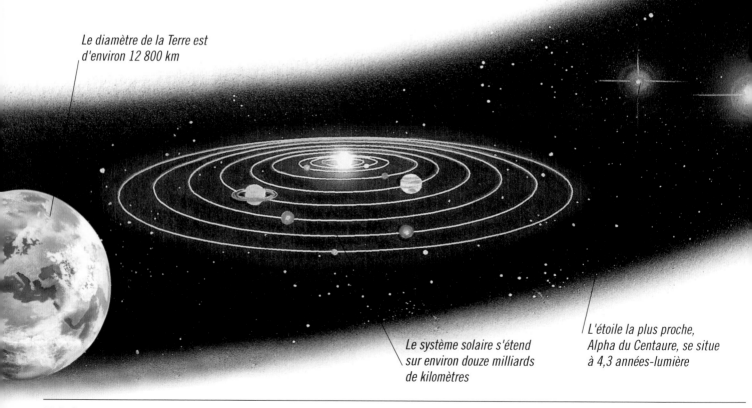

Le diamètre de la Terre est d'environ 12 800 km

Le système solaire s'étend sur environ douze milliards de kilomètres

L'étoile la plus proche, Alpha du Centaure, se situe à 4,3 années-lumière

Voir également : L'espace lointain page 194, Le temps page 196

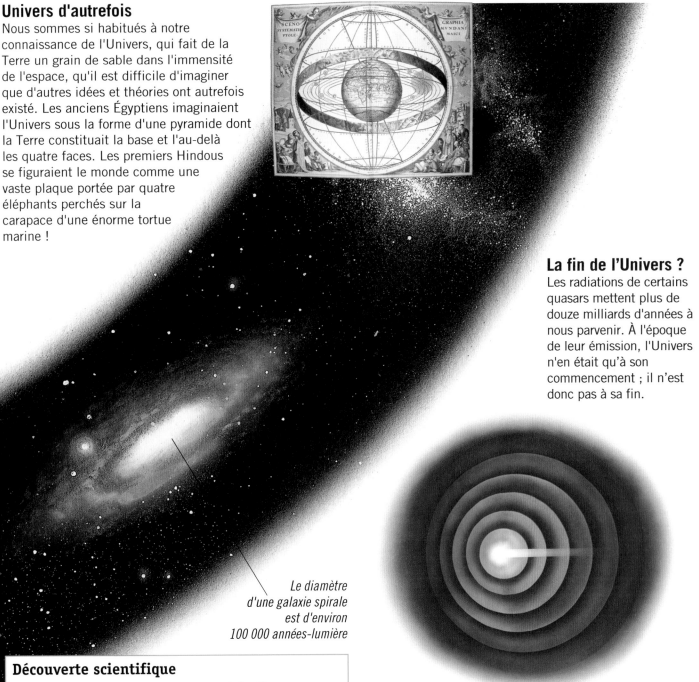

Univers d'autrefois

Nous sommes si habitués à notre connaissance de l'Univers, qui fait de la Terre un grain de sable dans l'immensité de l'espace, qu'il est difficile d'imaginer que d'autres idées et théories ont autrefois existé. Les anciens Égyptiens imaginaient l'Univers sous la forme d'une pyramide dont la Terre constituait la base et l'au-delà les quatre faces. Les premiers Hindous se figuraient le monde comme une vaste plaque portée par quatre éléphants perchés sur la carapace d'une énorme tortue marine !

La fin de l'Univers ?

Les radiations de certains quasars mettent plus de douze milliards d'années à nous parvenir. À l'époque de leur émission, l'Univers n'en était qu'à son commencement ; il n'est donc pas à sa fin.

Le diamètre d'une galaxie spirale est d'environ 100 000 années-lumière

Découverte scientifique

L'Américain Edwin Hubble (1889-1953) fut l'un des plus grands astronomes du XXᵉ siècle. Il démontra, à partir d'observations effectuées au télescope du mont Wilson, aux États-Unis, qu'il existait d'autres galaxies comparables à la nôtre. Il utilisa le décalage spectral pour démontrer que ces galaxies s'éloignaient constamment les unes des autres dans toutes les directions, prouvant ainsi l'expansion de l'Univers.

Dans le rouge

L'étude des radiations lumineuses émises par les galaxies montre qu'elles présentent un décalage spectral vers le rouge, c'est à dire que leur longueur d'onde est légèrement plus élevée que celle escomptée. Ce phénomène est causé par l'effet Doppler. En outre, ce décalage augmente avec la distance, et il montre que les galaxies les plus lointaines continuent de s'éloigner de nous à une vitesse proche de celle de la lumière. On peut en conclure que l'Univers est en expansion, et que la vitesse de cette expansion ne cesse d'augmenter !

Le temps

LE TEMPS SEMBLE être la seule constante immuable de notre monde : secondes, minutes et secondes passent inexorablement, sans qu'il soit possible de les modifier. Est-ce vrai ? La science moderne nous dit que non. Le temps n'est pas une constante, il varie : plus on se déplace rapidement et plus il s'écoule lentement. Certains pensent même qu'il est possible d'arrêter le temps, voire de l'inverser !

Accélération du temps ?

Aux premiers temps du monde, tout se passait très lentement. L'évolution humaine s'est faite sur des milliers d'années. Puis les hommes commencèrent à cultiver la terre et à fonder des villes. Aujourd'hui, les incessantes inventions modifient le monde d'une semaine à l'autre.

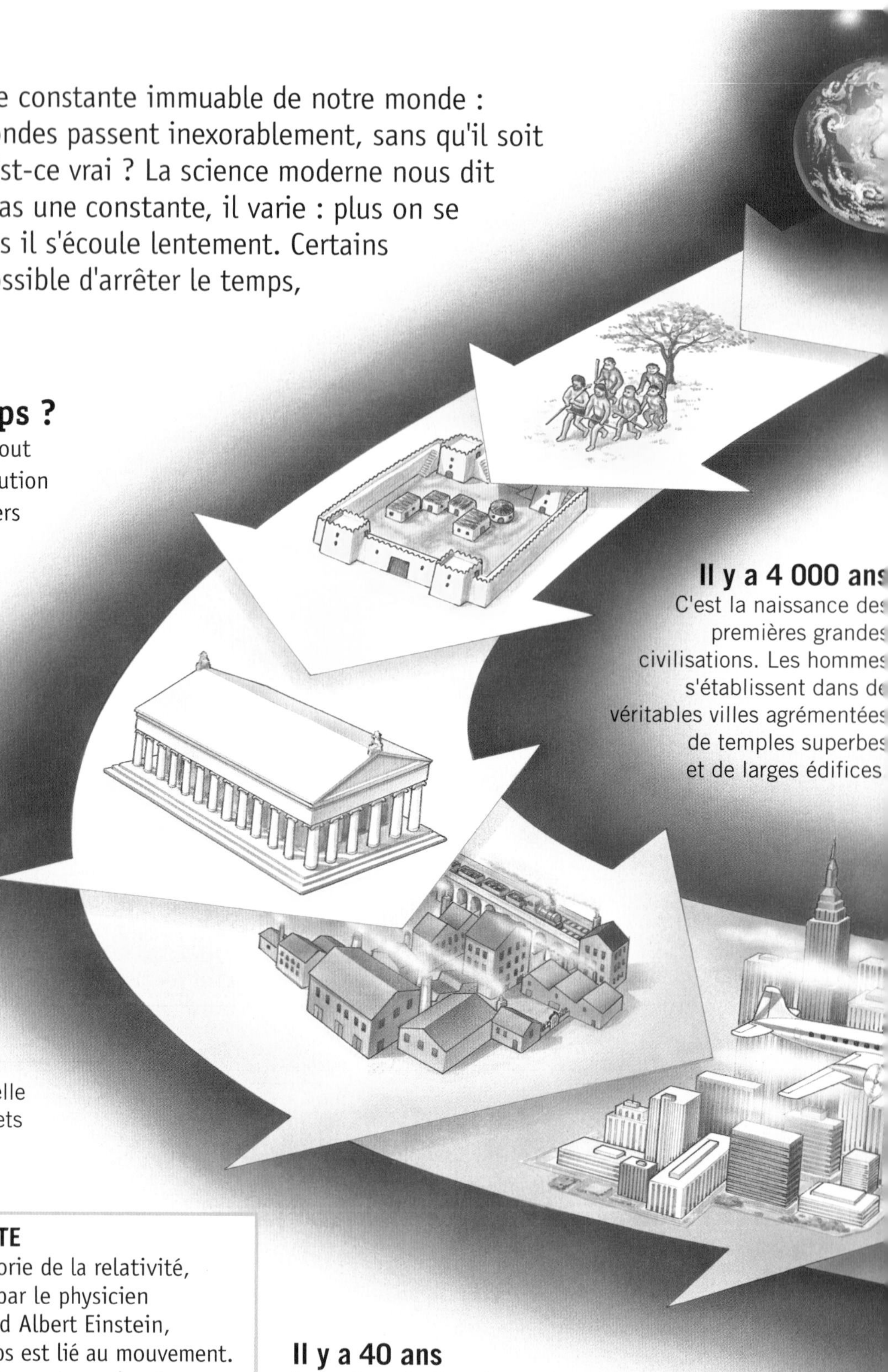

Il y a 4 000 ans
C'est la naissance des premières grandes civilisations. Les hommes s'établissent dans de véritables villes agrémentées de temples superbes et de larges édifices

Il y a 400 ans
La Renaissance donne la part belle aux sciences : les expériences sont nombreuses et les idées nouvelles abondent. Au début du XIXe siècle, la Révolution industrielle apporte nombre de nouveaux objets et d'inventions.

PLUS VITE ÉGALE MOINS VITE
Selon la théorie de la relativité, énoncée par le physicien allemand Albert Einstein, le temps est lié au mouvement. Les astronautes qui ont séjourné plusieurs mois dans la station orbitale *Mir* étaient, à leur retour, plus jeunes de quelques secondes.

Il y a 40 ans
Les avions de ligne à réaction relient les continents en quelques heures. Les gratte-ciel s'élèvent dans toutes les grandes villes du monde. La radio puis la télévision conquièrent les foyers, annonçant l'ère de la communication.

Voir également : Variations du temps page 200, Passé et futur page 202

MESURER LE TEMPS

Années, mois et jours terrestres ont été établis d'après les rotations de la Terre et de la Lune et leurs révolutions autour du Soleil. Les cadrans solaires divisaient les jours en heures. Inventés au XVIIe siècle, les mécanismes horlogers ont acquis une précision au dixième de seconde. Aujourd'hui, les horloges électroniques ou atomiques ont une précision d'un millionième de seconde.

Heures
Autrefois, les gens ne portaient pas de montre, et la notion d'heure avait peu d'importance. La seule horloge était le Soleil.

Minutes
Avec l'émergence des mécanismes horlogers, les minutes devinrent comptées, par exemple pour prendre un fiacre.

Fractions de seconde
Grâce au chronométrage électronique, les temps des sprinteurs sont connus avec une précision d'un centième de seconde.

Il y a 4 milliards d'années

La Terre se forme par accrétion d'un nuage de gaz et de poussières. D'abord très chaude, elle se refroidit progressivement.

Il y a 4 ans

De nombreux satellites de communication sont placés en orbite terrestre pour répondre au développement explosif des téléphones mobiles et du réseau Internet.

Aujourd'hui

La Station spatiale internationale est en cours d'assemblage autour de la Terre. Elle devrait être achevée en 2010.

Variations du temps

LES HOMMES DE SCIENCES MODERNES éprouvent des difficultés
à définir exactement ce qu'est le temps. Le temps semble
s'écouler dans une seule direction, du passé vers le futur.
Pourtant, nombre de lois scientifiques, tels les principes
du mouvement énoncés par Isaac Newton, s'appliqueraient de
la même façon si le temps courait dans une direction opposée.
Aujourd'hui, certains astrophysiciens estiment que le temps est
une dimension à part entière qui s'ajoute aux dimensions
spatiales – longueur, largeur, hauteur – rencontrées dans la vie
de tous les jours. Cet univers à quatre dimensions est appelé
l'espace-temps.

Donnée relative

Qu'est-ce que le temps ? Si vous
envoyez une photo de votre montre sous
forme d'ondes à un ami vivant sur un
autre continent, il ne pourra l'observer
que quelques minutes plus tard. Qui,
alors, aura l'heure exacte ? Le temps
n'existe qu'en relation avec autre chose,
par exemple la position du Soleil dans le
ciel. C'est une donnée relative.

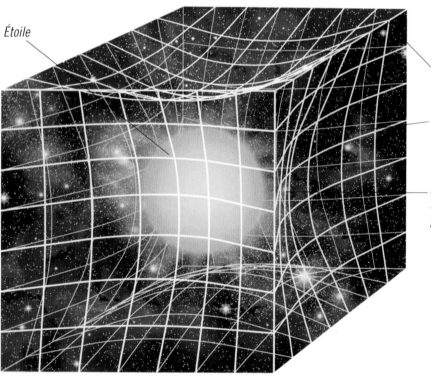

Étoile

Espace
tridimensionnel

Portion d'espace
déformée par
la gravité stellaire

La déformation
s'accentue au plus
près de l'étoile

Bactéries, algues bleues
et autres organismes
primitifs produisent de
l'oxygène et construisent
l'atmosphère que nous
connaissons aujourd'hui

Courbure de l'espace-temps

Selon la théorie de la relativité générale, énoncée par Albert Einstein,
la gravité n'influe pas seulement sur les atomes composant la matière.
Les énormes forces gravitationnelles exercées par une étoile courbent
l'espace-temps. C'est pourquoi un rayon lumineux traversant l'espace
s'incurve lorsqu'il passe à proximité d'une étoile très massive. Le rayon
lui-même conserve une trajectoire rectiligne, mais c'est la portion
d'espace qui l'entoure qui est déformée, un peu à la manière d'une toile
de caoutchouc supportant une boule très lourde. C'est à partir de telles
observations que les scientifiques évoquent la courbure
de l'espace-temps.

Voir également : Le temps 198, Passé et futur page 202

Histoire de la Terre

Les scientifiques estiment que la Terre s'est formée voici 4,6 milliards d'années. Comme les autres planètes solaires, elle naquit d'un nuage de gaz et de poussières orbitant le Soleil. Sous l'effet de sa rotation sur lui-même et de sa gravité, le nuage s'est affaissé pour former une boule de roches en fusion. En refroidissant, la boule rocheuse a commencé à se solidifier. Les vapeurs d'eau rejetées se condensèrent en nuages qui produisirent des pluies pendant plusieurs milliers d'années. Les fragments de météorites trouvés sur la Terre, et qui proviennent d'autres points du système solaire, ont également été datés à - 4,6 milliards d'années, de même que les roches lunaires collectées par les missions Apollo.

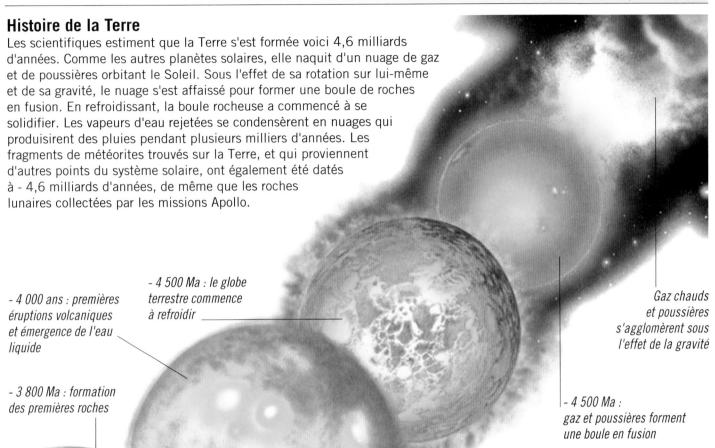

- 4 000 ans : premières éruptions volcaniques et émergence de l'eau liquide

- 4 500 Ma : le globe terrestre commence à refroidir

Gaz chauds et poussières s'agglomèrent sous l'effet de la gravité

- 3 800 Ma : formation des premières roches

- 4 500 Ma : gaz et poussières forment une boule en fusion

L'atmosphère terrestre fut d'abord constituée de gaz toxiques tels que méthane, dioxyde de carbone et anhydride sulfureux

AU DÉBUT DU TEMPS

Si l'Univers est né lors du Big Bang, alors c'est également à ce moment précis qu'a commencé le temps. Il n'y avait sans doute rien avant, et s'il n'y avait pas d'espace, le temps ne pouvait pas exister.

▶ **0 seconde** L'Univers naît par l'explosion d'un atome primitif infiniment dense et infiniment chaud. Sa température est de 10^{28} K.

▶ **10^{-35} secondes** L'Univers multiplie son volume par 10^{150} en une fraction de seconde. C'est l'inflation cosmique.

▶ **10^{-32} secondes** Alors qu'il progresse dans toutes les directions, l'Univers se remplit d'énergie et de matière. Les forces fondamentales telles que électromagnétisme et gravité naissent. Il n'y a pas d'atomes, mais une soupe de particules minuscules appelées quarks.

▶ **10^{-8} secondes** L'Univers se divise en matière et anti-matière. Ces deux composantes se combattent et s'annulent. La matière est légèrement excédentaire et cet excédent survit. L'annihilation née du rapport matière/anti-matière donne naissance au vide sidéral qui compose l'essentiel de l'Univers.

▶ **3 minutes** Les quarks commencent à s'unir pour former des atomes d'hydrogène, puis les atomes d'hydrogène se combinent pour former des atomes d'hélium. L'Univers se remplit de nuages d'hydrogène et d'hélium.

▶ **1 million d'années** Les nuages de gaz s'étirent en filaments.

▶ **300 millions d'années** Les filaments s'assemblent en nuages tourbillonnants, qui vont donner naissance aux étoiles et aux galaxies.

Passé et futur

Au cours des dernières décennies, les scientifiques ont rassemblé de précieuses informations sur la naissance de l'Univers, la formation des étoiles et l'évolution de l'homme. Nous savons que la matière est constituée de particules minuscules liées entre elles par quatre forces fondamentales. La science ne cesse de progresser, notamment dans les domaines de la génétique, de l'informatique et des télécommunications. Pourtant, il y a encore beaucoup à découvrir. Les savants du monde espèrent développer un jour une « théorie du tout », principe fondamental expliquant les interactions entre forces, matière et énergie, partout et pour toujours.

Découverte scientifique

Le mathématicien français Pierre de Fermat (1601-1665) s'intéressa à la géométrie analytique et à la théorie des nombres. En 1637, il posa un problème connu sous le nom de dernier théorème de Fermat et déclara l'avoir résolu. Le théorème résista aux efforts des mathématiciens jusqu'en 1994, année où il fut démontré par l'Américain Andrew Wiles.

Réseau satellitaire

Dans le futur, l'informatique et les télécommunications vont continuer à jouer des rôles essentiels. Les scientifiques espèrent bientôt construire des ordinateurs de la taille d'un bouton de chemise. Grâce aux réseaux satellitaires, ces ordinateurs seront tous liés entre eux et donneront accès en continu aux informations du monde entier.

Particules liées par des forces

Forces liant les particules

Sciences fondamentales

Quels sont les composants basiques de l'Univers ? Les scientifiques distinguent la matière et les forces. La matière est formée de deux classes de particules élémentaires : les quarks et les leptons. Les quatre forces fondamentales sont la gravité, l'électromagnétisme, l'interaction forte et l'interaction faible. On pense que ces forces existent depuis le commencement de l'espace et du temps, c'est-à-dire depuis la naissance de l'Univers, il y a environ treize milliards d'années.

Voir également : Les atomes page 14, L'Univers page 196

Big Crunch ?

Que va devenir l'Univers ?
Cela dépend en partie de
la quantité de matière
qu'il contient.
L'essentiel de l'Univers
est sans doute composé
de « matière noire », non
encore détectée par
l'homme. Si cette matière
est faiblement présente,
l'expansion se poursuivra
indéfiniment. Dans le cas
contraire, l'expansion sera
freinée puis inversée par
la gravité. L'Univers se
contractera alors à grande
vitesse en un phénomène
appelé Big Crunch.

Génétique

Après avoir réussi à reconstituer
le code génétique de l'ADN, constituant essentiel des
chromosomes, les scientifiques peuvent aujourd'hui
modifier les gènes des êtres vivants. Certaines instructions
génétiques peuvent être transférées d'une espèce à l'autre :
un gène qui permet au sang d'un poisson de l'Arctique de
rester liquide a ainsi été transmis à une tomate afin de la
rendre résistante au gel. Les chercheurs espèrent utiliser
ce nouveau savoir pour guérir les maladies héréditaires.
Malgré tout, les effets à long terme des manipulations
génétiques sont peu connus, et certains scientifiques
recommandent davantage de prudence.

AUTRES MONDES

En 1976, les deux sondes américaines *Viking* se
posèrent sur Mars. Elles analysèrent des échantillons du
sol martien à la recherche d'une trace de vie, mais sans
résultat concluant. En 1997, la sonde *Pathfinder* se
posa à son tour et libéra le robot d'exploration
Sojourner. Nous sommes aujourd'hui capables d'explorer
en détail le système solaire, mais l'exploration de
l'espace lointain suppose de voyager plus vite que la
lumière, ce qui demeure
du domaine de la
science-fiction.

*Une sonde Viking
sur Mars*

Vue du sol martien

7

Expériences scientifiques

Une démarche scientifique consiste
à émettre une idée ou une théorie,
à imaginer ses conséquences, puis à
les vérifier au moyen d'expériences.
Au travers des échecs et des succès,
on élimine ou l'on affine la théorie
testée jusqu'à atteindre une parfaite
compréhension. Le travail pratique
est un aspect essentiel
de la recherche scientifique.

Lumière de vie

Les plantes utilisent l'énergie lumineuse pour se nourrir. Découvre ce qu'il advient à une plante laissée dans l'obscurité !

VOIR : LA VIE TERRESTRE
PAGE 164

Ce qu'il te faut

graines de cresson

terreau de rempotage

bac à semis

carton fort et ciseaux

1 Remplis le bac de terreau. Éparpille les graines à la surface et arrose légèrement.

2 Place le bac sur le rebord d'une fenêtre bien exposée à la lumière. Surveille chaque jour les premiers signes de germination.

3 Après quelques jours, lorsque les premières feuilles se sont formées, découpe un morceau de carton assez grand pour couvrir le bac. Taille une large ouverture dans le carton et place-le sur le bac. Replace le bac sur le rebord de la fenêtre. Après quelques jours, qu'est-il advenu aux pousses privées de lumière ?

Phototropisme

Les plantes tendent à pousser vers la lumière afin de recevoir une exposition maximale. C'est le phototropisme.

VOIR : LA LUMIÈRE PAGE 124

Ce qu'il te faut

graines de cresson

terreau de rempotage

bac à semis

boîte en carton et ciseaux

1 Remplis le bac de terreau. Éparpille les graines à la surface et arrose légèrement.

2 Découpe un rectangle d'environ 10 x 5 cm dans un des côtés de la boîte en carton. Place le bac au fond de la boîte. Ferme la boîte à l'aide d'un couvercle et place-la à proximité d'une fenêtre, trou orienté vers la lumière.

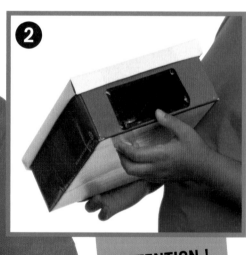

ATTENTION !
Après un travail avec de la moisissure, lave-toi les mains et rince le contenant que tu as utilisé.

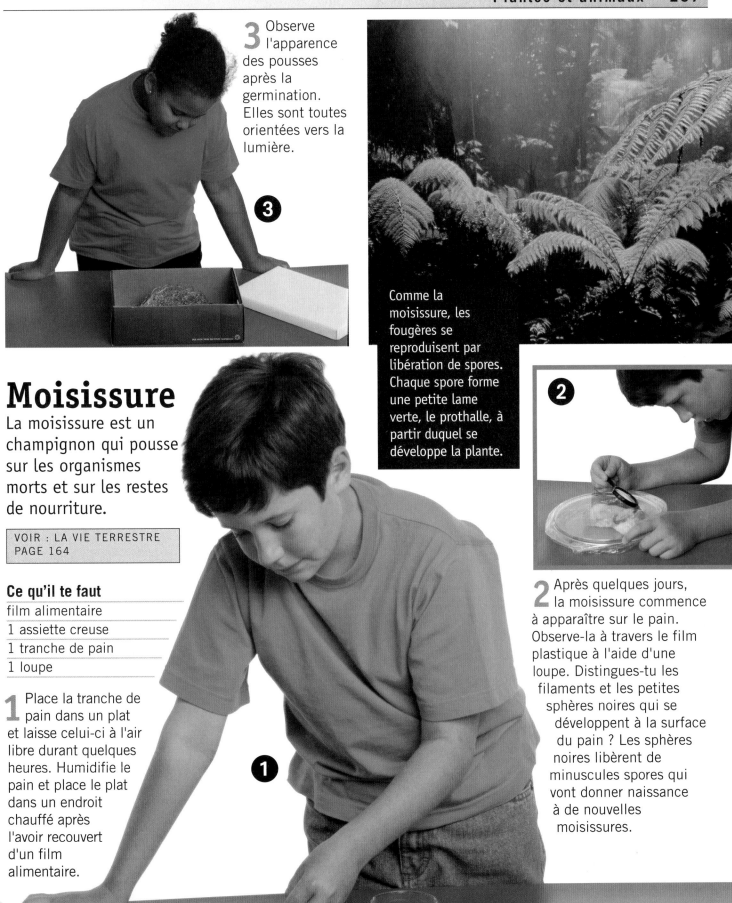

3 Observe l'apparence des pousses après la germination. Elles sont toutes orientées vers la lumière.

❸

Comme la moisissure, les fougères se reproduisent par libération de spores. Chaque spore forme une petite lame verte, le prothalle, à partir duquel se développe la plante.

Moisissure

La moisissure est un champignon qui pousse sur les organismes morts et sur les restes de nourriture.

VOIR : LA VIE TERRESTRE
PAGE 164

Ce qu'il te faut

film alimentaire

1 assiette creuse

1 tranche de pain

1 loupe

1 Place la tranche de pain dans un plat et laisse celui-ci à l'air libre durant quelques heures. Humidifie le pain et place le plat dans un endroit chauffé après l'avoir recouvert d'un film alimentaire.

❶

❷

2 Après quelques jours, la moisissure commence à apparaître sur le pain. Observe-la à travers le film plastique à l'aide d'une loupe. Distingues-tu les filaments et les petites sphères noires qui se développent à la surface du pain ? Les sphères noires libèrent de minuscules spores qui vont donner naissance à de nouvelles moisissures.

Petites bêtes

La terre du jardin abrite nombre de petites créatures. Tu peux en étudier certaines.

VOIR : LA VIE TERRESTRE PAGE 164

Ce qu'il te faut

gants en caoutchouc

1 transplantoir

1 bocal

1 feuille de papier

1 vieux crayon

1 loupe

1 Mets en peu de la terre du jardin dans le bocal, puis étale-la sur la feuille de papier. Après avoir enfilé les gants, brise les petits blocs de terre à l'aide du crayon et guette les petites bêtes.

ATTENTION !

La terre et l'eau peuvent contenir des germes dangereux. Utilise seulement l'eau et la terre de ton jardin ou de celui de l'école. Porte toujours des gants et lave-toi les mains après l'expérience.

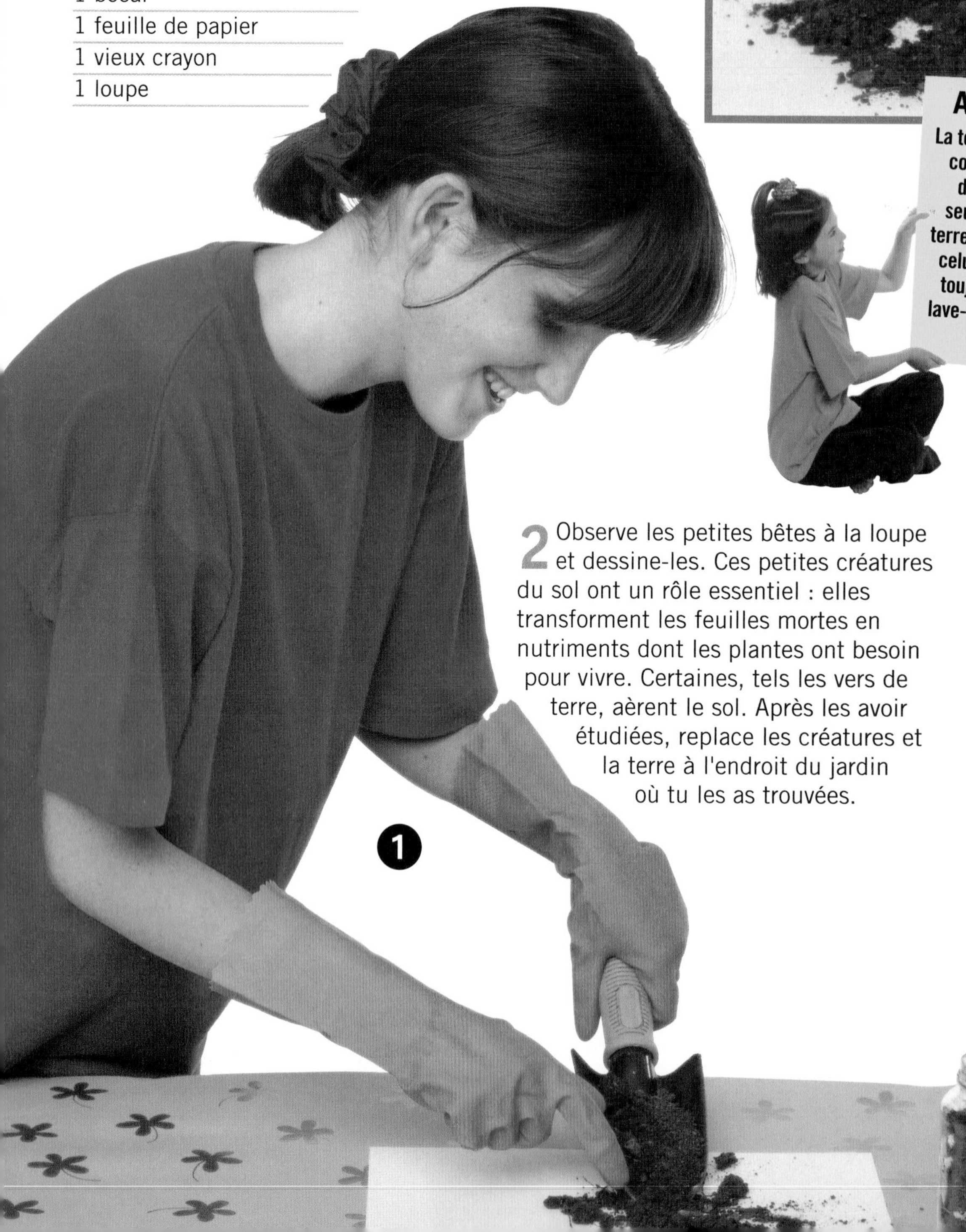

2 Observe les petites bêtes à la loupe et dessine-les. Ces petites créatures du sol ont un rôle essentiel : elles transforment les feuilles mortes en nutriments dont les plantes ont besoin pour vivre. Certaines, tels les vers de terre, aèrent le sol. Après les avoir étudiées, replace les créatures et la terre à l'endroit du jardin où tu les as trouvées.

Vie aquatique

Rivières et étangs abritent de minuscules créatures. Prélève un peu de vase et d'eau pour voir si tu peux en trouver.

VOIR : RIVIÈRES ET LACS PAGE 158

Ce qu'il te faut

gants en caoutchouc
1 bocal
1 assiette en verre
1 feuille de papier blanc
1 loupe
1 microscope (facultatif)

1 Après avoir enfilé les gants, prélève un peu d'eau de l'étang à l'aide du bocal. Si tu peux, prélève également un peu de vase. **Pour cela, demande à un adulte de t'accompagner.**

2 Place l'assiette en verre sur la feuille de papier blanc et remplis-la d'un peu d'eau. Observe l'eau à la loupe. Distingues-tu des petites créatures ? Étale un peu de vase dans l'assiette et étudie-la en procédant de la même façon. Si tu en as un, utilise un microscope pour observer une goutte d'eau.

Les créatures des étangs ne sont pas toutes minuscules. Après plusieurs mois sous l'eau à l'état nymphal, la libellule émerge à l'air libre et déploie ses larges ailes, comme celle qui est montrée ici.

Temps de réaction

Cette expérience va te permettre de tester ton temps de réaction.

VOIR : LE TEMPS PAGE 198

Ce qu'il te faut

crayon et papier
1 règle graduée

1 Place les paumes de tes mains l'une en face de l'autre, écartées de quelques centimètres.

2 Demande à un ami de tenir la règle graduée de façon à ce que le zéro se trouve juste au-dessus de tes pouces.

3 Lorsque ton ami lâche la règle, efforce-toi de la saisir en refermant les mains. Note la position de tes pouces sur la règle : plus la mesure est faible et plus ton temps de réaction a été rapide !

Illusion d'optique 1

Parfois, nos yeux nous jouent des tours.

VOIR : DÉTECTER LA LUMIÈRE PAGE 130

Ce qu'il te faut

1 balle de golf
1 ballon

1 Place la balle de golf devant le ballon afin que les deux apparaissent de la même taille.

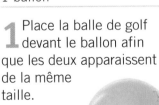

Illusion d'optique 2

Ce qu'il te faut

le dessin ci-dessous

1 Observe bien le dessin ci-dessous. Le losange blanc situé au centre représente-t-il le dessous ou le dessus d'un cube noir ? Comme les animaux, nous utilisons nos yeux et notre cerveau pour estimer la forme et la position d'un objet. Parfois les informations fournies par nos yeux sont insuffisantes, et elles peuvent être interprétées de plusieurs façons.

2 Ferme un œil. Maintenant les deux sphères semblent vraiment de la même taille ! Aidé par un seul œil, ton cerveau a plus de mal à lire les distances, mais tu sais, de mémoire, que le ballon est plus gros.

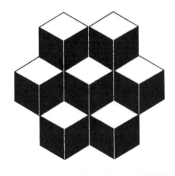

Mélanges

Lorsque les particules de deux liquides mis en présence l'un de l'autre se dispersent et se mélangent, on dit qu'ils sont miscibles.

VOIR : SOLIDES, LIQUIDES ET GAZ PAGE 26

Ce qu'il te faut
vaseline
colorant alimentaire
papier aluminium
2 bocaux de même taille
1 plateau

1 Ôte le couvercle des bocaux et étale un peu de vaseline sur les deux cols.

2 Remplis un bocal d'eau et obture-le par une feuille de papier aluminium. Vérifie que la vaseline le fait adhérer.

3 Remplis l'autre bocal d'eau et ajoute quelques gouttes de colorant. Place le bocal sur le plateau.

4 Avec précaution, retourne le premier bocal et place-le au-dessus du second.

5 Après quelques instants, retire le papier aluminium en le faisant glisser.

6 Après quinze minutes ou plus, que s'est-il passé dans le bocal supérieur ?

Les particules de colorant sont invisibles mais elles se diffusent naturellement dans l'eau du bocal supérieur.

Solutions

Une solution intervient lorsqu'une substance se dissout dans une autre.

VOIR : LA DISSOLUTION PAGE 34

Ce qu'il te faut
sucre en poudre
1 bocal

1 Remplis le bocal d'eau jusqu'au trois quarts de sa hauteur et marque le niveau d'eau sur l'extérieur. Ajoute du sucre, une cuillerée à la fois, et remue bien. Continue ainsi jusqu'à ce que le sucre disparaisse complètement. Note le nombre de cuillerées utilisées.

2 Renouvelle l'expérience en remplissant le bocal jusqu'à la même marque, mais cette fois d'eau chaude. La quantité de sucre que tu peux faire dissoudre est-elle supérieure ? Lorsqu'une substance se dissout dans une autre, elle se décompose en particules qui se mêlent aux particules existantes : c'est une solution.

Cristaux magiques

Les atomes ou molécules de certaines roches sont disposés en réseaux géométriques.

VOIR : LES CRISTAUX PAGE 30

Ces roches étranges se sont formées il y a plusieurs millions d'années en Irlande du Nord. Les hauts cristaux hexagonaux (c'est-à-dire à six côtés) ont été créés par la disposition géométrique des particules rocheuses.

Ce qu'il te faut

poudre d'alun (en pharmacie)

fil de coton et ciseaux

2 petits bocaux

1 paille

1 élastique

1 Demande à un adulte de remplir un bocal avec de l'eau chauffée dans une bouilloire. Ajoute plusieurs cuillerées de poudre d'alun en remuant bien à chaque fois. Laisse reposer quelques minutes, puis transvase l'eau dans un autre bocal.

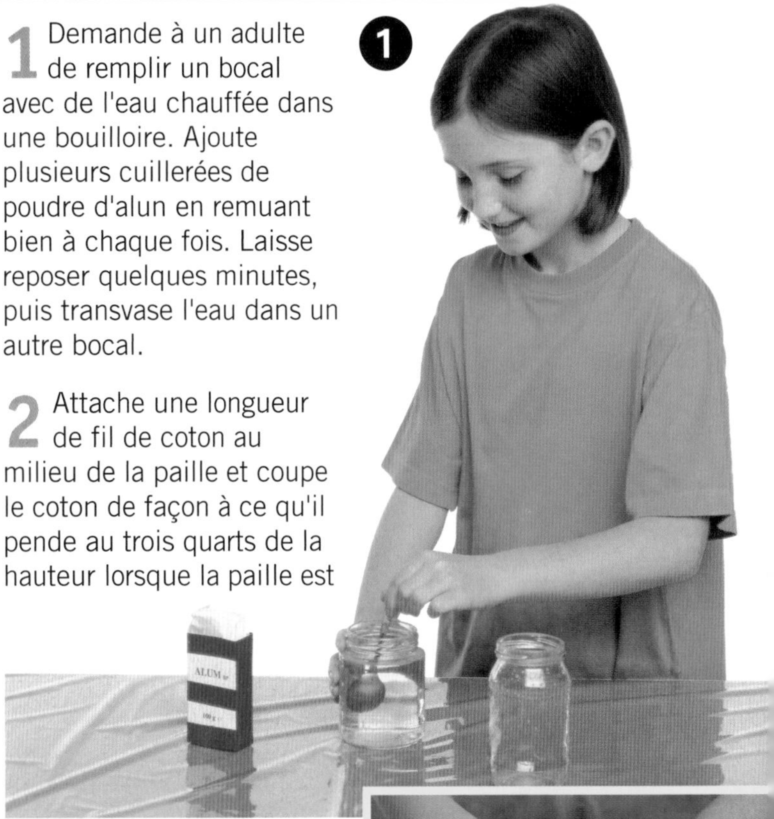

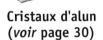

2 Attache une longueur de fil de coton au milieu de la paille et coupe le coton de façon à ce qu'il pende au trois quarts de la hauteur lorsque la paille est posée sur le bocal. Plie les extrémités de la paille vers le bas et attache-les au bocal avec l'élastique.

3 Après quelques jours, quelques cristaux d'alun se sont formés sur le coton. Essaie de les dessiner.

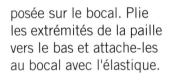

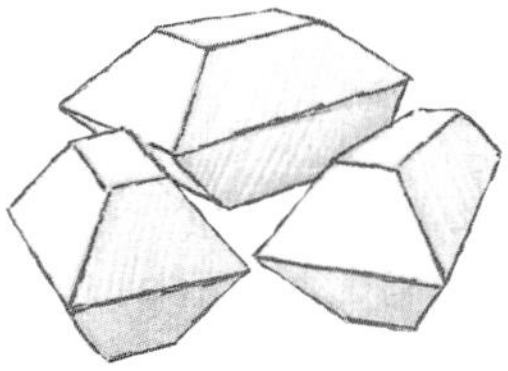

Cristaux d'alun
(*voir* page 30)

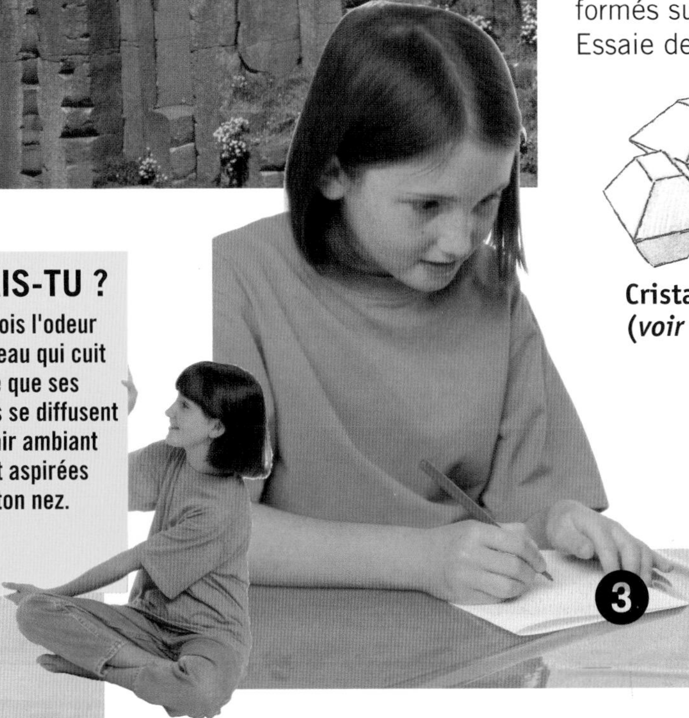

LE SAIS-TU ?

Tu perçois l'odeur d'un gâteau qui cuit parce que ses particules se diffusent dans l'air ambiant et sont aspirées par ton nez.

Couleurs séparées

La plupart des teintures sont des mélanges de plusieurs pigments (substances colorées) dans un solvant. La chromatographie permet d'isoler ces pigments.

VOIR : LA LUMIÈRE PAGE 124

Ce qu'il te faut

filtres à café (papier)

ciseaux

petites baguettes

bout de ficelle

trombones

liquide colorés (colorants alimentaires, encre pour stylo, etc/)

1 bac en plastique peu profond

1 grand élastique

1 Mets l'élastique autour du bac puis glisse deux baguettes sous l'élastique afin de former deux montants latéraux. Remplis le bac d'eau.

2 Relie les montants avec de la ficelle. Découpe des languettes de papier filtre assez longues pour tremper dans l'eau une fois suspendues à la ficelle.

3 Place une goutte de liquide coloré à l'extrémité d'une languette de papier filtre et attache l'autre extrémité à la ficelle à l'aide d'un trombone, de façon à ce que la languette trempe juste dans l'eau.

4 L'eau monte lentement le long de la languette, emportant avec elle les pigments du liquide testé. D'après les traînées de couleurs, tu peux déduire le nombre de pigments contenus dans le colorant.

Réaction chimique

En mélangeant levure chimique et vinaigre, on provoque l'émission d'un gaz.

VOIR : MUTATIONS CHIMIQUES PAGE36

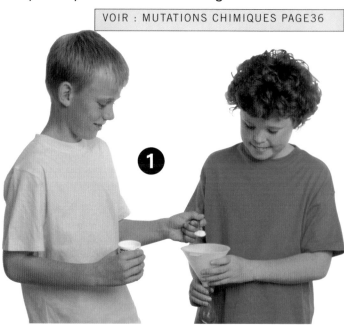

Ce qu'il te faut

vinaigre

levure chimique

1 petite bouteille en plastique

1 ballon de baudruche

1 entonnoir

1 Verse environ un centimètre de vinaigre dans la bouteille en plastique. À l'aide de l'entonnoir, verse deux cuillerées à café de levure chimique à l'intérieur du ballon.

2 Fais glisser le col du ballon sur le goulot de la bouteille en prenant garde de ne pas renverser de levure.

Place le ballon à la verticale de façon à ce que la levure tombe dans la bouteille. Que se passe-t-il ?

Lorsque deux substances entrent en réaction, elles donnent naissance à une nouvelle substance. Ici, levure chimique et vinaigre produisent du dioxyde de carbone, qui gonfle le ballon.

En cuisine, la levure chimique est utilisée pour donner du volume. Lorsqu'elle est chauffée à forte température, la levure libère des bulles de dioxyde de carbone qui sont retenues prisonnières, faisant ainsi gonfler la pâte.

Électrolyse

L'électrolyse consiste à dissocier des substances chimiques à l'aide d'un courant électrique.

VOIR : USAGES DE L'ÉLECTRICITÉ PAGE 88

Ce qu'il te faut

mines en graphite
(pour porte-mine)
fil électrique fin
sel
1 pile de 9 volts
1 boussole
1 bocal

1 Découpe une longueur de fil électrique d'environ un mètre et dénude les extrémités. Enroule la partie centrale du fil autour de la boussole (fais environ dix tours).

2 Attache une extrémité du fil à une borne de la pile et enroule l'autre extrémité autour d'une mine en graphite. Découpe une nouvelle longueur de fil et procède de même en utilisant l'autre borne de la pile et une autre mine.

3 Remplis le bocal d'eau. Ajoute plusieurs cuillerées de sel et remue avec insistance. Trempe les deux mines en graphite dans l'eau. L'aiguille de la boussole bouge, indiquant que du courant passe dans les fils.

Vois-tu les bulles qui se forment à l'extrémité des mines ?

L'une des électrodes (mines) produit du chlore, souvent utilisé pour traiter les piscines. Il provient du sel, qui est composé de chlore et de sodium. Le gaz produit par l'autre électrode est de l'hydrogène, composant de l'eau.

L'air et le feu

Le feu à besoin d'air pour brûler. Plus exactement, il a besoin d'un de ses composants : l'oxygène. Tu peux démontrer ce fait à l'aide d'un bocal et d'une bougie (demande à un adulte de t'aider pour cette expérience).

ATTENTION !

Fais attention quand tu craques l'allumette pour allumer la bougie de ne pas mettre tes doigts trop près de la flamme. Demande à un adulte de t'aider

VOIR : L'ATMOSPHÈRE
PAGE 152

Ce qu'il te faut

pâte à modeler

eau

1 petite bougie

1 assiette creuse

1 bocal

1 Place la bougie au centre de l'assiette et maintiens-la verticale à l'aide de morceaux de pâte à modeler. Assure-toi que la mèche de la bougie est plus haute que le rebord de l'assiette.

2 Place trois ou quatre morceaux de pâte à modeler dans l'assiette, à égale distance de la bougie. Ils vont servir de support au bocal.

3 Remplis l'assiette d'eau. Allume la bougie et couvre-la très rapidement avec le bocal. Équilibre le bocal sur les plots de pâte à modeler, col immergé.

4 Que se passe-t-il ? Attends que la flamme meurt, puis examine le bocal. Le niveau d'eau a-t-il changé ?

Parfois, les pompiers versent de la mousse sur les flammes afin d'empêcher qu'elles soient nourries par l'oxygène de l'air.

L'eau est montée dans le bocal. Cela montre qu'une partie de l'air a été consommée par la bougie et l'eau a comblé l'espace vide. La partie d'air qui a été utilisée correspond à l'oxygène. Celui-ci est de la même manière utilisé dans la respiration. Le reste de l'air, non consommé, est constitué principalement d'hydrogène, qui constitue les quatre cinquièmes de l'air qui nous entoure.

Une carte météorologique indique les zones de hautes pressions, synonymes de beau temps, et les zones de basses pressions, où l'arrivée du vent et de la pluie est souvent imminente.

Ce qu'il te faut

colle à papier

ruban adhésif

carton épais

1 bocal

1 ballon de baudruche (embout découpé)

1 paille

1 gros élastique

1 crayon à papier

1 Étire la baudruche sur l'ouverture du bocal et maintiens-la en place à l'aide de l'élastique.

2 Colle une extrémité de la paille sur la baudruche. À l'aide de ruban adhésif, fixe un morceau de carton épais au bocal derrière la paille. Le carton doit être plus haut que le bocal et plus long que la paille qu'il ne doit pas toucher.

3 Marque l'extrémité de la paille sur le carton et inscrit la date du jour. Fais ceci plusieurs jours de suite. Pourquoi la paille bouge-t-elle ? Lorsque la pression de l'air ambiant chute, la pression de l'air dans le bocal soulève la baudruche et déplace la paille.

L'air et la météo

L'air exerce une pression sur la Terre. Nous ne la ressentons pas mais elle existe en permanence. La pression est plus élevée lorsque l'air est sec, plus faible lorsqu'il est humide. Pour mesurer cette pression, on utilise un baromètre. Construis ton propre baromètre et tu pourras prédire le temps !

VOIR : TEMPS ET CLIMATS PAGE 154

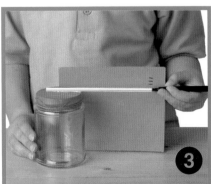

Un baromètre mesure la pression atmosphérique en mm et en millibars (mb). Elle est différente d'un lieu à un autre et peut changer très vite.

LE SAIS-TU ?

Le désert du Namib, qui s'étend le long de la côte de la Namibie, en Afrique de l'Ouest, possède un climat étrange : l'air est très humide et un brouillard épais arrive de la mer. Pourtant il n'y pleut pratiquement jamais.

Ballon à air chaud

Une montgolfière contient de l'air plus chaud et moins dense que l'air qui l'entoure. C'est pourquoi elle s'élève dans le ciel.

VOIR : CHALEUR ET FROID PAGE 58

Ce qu'il te faut

papier de soie

ciseaux

colle à papier

morceau de carton fort de 45 x 5 cm

sèche-cheveux

1 Découpe cinq carrés de papier de soie de mêmes dimensions, puis quatre morceaux en trapèze, comme montré ci-dessous.

2 Colle les morceaux ensemble : dispose-les comme sur la figure et colle les bords les uns aux autres.

3 Colle une languette de carton autour de la base.

4 Place l'extrémité du séchoir dans l'encolure du ballon et mets-le en marche. Au besoin, demande à un ami de tenir le ballon. À mesure qu'il se gonfle d'air chaud, le ballon s'élève dans l'air.

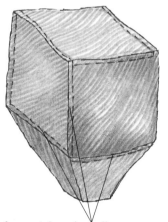

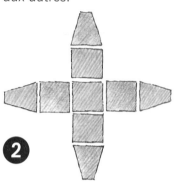

← 50 cm →   ← 50 cm →

50 cm

25 cm

Assure-toi que les collages sont bien étanches

Certains papiers de soie sont vendus en largeur de 50 cm.

La construction du ballon est délicate. Au besoin, demande à un adulte de t'aider. Prends ton temps et prends garde à ne pas déchirer le papier.

LE SAIS-TU ?
Le ballon à air chaud a été inventé en 1783 par les frères français Étienne et Joseph de Montgolfier.

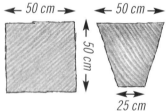

Aile d'avion

Comment fonctionne une aile d'avion ?
Par son profil particulier : lorsque l'aile se
déplace, l'air qui passe au-dessus va plus vite
que l'air qui passe au-dessous, ce qui tend
à la faire monter.

VOIR : L'EAU PAGE 32

Ce qu'il te faut

pâte à modeler

carton fin

carton fort

papier

perforatrice

ciseaux et colle

sèche-cheveux

2 pailles

1 Découpe un morceau de carton fin d'environ 25 x 10 cm. Sur l'une des longueurs (qui sera le bord d'attaque de l'aile), perce un trou à chaque extrémité.

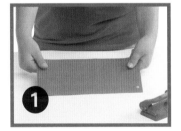

2 Découpe un morceau de carton fort de 32 x 10 cm. À l'aide de pâte à modeler, fixe les deux pailles avec le même espacement que les trous puis enfile l'aile sur les pailles.

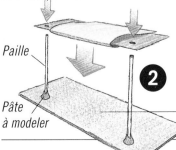

Paille

*Pâte
à modeler*

Socle en carton fort

3 Oriente le souffle du sèche-cheveux vers l'aile à une distance d'environ un mètre. L'aile s'élève-t-elle ? (Lorsque le sèche-cheveux souffle, il est possible que les pailles s'inclinent vers l'arrière et que la base recule sous l'effet d'une force appelée traînée.)

4 Modifie maintenant le profil de l'aile. Découpe un morceau de papier un peu moins long mais un peu plus large que l'aile.

5 Colle le morceau de papier sur l'aile afin

de former un arrondi frontal (comme sur la photo numéro 5).

6 Oriente de nouveau le souffle du sèche-cheveux vers l'aile. Que se passe-t-il ? L'aile s'élève beaucoup plus facilement. Comprends-tu l'importance de la forme d'une aile d'avion ?

LE SAIS-TU ?

Une aile d'avion doit sa portance au principe de Bernoulli, qui s'applique aux gaz et aux liquides. Mène l'expérience ci-contre pour en apprendre davantage.

Principe de Bernoulli

Les gaz et les liquides génèrent moins de pression lorsqu'ils se déplacent. Ce principe fut découvert par le savant suisse Daniel Bernoulli.

Ce qu'il te faut

papier

ciseaux

ruban adhésif

1 tube en carton

VOIR : L'EAU PAGE 32

L'air qui se déplace entre les bandes de papier exerce moins de pression que l'air ambiant. C'est pourquoi elles se rapprochent l'une de l'autre.

1 Découpe deux bandes de papier de 20 x 3 cm.

Tube

*Bandes
de papier*

2 À l'aide d'adhésif, fixe-les à l'extérieur du tube en carton.

3 Souffle fort dans le tube. Qu'arrive-t-il ?

L'autogire

Un autogire est un petit avion muni d'un rotor libre. Lorsqu'il avance, le rotor tourne sous l'action de l'air et aide la portance.

VOIR : L'ATMOSPHÈRE PAGE 152

Ce qu'il te faut

carton fin ou papier épais

ciseaux

1 crayon

1 règle graduée

2 trombones

1 Découpe une bande de carton de 40 x 3 cm. Plie-la en deux par la moitié. Saisis l'extrémité supérieure (côté opposé à la pliure) et replie-la sur environ 10 cm en marquant un angle (*voir* photo).

2 Retourne la bande de carton et fais de même de l'autre côté.

3 Déplie les deux extrémités de façon à former deux ailes et fixe les deux trombones à la base (pliure).

4 Lâche ton autogire depuis un endroit élevé et regarde comme il tourne sur lui-même sous l'action de l'air.

Voici un véritable autogire. Un autogire ressemble à un hélicoptère mais fonctionne de façon différente. Il est mué par une hélice propulsive et le large rotor, non motorisé, est entraîné par la seule action du vent relatif.

Ça résiste !

Tout objet se déplaçant dans les airs doit écarter l'air se trouvant sur son chemin. De cette action résulte une force – appelée résistance de l'air, friction ou traînée aérodynamique – qui tend à ralentir l'objet. Certaines formes pénètrent mieux dans l'air que d'autres.

VOIR : LE FROTTEMENT PAGE 70

Ce qu'il te faut

papier cartonné

carton fort

ruban adhésif

ciseaux

sèche-cheveux

1 Fabrique trois objets en papier cartonné de 10 cm de haut et 5 cm de long : une cheminée carrée, un cylindre en forme de goutte d'eau et un vrai cylindre. Fixe chaque objet avec du ruban adhésif sur un petit socle en carton fort puis aligne-les.

2 Oriente le souffle du sèche-cheveux vers les objets, d'abord à un mètre environ, puis plus près. Que se passe-t-il ? La cheminée offre le plus

de résistance à l'air : elle tombe ou est rapidement déplacée. Lequel des deux objets restants présente la traînée la plus faible et reste debout le plus longtemps ?

L'éolienne

Une éolienne utilise l'action du vent pour produire de l'électricité. Utilise une bouteille en plastique pour construire une aile qui tournera au moindre souffle de vent !

VOIR : L'ÉNERGIE DANS LE MONDE PAGE 72

Ce qu'il te faut

punaises
ciseaux
ruban adhésif
agrafeuse
1 grande bouteille en plastique
1 petit tuteur en bambou

1 Demande à un adulte de t'aider à découper le col et la base de la bouteille. Attention de ne pas te blesser. Découpe le tube obtenu en deux dans

la longueur afin d'obtenir deux demi-cylindres.

2 Forme un S avec les deux demi-cylindres en ménageant un chevauchement d'environ 8 cm, puis assemble-les par quatre agrafes placées aux extrémités (*voir* photo). Laisse une ouverture au milieu.

3 Fais glisser le tuteur à l'intérieur de la bande médiane et fixe-le à

chaque extrémité à l'aide de ruban adhésif.

4 Enfonce une punaise à chaque extrémité du tuteur. Installe-toi dans le jardin, à un endroit bien exposé, et place le tuteur bien à la verticale entre tes deux index comme sur la photo ci-contre. Que se passe-t-il ? Ton éolienne tourne sous l'action du vent !

ATTENTION ! Découper le plastique est difficile. Demande à un adulte d'effectuer la première découpe avec un cutter ou des ciseaux. Au besoin, couvre les bords tranchés avec du ruban adhésif.

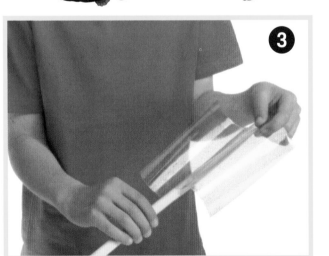

De façon astucieuse, les ailes de ce moulin actionnent une pompe qui empêche le champ d'être inondé.

Évaporation

Après la pluie, les flaques d'eau mettent quelques heures à sécher. L'eau semble disparaître : en fait, elle se transforme en vapeur.

VOIR : L'EAU PAGE 32, LA DISSOLUTION PAGE 34

Ce qu'il te faut

2 soucoupes

1 Place une soucoupe remplie d'un peu d'eau dans un endroit chaud et une autre soucoupe remplie du même volume d'eau dans un endroit froid. Que vois-tu ?

2 Lorsque l'eau est chauffée, elle se transforme en vapeur et se diffuse dans l'air. Plus il fait chaud et plus l'évaporation est rapide.

Lorsque l'eau gèle

Nombre de substances se contractent en passant de l'état liquide à l'état solide, mais pas l'eau !

VOIR : SOLIDES, LIQUIDES ET GAZ
PAGE 26

Ce qu'il te faut

1 pot de yaourt vide

1 soucoupe

1 broc d'eau

1 Remplis le pot de yaourt d'eau jusqu'au bord. Place le pot sur la soucoupe et la soucoupe une nuit entière dans le congélateur.

2 Le lendemain, l'eau s'est transformée en glace. La glace occupe-t-elle plus ou moins de place que n'en occupait l'eau ? En gelant, l'eau a augmenté de volume. Pourtant, le poids reste le même : donc la glace est moins dense que l'eau.

Lorsqu'elle gèle, l'eau augmente de volume, et ce phénomène peut provoquer l'éclatement des roches. Ces reliefs escarpés ont été formés par les fractures dues au gel de l'eau infiltrée. On appelle cela l'érosion par gélifraction.

L'eau dans l'air

On peut redonner une forme liquide à la vapeur d'eau contenue dans l'air.

VOIR : RIVIÈRES ET LACS
PAGE 158

Ce qu'il te faut

eau très froide

1 verre

1 Verse de l'eau très froide dans un verre. Une buée se forme sur les parois externes du verre : la vapeur d'eau de l'air se condense et forme de fines gouttelettes d'eau liquide.

Lorsqu'un volume d'air est refroidi, la vapeur d'eau qu'il contient redevient liquide. Ici, l'eau froide refroidit l'air autour du verre et provoque une condensation.

LE SAIS-TU ?
Sous l'effet du réchauffement climatique, les glaces des pôles commencent à fondre. Le niveau des océans risque de s'élever et de causer l'inondation de nombreux sites côtiers.

4

Le cycle de l'eau

L'eau tombe du ciel sous forme de pluie, puis elle rejoint l'océan.

VOIR : L'ATMOSPHÈRE
PAGE 152

Ce qu'il te faut

film alimentaire

ruban adhésif

ciseaux

glaçons et eau chaude

1 grande boîte en carton avec couvercle

1 moule pouvant être installé dans la boîte

1 petite boîte ou un support plus haut que le moule

1 bande de carton fort d'environ 15 cm de large

1 Découpe un carré de 10 x 10 cm sur un côté du couvercle et une fenêtre dans la boîte. Tend un film alimentaire sur ces deux ouvertures à l'aide de ruban adhésif.

2 Place le plateau à l'intérieur de la boîte.

3 Couvre la bande de carton de papier aluminium et incurve-la dans sa largeur. Installe une extrémité de cette gouttière sur le support et l'autre dans le plateau de façon à former une pente. Demande à un adulte de remplir le plateau d'eau chaude.

4 Replace le couvercle sur la grande boîte et recouvre le film de glaçons. La vapeur produite par l'eau chaude se condense sur la face interne du film. Elle tombe, comme la pluie, dans la gouttière, puis coule vers le moule-océan !

ATTENTION !
Plus l'eau est chaude et mieux cette expérience fonctionne. Demande à un adulte de t'aider, et fais attention de ne pas te brûler.

Fontaine naturelle

L'eau exerce une pression sur ce qu'elle contient et sur ce qui l'entoure. En voici la démonstration.

VOIR : ÉNERGIE PAGE 46, FORCES ET MOUVEMENT PAGE 52

Ce qu'il te faut
1 grande bouteille en plastique
1 cutter
1 petite bassine
1 broc d'eau

1 **Demande à un adulte** de t'aider à percer un trou dans la bouteille à l'aide du cutter, à environ 10 cm de la base.

2 Place la bouteille dans le plateau ou la bassine et remplis-la d'eau. Bientôt, l'eau va s'échapper par le trou et former une fontaine naturelle. Lorsque la bouteille est remplie à ras bord, le jet devient plus puissant. La raison de ce phénomène est que l'eau exerce une pression dans toutes les directions. Plus la hauteur d'eau au-dessus du trou est élevée et plus la pression est importante.

Vases communicants

Peux-tu transvaser un liquide d'un récipient à un autre sans les changer de place ?

VOIR : L'EAU PAGE 32

Ce qu'il te faut
eau du robinet
colorant alimentaire
2 coupelles
1 tube en plastique souple
1 support

1 Remplis une coupelle d'eau et place-la sur le support. Verse quelques gouttes de colorant alimentaire dans l'eau.

2 Place la coupelle vide sur la table, à côté du support. Place une extrémité du tuyau dans la coupelle remplie d'eau colorée.

3 Aspire dans l'extrémité libre du tuyau pour faire monter l'eau presque jusqu'à ta bouche. Retire le tuyau de ta bouche et obture-le avec le pouce. Abaisse l'extrémité du tuyau vers la coupelle vide et libère l'ouverture. L'eau s'écoule depuis la coupelle supérieure.

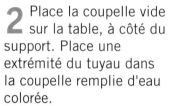

Flotter, couler

La densité d'un corps est liée à son poids et à son volume. Elle détermine la flottabilité.

VOIR : MESURER FORCE ET MOUVEMENT PAGE 54

Ce qu'il te faut

bouchons de liège

billes de verre

morceaux de bois

pièces de monnaie

balles de tennis

1 grand saladier rempli d'eau

1 Place plusieurs objets dans le saladier

rempli d'eau afin de vérifier s'ils flottent. Les plus lourds coulent.

2 Pousse une balle de tennis au fond du saladier et sent comme l'eau cherche à la faire remonter. Si cette poussée est plus forte que le poids de l'objet, celui-ci flotte à la surface de l'eau.

Nombre de ces bateaux sont construits à l'aide de matériaux plus lourds que l'eau. Ils flottent parce qu'ils sont creux. À volume égal, ils sont plus légers que l'eau, et la poussée d'Archimède les maintient à la surface.

LE SAIS-TU ?

Les bateaux flottent beaucoup mieux dans l'eau salée de la mer que dans l'eau douce des lacs et des rivières. Le sel présent dans l'eau de mer la rend plus dense que l'eau douce.

Petit bateau

Les bateaux les plus lourds flottent parce qu'ils contiennent un volume important d'air.

VOIR : L'EAU PAGE 32, MERS ET OCÉANS PAGE 162

Ce qu'il te faut

pâte à modeler

1 saladier rempli d'eau

1 Place un morceau de pâte à modeler dans le saladier. Le morceau coule.

2 Construit une coque de bateau avec le même morceau. Arrives-tu à la faire flotter ? À cause de l'air qu'elle enserre, la coque est moins dense que l'eau : elle flotte.

Capillarité

Les molécules d'eau s'infiltrent dans les espaces les plus petits.

VOIR : LIQUIDES PAGE 26

Ce qu'il te faut
eau et colorant alimentaire
ciseaux, ruban adhésif
1 buvard
2 règles en plastique

1 Verse un peu d'eau teintée de colorant alimentaire dans un verre. Observe le niveau de l'eau à travers le verre. Vois-tu comme il s'élève légèrement sur le pourtour ? Cette déformation est appelée le ménisque.

2 Mesure la profondeur de l'eau à l'aide d'une règle graduée.

3 Fixe une languette de buvard sur la règle, à environ un centimètre au-dessus de la marque laissée par l'eau. Attache les deux règles à l'aide de ruban adhésif en enfermant le buvard à l'intérieur. Place les règles dans le verre en veillant bien à ce que le buvard ne touche pas l'eau.

4 Après quelques instants, l'eau s'infiltre entre les règles et atteint le buvard. Ce phénomène d'ascension d'un liquide est appelé capillarité. Plus l'espace est étroit et plus la hauteur à laquelle s'élève l'eau est élevée.

Les gerris lacustres « marchent » à la surface de l'eau sans jamais s'enfoncer. Le poids de leur corps est largement réparti entre leurs pattes médianes et postérieures. Il est trop faible pour briser les liens des molécules de l'eau.

Tension superficielle

Les molécules de l'eau sont fermement liées les unes aux autres. À la surface, ces liens créent une sorte de peau élastique.

VOIR : LES MOLÉCULES PAGE 22, L'EAU PAGE 32

Ce qu'il te faut
trombones
1 coupelle remplie d'eau

1 Place un trombone sur l'extrémité de ton index et dépose-le doucement à la surface de l'eau. Parviens-tu à le faire flotter ?

2 Note comme l'eau autour du trombone semble s'abaisser à la manière d'une toile élastique.

Roue hydraulique

Construit une turbine semblable à celle des centrales hydroélectriques !

VOIR : L'ÉNERGIE DANS LE MONDE PAGE 72

Ce qu'il te faut

bouteille en plastique utilisée pour la fontaine (p. 222)

colle résistante à l'eau

ciseaux

fil de fer rigide (portemanteau)

ruban adhésif fort ou 2 gros élastiques

6 bouchons de bouteille en plastique

1 morceau de plastique souple

1 bouteille en plastique

1 **Avec l'aide d'un adulte,** découpe deux disques de plastique souple de 8 cm de diamètre. Perce un trou au centre de chaque disque.

3 Insère le fil de fer au centre de la roue et plie les extrémités.

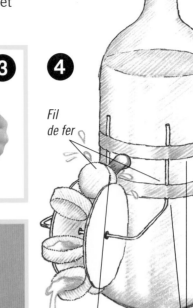

Fil de fer

Jet d'eau

Ruban adhésif ou élastique

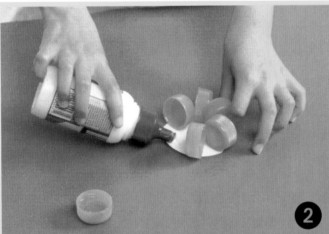

2 Colle les bouchons de bouteille sur une face d'un disque en les orientant tous dans le même sens (*voir* photo). Colle le second disque sur les bouchons.

4 Fixe la roue sur la bouteille, en face du trou, à l'aide de deux morceaux d'adhésif fort ou de deux élastiques.

5 Remplis la bouteille d'eau. En s'écoulant par le trou, l'eau fait tourner ta turbine !

LE SAIS-TU ?

Les plantes libèrent de la vapeur d'eau dans l'air – c'est l'évapotranspiration – mais elles aspirent de l'eau par leurs racines et leurs tiges.

Placées dans un vase d'eau teintée, les fleurs blanches changent graduellement de couleur, car leurs tiges aspirent l'eau du vase.

Vibrations

Le son est une vibration. Découvre-le par cette petite expérience !

VOIR : LES ONDES SONORES PAGE 112

Ce qu'il te faut

sucre ou sel

ciseaux

1 ballon de baudruche

1 morceau de tube en carton fort de 10 cm de long

1 élastique

1 Découpe l'embout du ballon de la baudruche et fixe-le sur le tube au moyen de l'élastique.

2 Saupoudre la baudruche de sucre ou de sel. Approche-toi de la baudruche et fredonne un air : les grains de sel ou de sucre s'agitent en tous sens. Essaye différentes notes, hautes et basses, et constatent leurs effets.

3 Essaye d'autres sons et recherche celui qui produit l'effet le plus spectaculaire.

Les ondes

Les ondes sonores sont similaires aux ondes liquides.

VOIR : À PROPOS DES ONDES PAGE 110

Ce qu'il te faut

eau

1 grand plateau

1 Avec précaution, remplis le plateau d'eau jusqu'à environ un centimètre du bord.

2 Place ton index dans l'eau au centre du plateau. Lorsque l'eau redevient immobile, retire brusquement ton doigt et observe la progression circulaire des ondes vers les bords du plateau.

3 Lorsque l'eau est à nouveau immobile, soulève légèrement une extrémité du plateau et laisse-la retomber. Observe le trajet des ondes et leurs rebonds sur les bords du plateau.

LE SAIS-TU ?

Le son circule à des vitesses différentes selon les éléments ou les matières qu'il traverse. Il va 10 fois plus vite dans le bois que dans l'air.

À deux oreilles !

Pour localiser l'origine d'un son, il faut avoir deux oreilles !

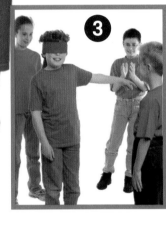

VOIR : SONS FORTS ET SONS FAIBLES PAGE 116

Ce qu'il te faut
1 foulard
plusieurs amis

1 Demande à des amis de former un cercle d'un rayon de trois mètres tout autour de toi. Bande-toi les yeux à l'aide du foulard.

2 Bouche-toi une oreille à l'aide d'une main de façon à entendre seulement avec l'autre. Demande à un de tes amis de taper doucement dans ses mains.

3 Efforce-toi de pointer du doigt la direction d'ou semble provenir le son. Que se passe-t-il ?

4 Répète l'expérience, mais cette fois avec tes deux oreilles libres et attentives. Que peux-tu en conclure ?

Les vagues de l'océan progressent selon un mouvement du haut vers le bas jusqu'à leur éclatement sur le rivage. Les ondes sonores se déplacent de la même façon, mais il est impossible de les voir. La lumière progresse également sous forme d'ondes.

Pour voler dans l'obscurité, la chauve-souris émet des ultrasons et localise les obstacles d'après leurs échos.

Microsillons

Construis un électrophone pour lire le son
des microsillons.

VOIR : STOCKER DES SONS PAGE 120

Ce qu'il te faut

vieux disque en vinyle
papier
papier cartonné
petites épingles à tête ronde
punaises
ciseaux
colle et ruban adhésif
1 plaque de carton rigide

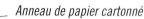

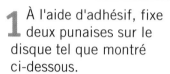

1 À l'aide d'adhésif, fixe
deux punaises sur le
disque tel que montré
ci-dessous.

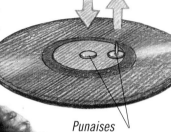

Punaises

2 Place le
disque au
centre de la plaque
de carton et vérifie
qu'il peut tourner.

3 Découpe une bande
de papier cartonné
de 18 x 5 cm. À l'aide
d'une petite épingle
à tête ronde, perce
un trou à 3 cm de
chaque extrémité.
L'épingle doit
pouvoir bouger
librement dans
les trous.

4 Découpe
une bande

❷

de papier
cartonné de 0,5 x 10 cm
et colle-la en anneau
autour de l'un des trous.

5 Découpe un disque
de papier pouvant
couvrir l'anneau de papier
cartonné et colle la tête
d'une petite épingle à
tête ronde en son centre.
Après séchage, colle
le disque sur l'anneau
de papier cartonné
en plaçant l'épingle
dans le trou.

6 Construis un cône à
partir d'un cercle de
papier (ci-contre). La
base du cône doit
s'ajuster sur le rond de
papier cartonné. Fixe le
cône à l'aide d'adhésif.

7 Plante une petite
épingle à tête ronde,
pointe vers le haut, sur
la plaque de carton, à
environ 2 cm du bord
du disque.

Anneau de papier cartonné

8 Enfile le trou
libre de la bande
de carton sur la pointe et
place la pointe se trouvant
à l'autre extrémité sur le
bord externe du disque.
Sers-toi de la punaise
pointe en l'air pour faire
tourner le disque. Écoute
bien et tu vas entendre
des sons !

Petite épingle à tête ronde
Disque de papier
Anneau de papier cartonné

Découpe un trou au centre du cercle

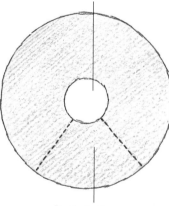

Partie à découper

❽

Instrument à cordes

Le son d'une guitare provient de la vibration des cordes.

VOIR : SONS AIGUS ET SON GRAVES PAGE 114

Ce qu'il te faut

grande boîte en carton

feutres et stylos

1 grand élastique

1 cutter

1 Demande à un adulte de découper un cercle dans le couvercle de la boîte.

2 Place l'élastique autour de la boîte et au-dessus du trou. Fixe un stylo sous l'élastique à chaque extrémité.

3 Pince l'élastique et écoute le son produit. Glisse un gros feutre sous l'élastique et recommence. La note est plus haute car la partie vibrante de l'élastique est plus courte.

Lorsque tu pinces une corde de ta guitare, l'air de la caisse de résonance entre en vibration et produit un son. Plus la corde est épaisse et plus la note est grave.

Instrument à vent

L'air vibre dans les tubes et produit des sons.

VOIR : PRODUIRE ET DÉTECTER DES SONS PAGE 118

Ce qu'il te faut

20 pailles

papier cartonné

ciseaux

ruban adhésif double face

1 Découpe un morceau de papier cartonné de 15 x 15 cm. Couvre-le d'adhésif double face.

2 Colle les pailles sur le carton et taille les bases pour obtenir des longueurs croissantes.

3 Place le bord droit de la flûte près de ta lèvre inférieure et souffle. Que constates-tu ?

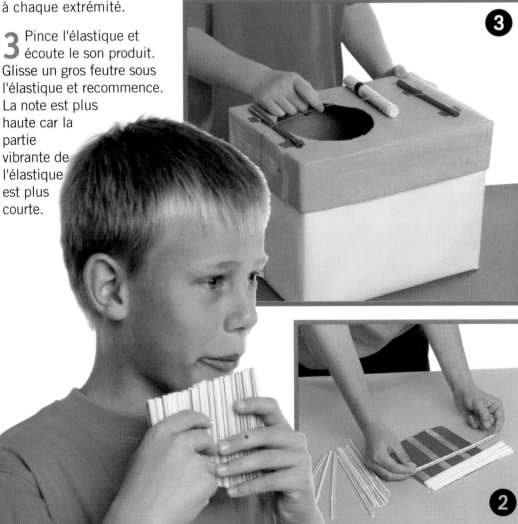

Cadran solaire

Avant l'invention de l'horloge, les hommes comptaient le temps en se fiant à la position de l'ombre solaire sur un cadran.

VOIR : LA TERRE DANS L'ESPACE PAGE 174

Ce qu'il te faut

carton rigide

ciseaux et ruban adhésif

1 atlas géographique

1 rapporteur

1 compas

1 boussole

1 Découpe deux rectangles de carton de 30 x 15 cm.

2 Dans l'atlas, recherche la latitude de la ville où tu habites. Les latitudes, exprimées en degrés (°), sont des lignes droites.

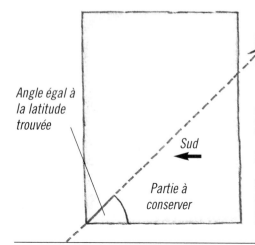

Latitudes

3 À l'aide du rapporteur, trace sur un des cartons un angle égal à la latitude trouvée. Découpe le carton le long du tracé.

Angle égal à la latitude trouvée

Sud

Partie à conserver

4 Sur l'autre carton, dessine un demi-cercle ayant pour centre le milieu d'un des grands côtés.

5 Fixe le triangle au milieu du demi-cercle. Utilise des petits bouts de carton et d'adhésif pour qu'il soit bien vertical.

6 Au premier jour de soleil, porte ton cadran solaire à l'extérieur. Utilise la boussole pour orienter le côté biais du triangle vers le sud. À chaque heure, marque la position de l'ombre du triangle sur la base. Note l'heure correspondante pour chaque marque.

Par une journée ensoleillée, oriente à nouveau ton cadran solaire vers le sud. Tu peux maintenant lire l'heure sans ta montre !

Certains cadrans solaires sont de véritables œuvres d'art. Pour compenser la relative imprécision, un grand nombre portent plusieurs séries de graduations correspondant aux variations saisonnières.

Réflexion

Les ondes lumineuses rebondissent sur les miroirs ou les surfaces lisses similaires : on dit qu'elles sont reflétées.

VOIR : LUMIÈRE RÉFRACTÉE PAGE 128

Ce qu'il te faut

carton

ciseaux

pâte à modeler

1 lampe de poche

1 petit miroir

1 Découpe un morceau de carton de 15 x 10 cm. Découpe une fente verticale de 5 cm de long sur l'un des grands côtés.

2 Fixe le carton à la verticale, fente en bas, à l'aide de pâte à modeler.

4 Place un miroir devant le rayon et oriente-le de diverses façons. Le rayon est reflété selon plusieurs directions, mais à chaque fois l'angle d'incidence est égal à l'angle de réflexion.

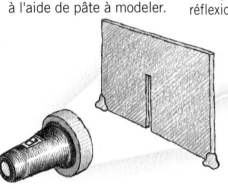

3 Dans le noir, place la lampe de poche allumée en face de la fente. Un étroit rayon lumineux se forme sur la table.

Fibres optiques

Les fibres optiques transportent la lumière laser de la même façon qu'un jet d'eau transporte les rayons lumineux.

VOIR : LA LUMIÈRE LASER PAGE 134

Ce qu'il te faut

cutter et ruban adhésif

1 bouteille en plastique

1 lampe de poche

1 Demande à un adulte de percer un trou dans la bouteille (reporte-toi à la page 222).

2 Bouche le trou à l'aide d'adhésif et remplis la bouteille d'eau. Dans le noir, place la lampe allumée en face du trou, sur le côté opposé.

3 Débouche le trou. Le rayon lumineux suit la courbure du jet d'eau !

Jet d'eau

Réfraction

Lorsque la lumière passe de l'air à l'eau, elle change de direction. C'est la réfraction.

VOIR : LUMIÈRE
RÉFRACTÉE PAGE 128

Ce qu'il te faut

1 verre rempli d'eau

1 pièce de monnaie

1 Place la pièce au fond du verre.

2 Observe la pièce en vue plongeante. Trempe un doigt dans le verre et place-le à la même profondeur que la pièce. Sans bouger ton doigt, regarde depuis le côté. Ton doigt est-il bien placé ? Vue du dessus, la pièce semble plus près de la surface.

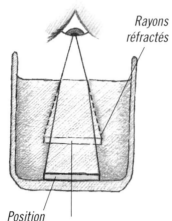

Rayons réfractés

Position réelle

Position apparente

Chambre obscure

Construis une chambre obscure : elle recueille la lumière d'une scène et projette son image inversée sur un écran.

VOIR : DÉTECTER LA LUMIÈRE PAGE 131

Ce qu'il te faut

papier calque

ciseaux et ruban adhésif

1 petite boîte en carton

1 loupe

1 Il faut d'abord déterminer la longueur focale de l'objectif. Dans une grande pièce, place la loupe à environ 3 cm d'une fenêtre.

2 Déplace ta main libre d'avant en arrière jusqu'à ce que l'image extérieure s'affiche sur ta paume. La distance entre la loupe et ta paume représente la longueur focale de l'objectif.

3 La boîte de carton doit être un peu plus longue que la longueur focale. Découpe la boîte en deux moitiés égales.

3 Retaille l'une des demi-boîtes pour qu'elle puisse coulisser dans l'autre. Reforme les angles à l'aide de ruban adhésif.

4 Découpe un carré dans le fond de la demi-boîte extérieure et couvre-le de papier calque.

Fond découpé

Joints retaillés

Demi-boîte rétrécie

La demi-boîte coulisse dans l'autre

5 Découpe un cercle un peu plus petit que la loupe dans le fond de la demi-boîte intérieure. Colle la loupe sur le trou circulaire avec de l'adhésif.

6 Dirige ta chambre obscure vers un objet bien éclairé. Fais coulisser les deux demi-boîtes jusqu'à obtenir une image nette sur le papier calque. Tu es un vrai photographe !

Un microscope optique utilise plusieurs lentilles. Les plus puissants peuvent grossir jusqu'à mille fois.

LE SAIS-TU ?

L'image est à l'envers, car les rayons lumineux s'inversent lorsqu'ils traversent une lentille.

Goutte grossissante

Une lentille permet de voir un objet plus gros ou plus proche qu'il n'est. Parfois, une simple goutte d'eau suffit !

VOIR : UTILISER LA LUMIÈRE PAGE 132

Ce qu'il te faut

eau

ciseaux et ruban adhésif

1 bouteille en plastique

1 petite boîte en carton

1 perforatrice

1 **Avec l'aide d'un adulte,** découpe une bande de plastique de 10 x 3 cm dans la bouteille. Perce un trou près d'une extrémité de la bande de plastique. Attache la bande de plastique sur le dessus de la boîte en carton de façon que l'extrémité perforée se trouve en surplomb.

2 Sers-toi d'un doigt pour déposer une goutte d'eau sur le trou. La goutte d'eau prend la forme d'une lentille.

3 Pour utiliser ton microscope, place ton œil tout près de la goutte d'eau. Place un objet sous la goutte et déplace-le verticalement jusqu'à obtenir une image nette.

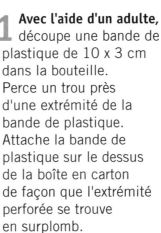

Un spectre !

La lumière semble blanche ou incolore, mais elle réunit plusieurs couleurs. Forme toi-même le spectre des couleurs.

VOIR : LA LUMIÈRE PAGE 124

Ce qu'il te faut
carton blanc et ciseaux
1 plat à tarte
1 petit miroir

1 Découpe un morceau de carton de 15 x 20 cm, puis découpe une fente comme ci-contre.

2 Remplis le plat d'eau et place-le au soleil. Appuie le carton contre le bord externe du plat de façon que le soleil fasse briller l'eau à travers la fente.

3 Appuie le miroir contre le bord interne du plat, à l'opposé du carton, et modifie son inclinaison jusqu'à ce qu'un spectre se forme sous la fente. La surface incurvée de l'eau agit comme une lentille et décompose la lumière blanche.

Rémanence

Notre œil continue à percevoir une image quelques instants après qu'elle a disparu. C'est le phénomène de rémanence.

VOIR : DÉTECTER LA LUMIÈRE PAGE 130

Ce qu'il te faut
carton et ciseaux
stylos ou crayons
papier calque
colle à papier
1 grand trombone

Lorsque les rayons solaires traversent des gouttes de pluie, la lumière décomposée forme un immense spectre : l'arc en ciel.

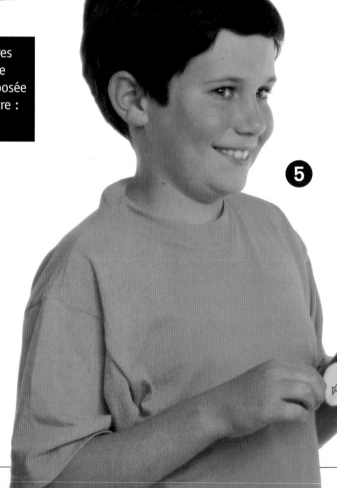

5

1 Dessine une image pouvant tenir dans un cercle de 8 cm de diamètre. Elle doit comporter deux parties distinctes, par exemple une cage et un oiseau, ou un poisson et un bocal.

2 Découpe 2 cercles de carton de 8 cm de diamètre. Dessine une partie de l'objet (poisson) sur l'un et l'autre partie (bocal) sur l'autre.

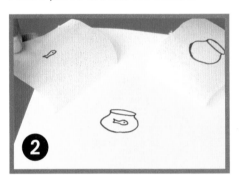

3 Déplie le trombone pour former un bout de fil de fer.

4 Colle les deux cercles dos à dos, images à l'extérieur et orientées dans le même sens, en enserrant le fil de fer au milieu.

Autre face

Trombone déplié

5 Tiens les deux extrémités du fil de fer entre les pouces et index. Fais pivoter les cercles très rapidement. Qu'observes-tu ? Le dessin figurant sur un cercle demeure inscrit dans notre œil tandis que l'autre cercle devient visible. Les deux dessins se superposent et forment une seule image.

Filtres

Un filtre chromatique ne laisse passer que les rayons lumineux de certaines couleurs. Voici la démonstration.

VOIR : LA LUMIÈRE PAGE 124

Ce qu'il te faut

3 bocaux

colorant alimentaire (rouge, bleu, vert)

1 Remplis les trois bocaux d'eau. Verse six gouttes d'un colorant différent dans chacun d'eux.

2 Place les bocaux devant une fenêtre pour qu'ils soient traversés par la lumière solaire. L'eau colorée agit comme un filtre : elle bloque les autres couleurs du spectre. Ainsi, l'eau rouge ne laisse passer que la lumière rouge.

3 Place un bocal devant un autre. La quantité de lumière qui traverse est plus faible. Avec les trois bocaux, la lumière est presque bloquée, et le dernier bocal semble noir !

LE SAIS-TU ?

Observe une forme de couleur rouge ou verte pendant trente secondes puis ferme les yeux. Tu vois toujours la forme, mais sa teinte a changé.

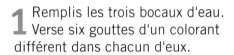

Énergie mutante

L'énergie, source de toutes les actions, existe sous différentes formes. Au cours de cette expérience, tu vas transformer une quantité d'énergie simplement en soulevant un livre puis en le laissant tomber au sol !

> VOIR : TRANSFORMER L'ÉNERGIE PAGE 48

Ce qu'il te faut
1 vieux livre

1 Assure-toi que le livre n'intéresse plus personne, car il risque d'être abîmé !

2 Place le livre sur le sol, puis soulève-le lentement jusqu'au niveau de tes épaules. En faisant cela, tu donnes au livre une énergie potentielle, car il s'élève contre la force de pesanteur. L'énergie nécessaire à sa chute est stockée, mais elle n'est pas utilisée, c'est pourquoi elle est qualifiée de potentielle. L'énergie utilisée pour soulever le livre a été produite par les processus chimiques qui actionnent tes muscles.

3 Lâche maintenant le livre. La chute du livre au sol transforme l'énergie potentielle en une énergie de mouvement appelée énergie cinétique.

4 Lorsque le livre atteint le sol, une grande partie de l'énergie potentielle a été transformée en énergie cinétique. Une infime partie a été transformée en énergie calorifique par la résistance de l'air lors de la chute.

5 Le reste de l'énergie se transforme en chaleur et en énergie sonore, qui produit le bruit de la chute. L'énergie potentielle a été plusieurs fois transformée, mais aucune partie de cette énergie n'a été perdue.

Convection

L'énergie calorifique se déplace dans les courants d'air. C'est la convection.

> VOIR : CHALEUR
> ET FROID PAGE 58

Ce qu'il te faut
eau chaude
carton
pâte à modeler
ciseaux et ruban adhésif
1 mazagran
1 épingle à tête ronde

1 Découpe un triangle isocèle légèrement plus large que le mazagran utilisé pour l'expérience.

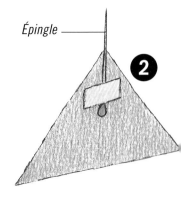

Épingle

2 Fixe l'épingle sur un angle ainsi que montré ci-dessus.

3 À l'aide de pâte à modeler, place le triangle debout sur le mazagran rempli d'eau chaude.

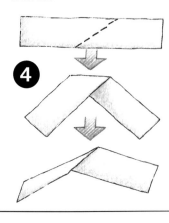

4 Découpe une bande de papier et plie-la en L au milieu. Ouvre-la de façon à former une hélice.

5 Place l'hélice en équilibre sur l'épingle. Observe comme elle tourne sous l'effet des courants d'air chaud.

Dans les pays chauds, les maisons sont souvent peintes en blanc pour mieux réfléchir les rayons du soleil.

ATTENTION !
Chaleur et flammes peuvent être très dangereuses. Pour toutes les expériences liées à la chaleur, demande à un adulte de t'aider.

Conduction

La chaleur voyage à l'intérieur des objets par conduction thermique. Découvre quelques matériaux bons conducteurs de chaleur.

VOIR : LES MÉTAUX PAGE 40, LES COMPOSITES PAGE 42

Ce qu'il te faut

objets longs et fins chacun fait d'un matériau différent : métal, bois, porcelaine et plastique.

eau chaude

margarine

perles en plastique

1 mazagran

1 Place une extrémité des différents objets collectés dans le mazagran. À l'autre extrémité des objets, colle une perle en plastique sur un peu de margarine.

2 Demande à un adulte de verser de l'eau chaude dans le mazagran. La chaleur progresse à l'intérieur de chaque objet, fait fondre la margarine et libère la perle. La première perle qui tombe désigne le meilleur conducteur thermique.

Rayonnement

Le Soleil chauffe la Terre par rayonnement, mais la couleur a son mot à dire.

VOIR : AU-DELÀ DE LA LUMIÈRE PAGE 136

Ce qu'il te faut

cartons blanc et noir

1 boîte et des ciseaux

1 Découpe deux morceaux de carton de mêmes dimensions, un noir et un blanc.

2 Place les deux morceaux au soleil contre un support. Après quelques minutes, pose ta main sur chaque carton. Que constates-tu ?

Effets des forces

Compare les effets de forces appliquées en différents points d'un objet.

VOIR : FORCES PAGE 52

Ce qu'il te faut
1 grande éponge

1 Place l'éponge sur une surface lisse. Appuie au centre d'un grand côté. L'éponge glisse dans la direction de la poussée.

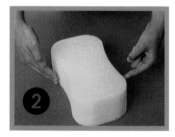

2 Applique la même pression près de l'extrémité. Que se passe-t-il ? Presse l'index de l'autre main sur l'extrémité opposée de l'autre grand côté. L'éponge tourne sur elle-même.

3 Presse le centre des deux grands côtés en même temps. L'éponge reste immobile car les deux forces s'annulent.

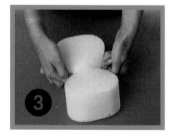

Les leviers

Les leviers sont des machines simples utilisées dans nombre d'objets de tous les jours.

VOIR : MACHINES SIMPLES PAGE 62

Ce qu'il te faut
plusieurs petits livres
1 latte de bois d'environ 5 x 50 cm
1 gros feutre

1 Pose le feutre sur une surface plane. Place la latte de bois en travers du feutre par son milieu. Si tu appliques une pression sur l'extrémité libre de la latte, elle bascule sur le feutre, qui est le point d'appui.

2 Place deux livres à une extrémité de la latte. Ils constituent la charge. Appuie sur l'extrémité opposée de la latte pour soulever les livres. Garde en mémoire l'intensité de l'effort utilisé.

3 Place maintenant le feutre aux trois quarts de la longueur de la latte, côté livres. Appuie à nouveau sur l'extrémité libre. Ton effort est-il plus intense ou moins intense qu'auparavant ?

4 Place le feutre aux trois quarts de la longueur de la latte, côté opposé aux livres. Appuie à nouveau sur l'extrémité libre. Cette fois l'effort à consentir est plus intense.

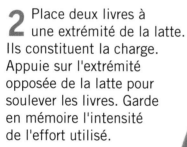

Le point d'appui est à mi-chemin entre la charge et le point d'application de la force.

Les pressions

L'intensité d'une pression dépend de l'aire sur laquelle elle s'exerce. Essaie d'enfoncer divers objets dans un bloc de pâte à modeler : une même poussée donne des résultats différents.

VOIR : FORCES PAGE 52,
LA GRAVITATION PAGE 56

Ce qu'il te faut
pâte à modeler
objets de formes diverses

1 Façonne la pâte à modeler en plusieurs plaques épaisses.

2 Presse divers objets sur les plaques en usant à chaque fois d'une force identique. Un objet de faible section s'enfonce plus facilement, car la pression est concentrée sur une aire plus faible.

Sur cette horloge ancienne, les mouvements du balancier commandent l'avancement des aiguilles, pour une parfaite précision.

Le pendule

Construis un pendule et observe comme il se balance d'un côté à l'autre.

VOIR : LA GRAVITATION PAGE 56, NOTRE PLANÈTE PAGE 142

Ce qu'il te faut
pâte à modeler
ruban adhésif
1 morceau de ficelle (1 m)
1 montre avec trotteuse

LE SAIS-TU ?
Lorsqu'il s'ennuyait à l'église, le savant italien Galilée observait le balancement des grands chandeliers suspendus au plafond.

1 Attache un morceau de pâte à modeler à un bout de la ficelle et fixe l'autre bout à un support à l'aide d'adhésif. Le pendule doit pendre librement.

2 Un pendule en mouvement retourne à son point d'origine sous l'effet de la pesanteur, puis il est entraîné à s'élever en direction opposée par son élan.

3 Donne au pendule un mouvement de grande amplitude et chronomètre le temps nécessaire à dix balancements. Répète l'opération avec des balancements de faible amplitude. Que constates-tu ?

4 Ajoute un peu de pâte à modeler et répète les mesures. Les résultats sont-ils différents ?

Conducteur ou isolant ?

Les matériaux que peut traverser un courant électrique sont dits conducteurs. Ceux qui font barrage à un courant électrique sont des isolants. Découvre par toi-même ces propriétés.

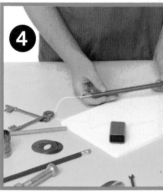

Fil électrique

Ampoule

Douille

Pile

Pinces crocodile

Adhésif

Fil électrique

VOIR : LE COURANT ÉLECTRIQUE PAGE 82

Ce qu'il te faut

fil électrique fin
ciseaux
ruban adhésif
ampoule et douille
pinces crocodile

plusieurs matériaux à tester
1 pile ronde

1 Découpe trois longueurs de fil de 50 cm. Demande à un adulte de t'aider à dénuder les extrémités des trois longueurs. Visse l'ampoule sur la douille.

2 Construis un circuit électrique tel que ci-dessus.

3 Fixe les pinces sur différents objets (un à la fois). Que se passe-t-il ?

4 Si le matériau est conducteur, le circuit est fermé et l'ampoule s'allume. S'il est isolant, la lampe ne s'allume pas.

5 Teste une mine en graphite. Place les pinces aux extrémités, puis rapproche-les du centre. Que constates-tu ?

3

4

2

ATTENTION !

Un outil tranchant est nécessaire pour ôter le plastique aux extrémités des morceaux de fil électrique (on dit dénuder). Demande à un adulte de t'aider !

Électricité statique

En frottant deux matériaux isolants l'un contre l'autre, on provoque une charge électrique appelée électricité statique. Elle attire les objets, comme un aimant.

VOIR : L'ÉLECTRICITÉ STATIQUE PAGE 80

Ce qu'il te faut

ciseau et morceau de papier

1 sac-poubelle en plastique

1 chiffon

1 Découpe le papier en petits morceaux d'environ 5 x 5 mm. Éparpille les morceaux sur une table.

2 Dans le sac-poubelle, découpe un morceau de mêmes dimensions environ que cette page.

Place-le sur la table et frotte-le plusieurs fois avec le chiffon. Une charge électrique se développe à la surface du plastique.

3 Soulève le morceau de plastique et approche-le des bouts de papier. Que se passe-t-il ?

Un coup de foudre se produit lorsqu'une charge d'électricité statique contenue dans un nuage est attirée vers le sol. La charge électrique se développe par le frottement entre elles des particules en suspension (gouttes d'eau, cristaux de glace) présentes au sein du nuage.

Une pile

Combinées, certaines substances chimiques produisent de l'électricité.

VOIR : BATTERIE ÉLECTRIQUE PAGE 84

Ce qu'il te faut

pièces de monnaie en cuivre, papier aluminium

pinces crocodile

fil électrique fin

ciseaux

sel, eau

1 boussole

1 bocal

1 Découpe une longueur de fil électrique d'environ un mètre. Avec l'aide d'un adulte, dénude les deux extrémités.

2 Enroule la partie centrale du fil autour de la boussole (une dizaine de tours) et fixe une pince crocodile à chaque extrémité.

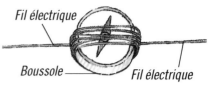

Fil électrique

Boussole

Fil électrique

3 Remplis le bocal d'eau tiède et dissous dans l'eau autant de sel que tu peux.

4 Enserre une pièce de cuivre avec une pince et un morceau de papier aluminium avec l'autre.

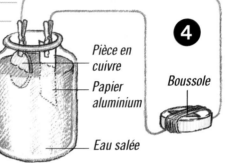

Pièce en cuivre

Papier aluminium

Eau salée

Boussole

5 Trempe la pièce et le morceau d'aluminium dans le bocal. Si l'aiguille de la boussole s'anime, ta pile électrique fonctionne !

Champs magnétiques

Le champ magnétique d'un aimant est la partie de l'espace à l'intérieur de laquelle il exerce ses propriétés. Le champ s'étend tout autour de l'aimant, et il est possible de le dessiner !

VOIR : MYSTÉRIEUX MAGNÉTISME PAGE 92

Ce qu'il te faut

crayon ou stylo
1 petite boussole
1 aimant
1 feuille de papier

1 Place l'aimant au centre de la feuille de papier. Pose la boussole à proximité de l'aimant.

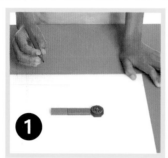

2 Trace une flèche montrant la direction de l'aiguille de la boussole.

3 Déplace la boussole autour de l'aimant en traçant à chaque fois une flèche. Tu dessines ainsi le champ magnétique de l'aimant.

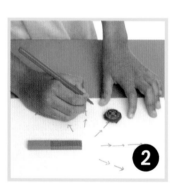

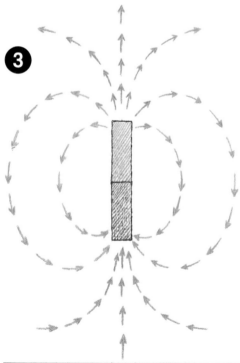

Magnétisme induit

Utilise un aimant pour rendre magnétique un autre objet en métal. Seuls les objets contenant du fer peuvent être choisis.

VOIR : MYSTÉRIEUX MAGNÉTISME PAGE 92

appelé magnétisme induit.

Ce qu'il te faut

1 aimant
trombones métalliques

1 Capture un trombone avec l'aimant et soulève-le.

2 Essaye maintenant de capturer un second trombone avec le premier. Que constates-tu ? Ce phénomène est

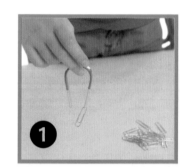

Pour utiliser une boussole, pose-la, puis tourne lentement sa base afin de placer le nord du cadran en face de l'aiguille.

LE SAIS-TU ?
L'aiguille d'une boussole obéit au champ magnétique terrestre, mais elle est facilement "capturée" par un aimant placé à proximité.

Boussole simple

L'aiguille d'une boussole s'aligne toujours dans une direction nord-sud.

VOIR : TERRE ET MAGNÉTISME PAGE 180

Ce qu'il te faut
aimant et boussole
ruban adhésif et cutter
1 assiette creuse remplie d'eau
1 bouchon de liège
1 aiguille en acier

1 Demande à un adulte de couper un rond de liège de 5 mm d'épaisseur. Fixe l'aiguille sur le rond de liège à l'aide d'adhésif.

2 Frotte l'aiguille plusieurs fois dans la même direction avec une extrémité de l'aimant.

3 Place le rond de liège dans l'eau. Dans quelle direction l'aiguille s'oriente-t-elle ? Vérifie avec la vraie boussole !

Ondes radio

Les ondes radio sont produites lorsqu'un courant électrique change d'intensité ou de direction. Fabrique tes propres ondes radio !

VOIR : AU-DELÀ DE LA LUMIÈRE PAGE 136

Ce qu'il te faut
fil électrique fin et ciseaux
1 poste de radio avec bande AM
1 pile

1 Découpe un morceau de fil électrique de 1 m et demande à un adulte de dénuder les extrémités. Allume le poste de radio et place le sélecteur sur une fréquence AM libre. Pose le fil électrique en travers du poste.

2 Fixe une extrémité du fil sur une des bornes de la pile et frotte l'autre extrémité sur l'autre borne. Que se passe-t-il ? Les changements d'intensité du courant créent de faible ondes radio transmises par le poste.

Un téléphone mobile envoie et reçoit des ondes radio de faible intensité par le biais d'antennes relais réparties sur tout le territoire.

Construire un électroaimant

Construis un électroaimant et teste son fonctionnement.

VOIR : L'ÉLECTRICITÉ, SOURCE DE MAGNÉTISME PAGE 90

Ce qu'il te faut

fil électrique fin (2 mètres)

ciseaux ou cutter

trombones métalliques

ruban adhésif

clou ou vis en acier de grande longueur

1 pile de 6 volts

1 Demande à un adulte de dénuder environ 2 cm à chaque extrémité du fil électrique.

2 En commençant à 20 cm d'une extrémité, enroule le fil en bobine autour du clou ou de la vis. Ménage un morceau libre de 20 cm à l'autre extrémité.

3 Fixe les extrémités du fil électrique aux bornes de la pile à l'aide de ruban adhésif. Approche maintenant ton électroaimant des trombones posés sur la table. Que constates-tu ?

À Sydney, en Australie, ce monorail mû par des moteurs électriques permet d'éviter les embouteillages.

Un moteur électrique

On peut également utiliser un électroaimant pour construire un moteur électrique !

VOIR : DE L'ÉLECTRICITÉ AU MOUVEMENT PAGE 96

Ce qu'il te faut

tourillon en bois (voir image)

carton fort et papier cartonné et trombones

épingles à tête ronde

2 piles de 1,5 volt

2 gros aimants plats

fil électrique fin et ciseaux

papier aluminium

colle et ruban adhésif

2 Déplie deux trombones et fixe-les au socle à l'aide de ruban adhésif comme montré ci-dessous. Le tourillon doit tourner librement.

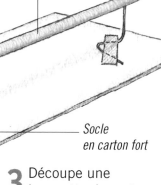

Tourillon

Épingle à tête ronde

Trombone déplié

Socle en carton fort

1 Découpe un morceau de carton fort de 30 x 20 cm pour le socle. Coupe une longueur de tourillon de 20 cm et enfonce une épingle à chaque extrémité en laissant un débord de 5 mm.

3 Découpe une languette de carton fort de 1 x 8 cm. Plie-la en deux et fixe-la au centre du tourillon comme ci-dessous.

Ruban adhésif

Tourillon

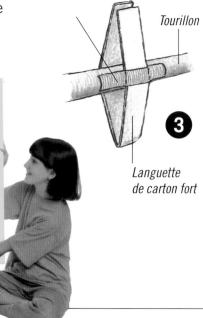

Languette de carton fort

LE SAIS-TU ?

Un monorail circule sur un rail unique, au lieu de deux pour les trains normaux. Certains sont suspendus au rail !

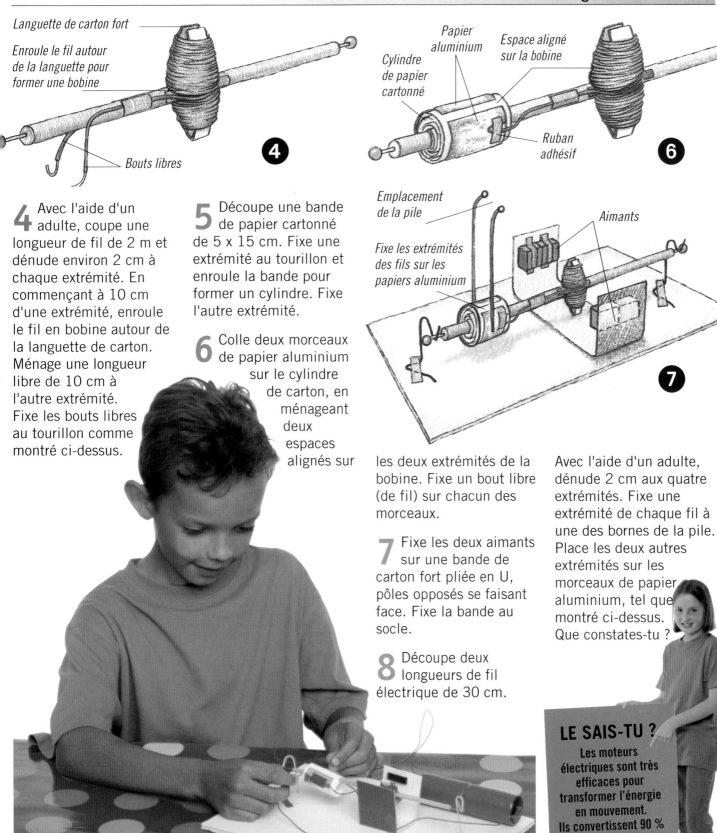

Languette de carton fort

Enroule le fil autour de la languette pour former une bobine

Bouts libres

4

Papier aluminium

Espace aligné sur la bobine

Cylindre de papier cartonné

Ruban adhésif

6

Emplacement de la pile

Aimants

Fixe les extrémités des fils sur les papiers aluminium

7

4 Avec l'aide d'un adulte, coupe une longueur de fil de 2 m et dénude environ 2 cm à chaque extrémité. En commençant à 10 cm d'une extrémité, enroule le fil en bobine autour de la languette de carton. Ménage une longueur libre de 10 cm à l'autre extrémité. Fixe les bouts libres au tourillon comme montré ci-dessus.

5 Découpe une bande de papier cartonné de 5 x 15 cm. Fixe une extrémité au tourillon et enroule la bande pour former un cylindre. Fixe l'autre extrémité.

6 Colle deux morceaux de papier aluminium sur le cylindre de carton, en ménageant deux espaces alignés sur les deux extrémités de la bobine. Fixe un bout libre (de fil) sur chacun des morceaux.

7 Fixe les deux aimants sur une bande de carton fort pliée en U, pôles opposés se faisant face. Fixe la bande au socle.

8 Découpe deux longueurs de fil électrique de 30 cm.

Avec l'aide d'un adulte, dénude 2 cm aux quatre extrémités. Fixe une extrémité de chaque fil à une des bornes de la pile. Place les deux autres extrémités sur les morceaux de papier aluminium, tel que montré ci-dessus. Que constates-tu ?

LE SAIS-TU ?

Les moteurs électriques sont très efficaces pour transformer l'énergie en mouvement. Ils convertissent 90 % de l'énergie électrique en mouvement utile.

Glossaire

Année-lumière

Unité représentant la distance parcourue par la lumière dans le vide spatial en une année, soit environ 9 461 milliards de km.

Atome

Plus petite partie d'un élément chimique. Un atome possède toutes les propriétés de l'élément qu'il compose.

Composé

Substance formée de plusieurs éléments chimiques associés en des proportions constantes.

Électron

Particule de charge électrique négative qui orbite le noyau d'un atome. Le mouvement des électrons produit un courant électrique.

Élément

Substance chimique qui ne peut être décomposée. Les atomes d'un élément sont semblables entre eux, et tous différents des atomes de chacun des autres éléments connus. Les scientifiques dénombrent aujourd'hui 118 éléments.

Énergie

Capacité à effectuer un travail. L'énergie existe sous diverses formes dont lumière, chaleur, électricité et mouvement. L'énergie utilisée ne disparaît pas : elle est simplement transformée.

Force

Toute influence ou action permettant de modifier le mouvement d'un objet. L'intensité d'une force est exprimée en newtons (N).

Hadron

Terme désignant les particules élémentaires sensibles à l'interaction forte. Les hadrons sont constitués de particules encore plus petites : les quarks.

Ion

Atome ou groupe d'atomes (molécule) possédant une charge électrique positive (cation) ou négative (anion).

Lepton

Terme désignant diverses particules élémentaires ne subissant pas l'interaction forte. Les électrons et les muons appartiennent à la famille des leptons.

Matière

Toute substance possédant une masse et pouvant être détectée. Le plus souvent, la matière est constituée d'atomes.

Mélange

Assemblage d'au moins deux substances sans que leurs atomes se combinent chimiquement.

Molécule

Plus petite partie d'un composé chimique. Une molécule peut être constituée de deux atomes d'un même élément – une molécule d'oxygène (O_2) est formée de deux atomes d'oxygène – ou bien d'atomes d'éléments distincts – une molécule d'eau (H_2O) est formée de deux atomes d'hydrogène et d'un atome d'oxygène.

Neutron

Particule élémentaire de charge électrique nulle présente dans le noyau d'un atome.

Pression

Force exercée sur une surface par un corps solide, liquide ou gazeux. La pression est exprimée en pascals (Pa).

Proton

Particule élémentaire de charge électrique positive présente dans le noyau d'un atome.

Puissance

Quantité de travail fournie par unité de temps.

Rayonnement

Ensemble des radiations émises par une source.

Réflexion

Renvoi d'une forme d'énergie, par exemple lumière ou son, par une surface. La lumière est réfléchie par le verre d'un miroir.

Réfraction

Changement d'orientation dans la propagation d'une onde lumineuse lorsqu'elle franchit une frontière séparant deux milieux, par exemple l'air et l'eau.

Soluté

Substance diluée dans un solvant pour former une solution.

Solution

Liquide ou solide dans lequel a été dissous uniformément une ou plusieurs substances. La substance dissoute est appelée soluté.

Solvant

Substance recevant un soluté pour former une solution.

Spectre électromagnétique

Ensemble des ondes naturelles de sources électrique et magnétique, dont ondes basse fréquence, ondes radio, ondes infrarouges, lumière visible, rayons X et rayons Gamma.

Travail

Mesure d'un transfert d'énergie permettant le déplacement d'un objet. Lorsque le point d'application de la force de travail n'est pas déplacé, le travail n'existe pas.

PRINCIPALE UNITÉS DE MESURE

Longueur
mètre (m)
1 kilomètre (km) = 1 000 m = 10^3 m
1 hectomètre (hm) = 100 m = 10^2 m
1 décamètre (dam) = 10 m
1 décimètre (dm) = 0,1 m = 10^{-1} m
1 centimètre (cm) = 0,01 m = 10^{-2} m
1 millimètre (mm) = 0,001 m = 10^{-3} m
1 gigamètre (Gm) = 1 000 000 000 m = 10^9 m
1 nanomètre (nm) = 0,000 000 001 m = 10^9 m

Masse
kilogramme (kg)
1 tonne (t) = 1 000 kg = 10^3 kg
1 hectogramme (hg) = 0,1 kg = 100 g
1 gramme (g) = 0,001 kg = 10^{-3} kg
1 milligramme (mg) = 0,000 001 kg = 10^{-6} kg

Quantité de matière
mole (mol)
1 mole contient autant d'entités

d'élémentaires qu'il y a d'atomes dans 0,012 kg de carbone 12.

Temps
seconde (s)
1 minute (min) = 60 s
1 heure (h) = 60 min = 3 600 s
1 jour = 24 h = 1 440 min

Température
degré Celsius (°C)
Kelvin (zéro absolu, K)
0 °C = 273,15 K

Intensité de courant électrique
ampère (A)

Intensité lumineuse
candela (cd)

AUTRES UNITÉS DE MESURE

Superficie (ou aire)
mètre carré (m^2)
1 kilomètre carré (km^2) = 1 000 000 m^2
1 hectare (ha) = 10 000 m^2
1 are (a) = 100 m^2

Volume
mètre cube (m^3)
1 centimètre cube (cm^3) = 0,000 001 m^3

Capacité
Litre (l)
1 millilitre (ml) = 0,001 l

Concentration
(masse par unité de volume)
kilogramme par mètre cube (kg/m^3)

Vitesse linéaire
mètre par seconde (m/s)
1 kilomètre par heure (km/h) = 1/3,6 m/s

Accélération linéaire
mètre par seconde par seconde (m/s^2)

Force
(masse x accélération)
newton (N)

Moment d'une force
(masse x vitesse)
newton-mètre (Nm)

Pression
(force par unité de surface)

pascal (Pa) = newton par mètre carré
(N/m^2)
1 bar (bar) = 100 000 Pa
1 millibar (mbar) = 100 Pa

Énergie
(force x déplacement)
joule (J)

Puissance
(énergie par unité de temps)
watt (W)
1 watt (W) = 1 J/s

Index

Les numéros de page en caractères **gras** renvoient à la principale entrée pour le sujet.

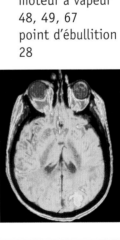

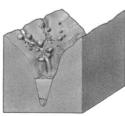

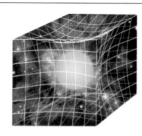

M

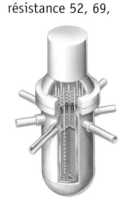

U

V

W

X

Y

Z

Remerciements

Illustrations

Mike Atkinson
Julian Baker
Julie Banyard
Andy Beckett
Kuo Kang Chen
Contour Publishing
Ron Dixon
Andrew Farmer
Mike Foster/Maltings Partnership
Jeremy Gower
Rob Jakeway
Roger Kent
Aziz Khan
Alan Male
Janos Marffy
Gillian Platt
Terry Riley
Peter Sarson
Mike Saunders
Guy Smith
Roger Smith
Roger Stewart
Techtype
Darrell Warner
Mike White
Alison Winfield

Prises de vue

Mike Perry, David Lipson Photography Ltd

Modèles

Kate Birkett
Alison Cobb
Sam Connolly
Alexander Green
Jack, Robert et Sally Hutchinson
Karen Jolly
Sian Liddell
April McGhee
Alice McGhee
Nicky Maynard
Ned Miles
Aaron Phipps
Joshua Phipps
Katie Reeve
Nicholas Seels
Naomi Tayler
Chelsea Taylor

Stylisme

Vivienne Bolton et Peter Bull

L'éditeur tient à remercier les personnes, organismes et institutions qui lui ont permis la reproduction des images de ce livre :

Page 8 (B/G) Mary Evans Picture Library ; page 17 (H/G) David Parker/Science Photo Library ; page 23 (H/D) Dr. Jeremy Burgess/Science Photo Library ; page 31 (B/G) Pat Spillane at Creative Vision ; page 35 (H) The Stock Market ; page 41 (B/G) The Stock Market ; page 47 (D) Dan McCoy/The Stock Market ; page 50 (B/D) The Stock Market ; page 51 (H/G) Martin Bond/Science Photo Library ; page 56 (B/D) The Stock Market ; page 60 (H/G) courtesy Capital Shopping Centres plc ; page 62 (H/D) The Stock Market ; page 69 (G) courtesy Honda ; page 73 (H/D) The Stock Market ; page 74 (B/G) courtesy Nuclear Electric plc ; page 75 (B/D) The Stock Market ; page 82 (H/C) courtesy BICC plc ; (B/G) Science Photo Library ; page 85 (B/D) département de radiologie clinique, Salisbury District Hospital/ Science Photo Library ; page 91 (B/G) Taheshi Takahara/Science Photo Library ; (B/D) The Stock Market ; page 95 (B/D) Dezo Hoffmann/Rex Features ; page 97 (H/G) James King-Holmes/Science Photo Library ; page 99 (H/D) courtesy National Power ; page 105 (B/D) Peter Menzel/Science Photo Library ; page 106 (H/G) David Parker/Science Photo Library ; page 112 (H/D) Leon Schadeberg/Rex Features ; page 113 (H/D) The Stock Market ; page 115 (B/G) The Stock Market ; page 119 (H/G) The Stock Market ; page 130 (B/G) Omikron/Science Photo Library ; page 131 (C) AKG, London ; page 135 (H/D) Nils Jorgensen/Rex Features ; page 136 (H/D) SIPA/Rex Features ; page 138 (C) The Stock Market ; page 139 (B) The Stock Market ; page 142 (H/G) NASA/Science Photo Library ; page 143 (B/G) Mary Evans Picture Library ; page 145 (B/D) courtesy Eurotunnel ; page 152 (B/G) NOAA/Science Photo Library ; page 153 (C/D) Chris Bonnington Picture Library ; page 155 (B/D) SIPA/Rex Features ; page 158 The Stock Market ; page 161 (H/G) The Stock Market ; page 163 (H/D) Rex Features ; page 167 (G/C) Rex Features ; page 171 (H/G) Rex Features ; page 198 (C) NASA/Rex Features ; page Nina Bermann/Rex Features ; page 185 (H/G) Rex Features, (C) The Stock Market ; page 194 (H/D) SIPA/Rex Features ; page 196 (H/D) NASA ; page 187 (H/C) Mary Evans Picture Library ; page 198 (B/G) Rex Features ; page 199 (H/D) SIPA/Rex Features ; page 207 (H/D) Gary Lewis/Stock Market ; pages 208/209 (C) The Stock Market ; page 214 (B/G) Stansted Airport Ltd ; page 215 (B/G) Justitz/The Stock Market ; page 218 (B/C) Mike Vines/Photolink ; page 224(H/G) Claude Nuridsany et Marie Perennou ; page 229 (H/D) Susanne Grant ; page 242 (B/D) B. Benjamin/The Stock Market.

Toutes les autres photographies proviennent de MKP Archives